P9-BZS-986

Houghton Mifflin Mathématique 3

Julie Boucher

Doug Super

Florine Koko Carlson

Irvin K. Burbank

Houghton Mifflin Canada Limited

150 Steelcase Road West • Markham, Ontario • L3R 1B2

Houghton Mifflin Mathématique

Auteurs
Julie Boucher
Irvin K. Burbank
Florine Koko Carlson
Richard Holmes
Heather J. Kelleher
Carol Poce
Doug Super

Conseillers
Jean Brugniau
Dominique Brugniau

Rédaction
Michel Gontard

Houghton Mifflin Mathématique 3

Traduction et adaptation de la première édition anglaise de:
Houghton Mifflin Mathematics 3

ISBN 0-395-34651-7

Imprimé au Canada

TABLE DES MATIÈRES

CHAPITRE 1
L'ADDITION

Double mixte

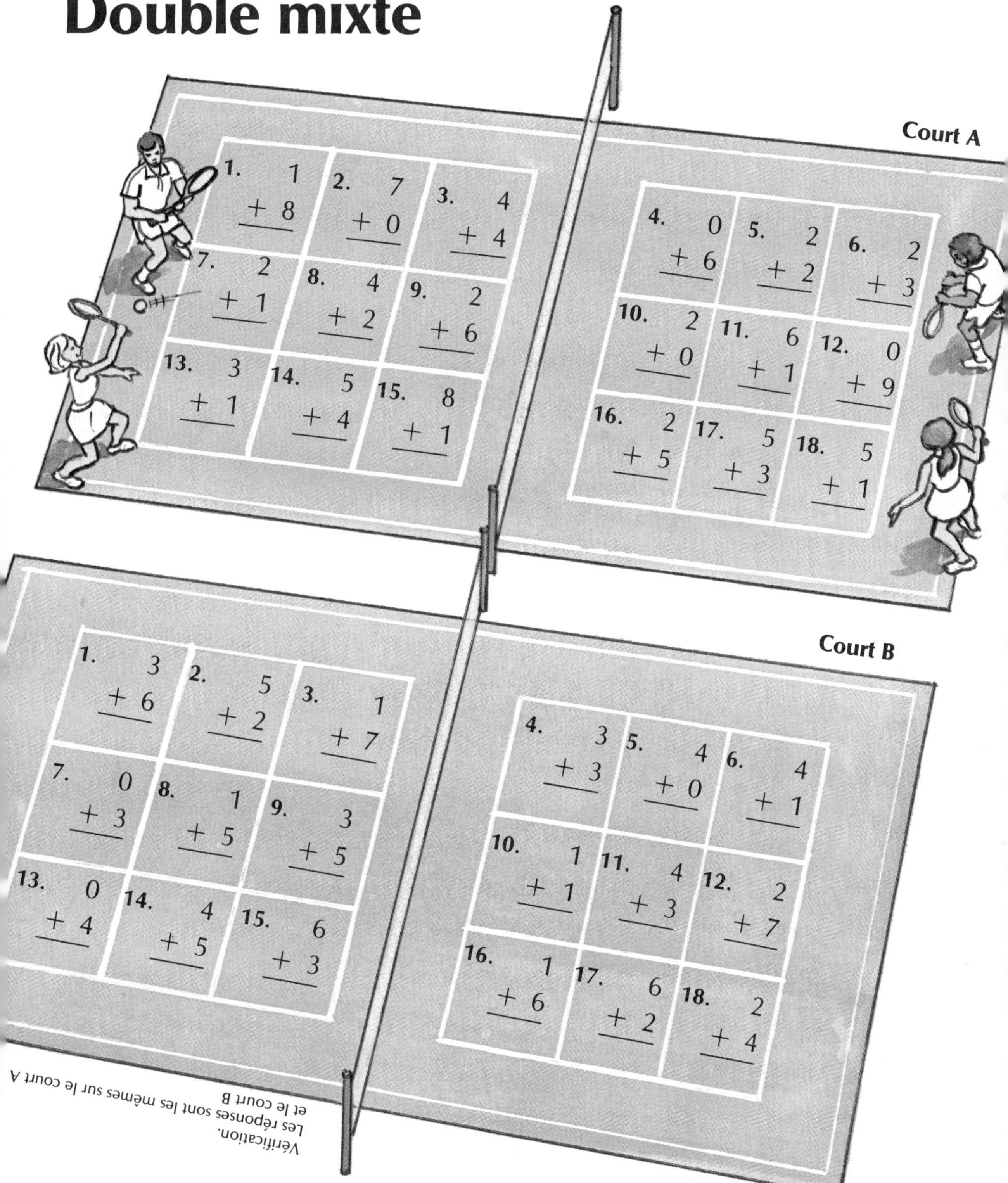

Court A

1. $1 + 8$
2. $7 + 0$
3. $4 + 4$
4. $0 + 6$
5. $2 + 2$
6. $2 + 3$
7. $2 + 1$
8. $4 + 2$
9. $2 + 6$
10. $2 + 0$
11. $6 + 1$
12. $0 + 9$
13. $3 + 1$
14. $5 + 4$
15. $8 + 1$
16. $2 + 5$
17. $5 + 3$
18. $5 + 1$

Court B

1. $3 + 6$
2. $5 + 2$
3. $1 + 7$
4. $3 + 3$
5. $4 + 0$
6. $4 + 1$
7. $0 + 3$
8. $1 + 5$
9. $3 + 5$
10. $1 + 1$
11. $4 + 3$
12. $2 + 7$
13. $0 + 4$
14. $4 + 5$
15. $6 + 3$
16. $1 + 6$
17. $6 + 2$
18. $2 + 4$

Vérification.
Les réponses sont les mêmes sur le court A
et le court B

Les nombres jusqu'à 99

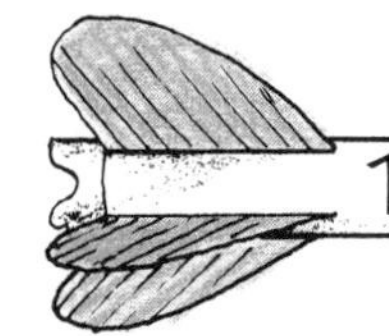

10 20 30 40 50 60 70 80 90

Marie donne **34¢** à Jean pour ses leçons de tir à l'arc.
Elle commence avec **34 flèches**.
Aujourd'hui elle marque **34 points**.

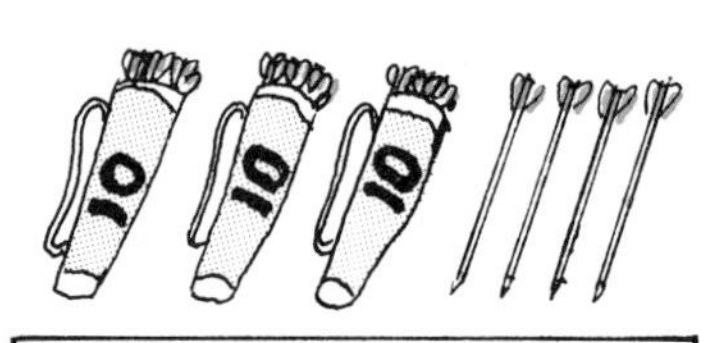

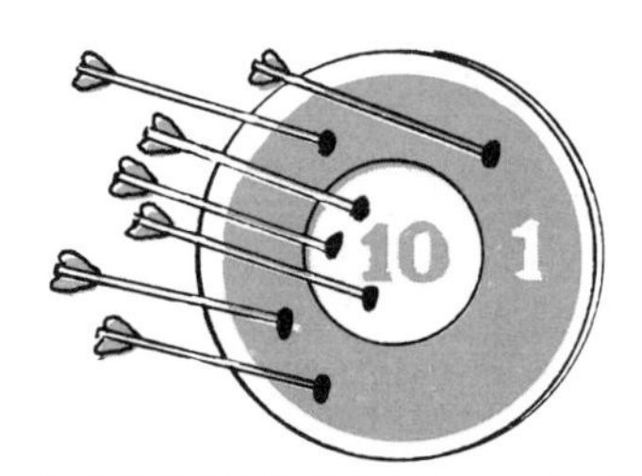

Façon normale de compter 10,20,30,31,32,33,34	**Par dizaines et unités** 3 dizaines 4 unités	**Sous forme développée** 30 + 4
Écriture normale 34¢	**Écriture normale** 34	**Écriture normale** 34

EXERCICES

Écris **normalement**.

1. 30 + 2 **2.** 30 + 8 **3.** 10 + 2 **4.** 10 + 8

5. 3 dizaines 5 unités **6.** 3 dizaines 7 unités **7.** 4 dizaines 3 unités

8. 4 dizaines 6 unités

Écris sous forme **développée**, puis **normalement**.

9.

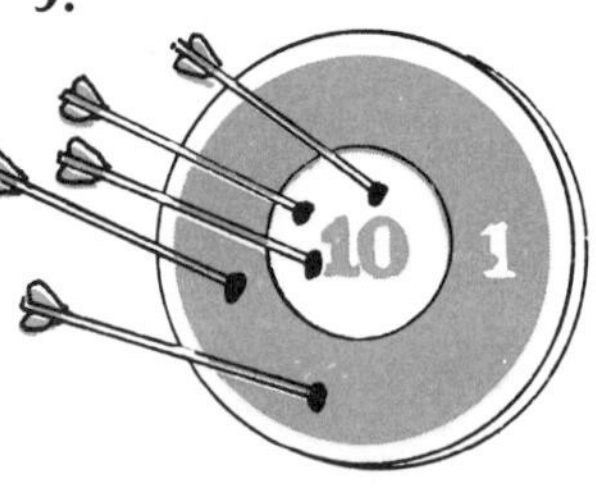

■ points

10.

■ cents

11.

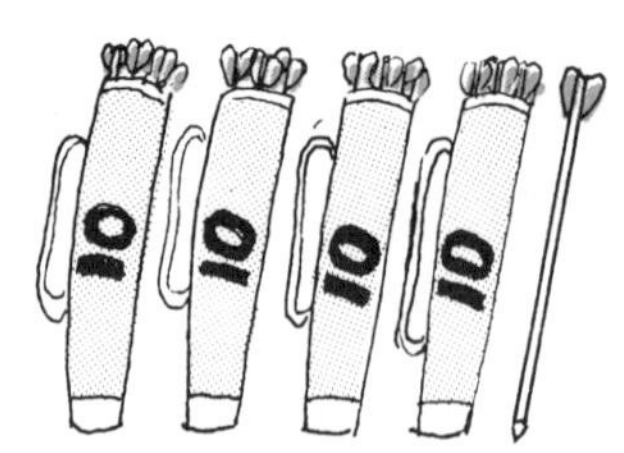

■ flèches

EXERCICES

Écris sous forme **développée**, puis **normalement**.

1\.

2\. 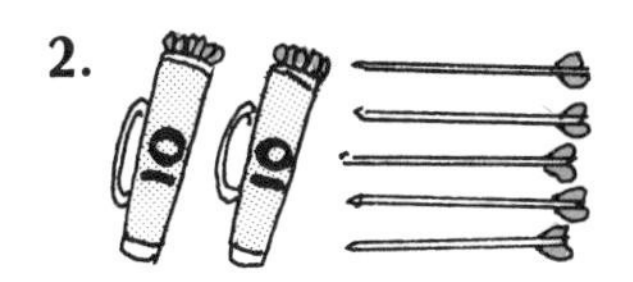

3\. 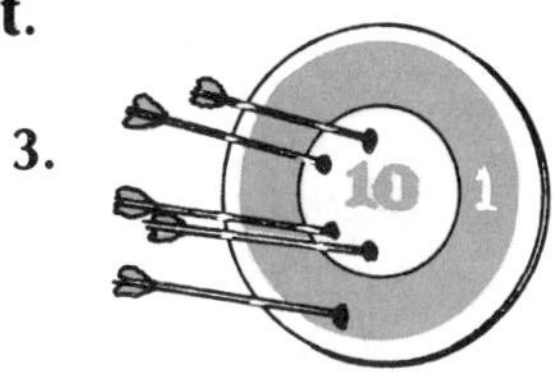

4\. 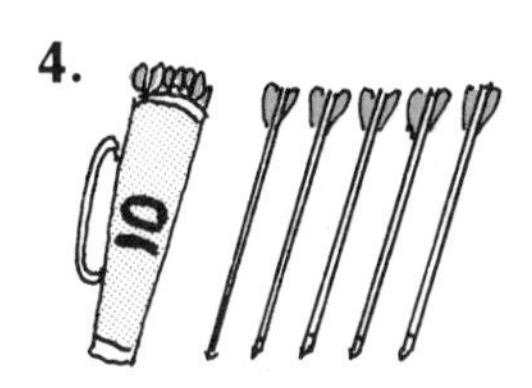

5\. 

6\. 

Écris **normalement**.

7\. 1 dizaine 3 unités

8\. 2 dizaines 8 unités

9\. 1 dizaine 0 unité

10\. 0 dizaine 8 unités

11\. 20 + 7

12\. 10 + 9

13\. 90 + 2

14\. 60 + 3

15\. 7 + 10

16\. 9 + 30

17\. 4 + 60

18\. 3 + 10

19\. $\begin{array}{r} 10 \\ +\ 4 \\ \hline \end{array}$

20\. $\begin{array}{r} 10 \\ +\ 2 \\ \hline \end{array}$

21\. $\begin{array}{r} 20 \\ +\ 8 \\ \hline \end{array}$

22\. $\begin{array}{r} 40 \\ +\ 1 \\ \hline \end{array}$

Vise bien!

Je **compte** sur toi.

1.	2.	3.	4.	5.
45	6 dizaines 4 unités	86	70 + 5	94
46	6 dizaines 5 unités	87	70 + 6	95
47	6 dizaines 6 unités			

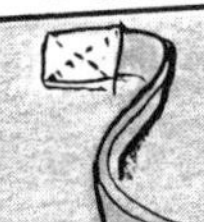

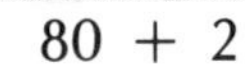

Complète la partie cachée.

52	7 dizaines 1 unité	93	80 + 2	101

Sommes égales à 10, 11 et 15

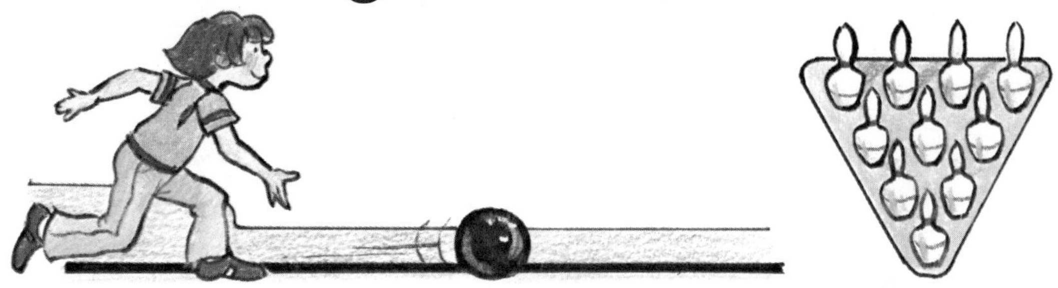

Lise joue avec 10 quilles.
Francis et Pitou préfèrent le
jeu de 15 quilles.

Avec 2 lancers, Francis et Lise renversent toutes leurs quilles. Le pauvre Pitou gagne 11 points ... et un mal de tête.

Lise	Francis	Pitou
6	8	6
+ 4	+ 7	+ 5
10	15	11

EXERCICES

Additionne les points.

1. $5 + 5$	**2.** $7 + 3$	**3.** $2 + 8$	**4.** $9 + 1$	**5.** $4 + 6$
6. $7 + 8$	**7.** $9 + 6$	**8.** $8 + 3$	**9.** $7 + 4$	**10.** $2 + 9$

EXERCICES

Recopie et additionne.

Dessine un triangle ▽ autour des sommes égales à 10.

1.	6 + 4	**2.**	8 + 7	**3.**	9 + 2	**4.**	4 + 6	**5.**	4 + 7	**6.**	9 + 1
7.	5 + 6	**8.**	3 + 8	**9.**	1 + 9	**10.**	2 + 9	**11.**	2 + 8	**12.**	7 + 4
13.	3 + 7	**14.**	8 + 2	**15.**	8 + 3	**16.**	7 + 8	**17.**	6 + 9	**18.**	5 + 5

19. 9 + 6 **20.** 7 + 3 **21.** 6 + 5 **22.** 5 + 6

23. Pitou marque **7** points au premier lancer.
Au deuxième, il marque **4** points.
Combien de points a-t-il en tout?

Recopie et complète.

24. 7 + ■ = 10 **25.** 2 + ■ = 10 **26.** 6 + ■ = 10 **27.** 1 + ■ = 10

Nombres en triangles

Avec des jetons, trouve tous les nombres en triangles plus petits que 100.

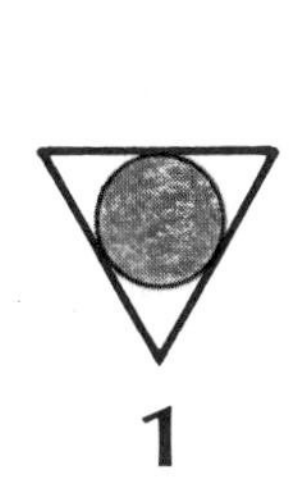

1

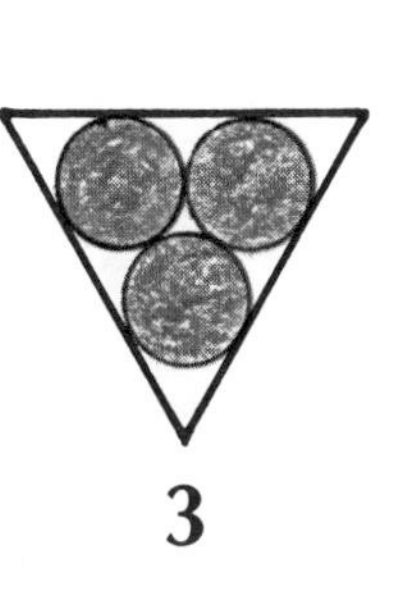

3

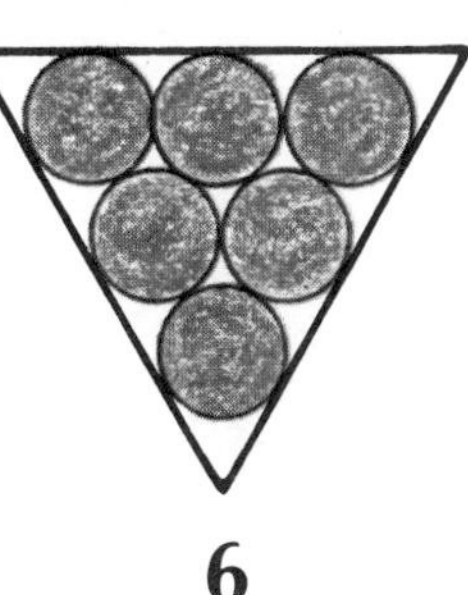

6

Les centimètres

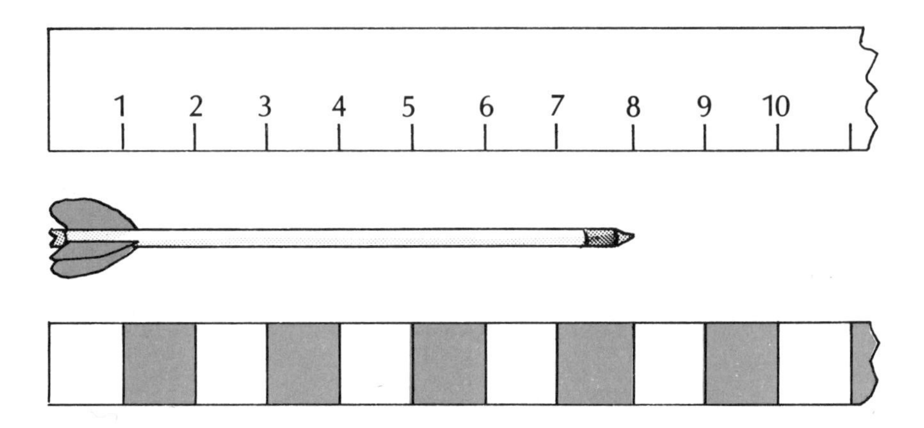

La flèche mesure **huit centimètres** de long.
Tu écris **8 cm**.

Si tu n'as pas de règle
tu peux **estimer** la dimension.
Estimer, c'est deviner avec soin.

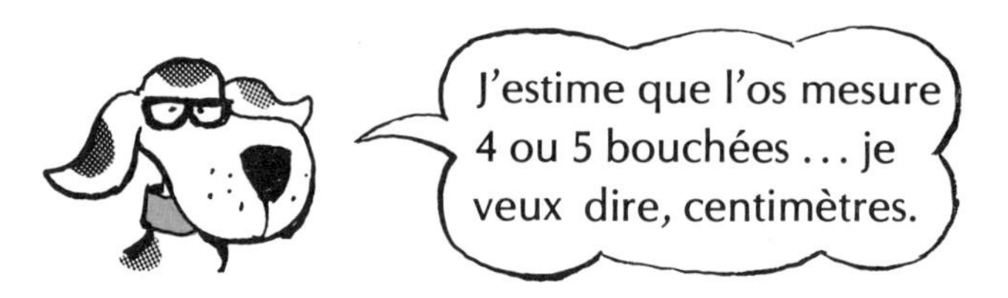

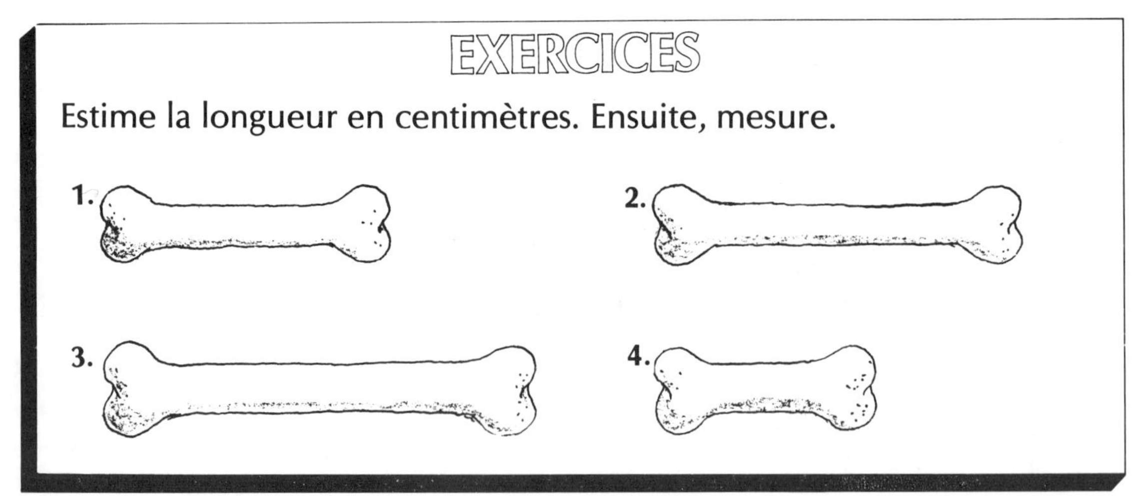

EXERCICES

Estime la longueur en centimètres. Ensuite, mesure.

EXERCICES

Estime la dimension en centimètres.
Ensuite, mesure.

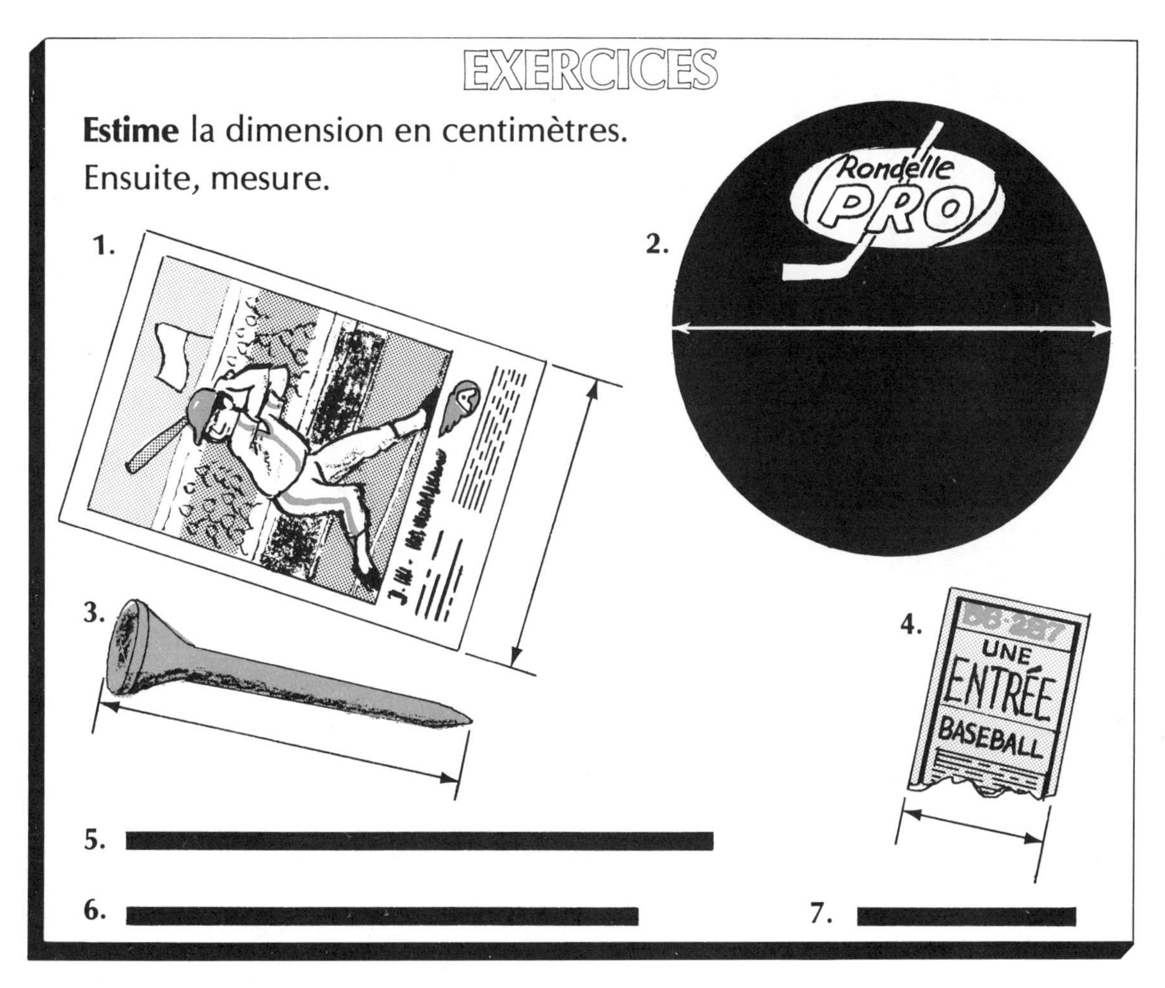

Tour de triangle

Dessine 14 triangles identiques à celui-ci.
Découpe les 14 triangles.
Dispose-les de façon à recouvrir les **carrés**.

Sommes égales à 12, 13 et 14

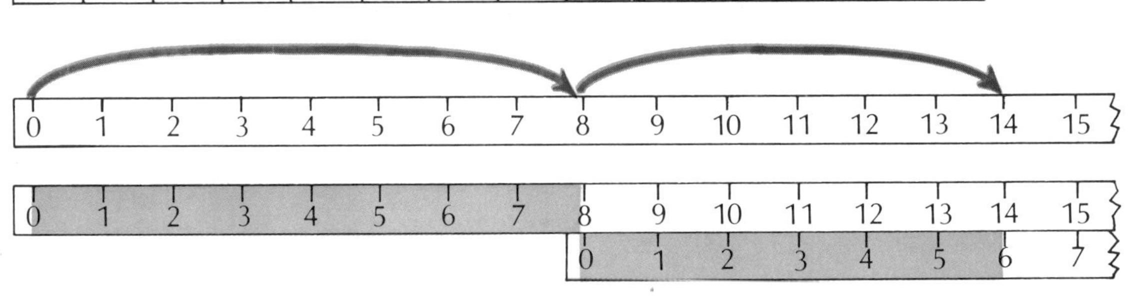

EXERCICES

Écris les additions.

1. 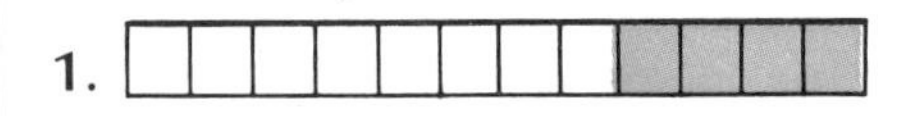

2. 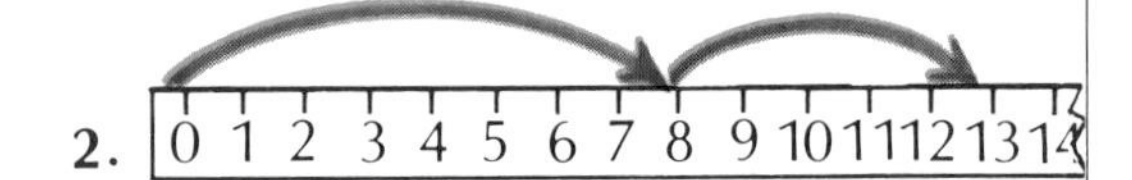

3. 0 1 2 3 4 5 6 7 8 9 10 11 12 13 14
0 1 2 3 4 5 6 7 8

4. 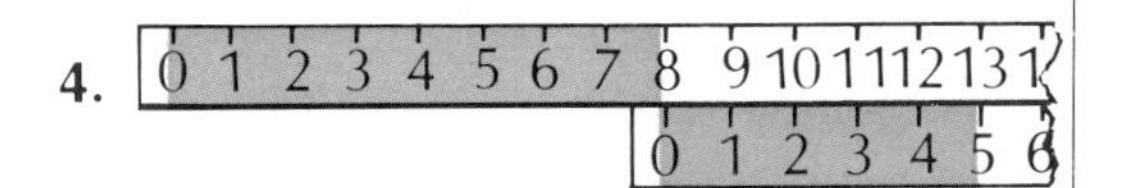

Additionne.

5. $3 + 9$

6. $4 + 8$

7. $5 + 9$

8. $6 + 6$

9. $7 + 5$

10. $5 + 8$

11. $6 + 7$

12. $7 + 6$

13. $8 + 5$

14. $9 + 4$

EXERCICES

Additionne. Aide-toi d'une règle graduée.

1. $\begin{array}{r} 5 \\ +\ 8 \\ \hline \end{array}$ 2. $\begin{array}{r} 6 \\ +\ 7 \\ \hline \end{array}$ 3. $\begin{array}{r} 4 \\ +\ 8 \\ \hline \end{array}$ 4. $\begin{array}{r} 5 \\ +\ 7 \\ \hline \end{array}$ 5. $\begin{array}{r} 6 \\ +\ 8 \\ \hline \end{array}$ 6. $\begin{array}{r} 7 \\ +\ 8 \\ \hline \end{array}$

7. $\begin{array}{r} 8 \\ +\ 6 \\ \hline \end{array}$ 8. $\begin{array}{r} 8 \\ +\ 4 \\ \hline \end{array}$ 9. $\begin{array}{r} 8 \\ +\ 5 \\ \hline \end{array}$ 10. $\begin{array}{r} 7 \\ +\ 5 \\ \hline \end{array}$ 11. $\begin{array}{r} 7 \\ +\ 7 \\ \hline \end{array}$ 12. $\begin{array}{r} 7 \\ +\ 6 \\ \hline \end{array}$

13. $\begin{array}{r} 9 \\ +\ 3 \\ \hline \end{array}$ 14. $\begin{array}{r} 8 \\ +\ 7 \\ \hline \end{array}$ 15. $\begin{array}{r} 9 \\ +\ 5 \\ \hline \end{array}$ 16. $\begin{array}{r} 9 \\ +\ 4 \\ \hline \end{array}$ 17. $\begin{array}{r} 6 \\ +\ 6 \\ \hline \end{array}$ 18. $\begin{array}{r} 3 \\ +\ 9 \\ \hline \end{array}$

Recopie et complète ces tableaux.

19.

+	2	5	4	6	3	7
7	9					

20.

+	2	5	3	4	6
8					

RÉVISION

Écris normalement.

1. 5 dizaines 4 unités

Additionne.

2. $40 + 8$ 3. $\begin{array}{r} 10 \\ +\ 6 \\ \hline \end{array}$ 4. $\begin{array}{r} 60 \\ +\ 7 \\ \hline \end{array}$

Additionne.

5. $\begin{array}{r} 4 \\ +\ 6 \\ \hline \end{array}$ 6. $\begin{array}{r} 8 \\ +\ 7 \\ \hline \end{array}$ 7. $\begin{array}{r} 8 \\ +\ 3 \\ \hline \end{array}$ 8. $\begin{array}{r} 4 \\ +\ 7 \\ \hline \end{array}$ 9. $\begin{array}{r} 9 \\ +\ 6 \\ \hline \end{array}$

Additionne.

10. $\begin{array}{r} 8 \\ +\ 4 \\ \hline \end{array}$ 11. $\begin{array}{r} 6 \\ +\ 7 \\ \hline \end{array}$ 12. $\begin{array}{r} 4 \\ +\ 9 \\ \hline \end{array}$ 13. $\begin{array}{r} 6 \\ +\ 8 \\ \hline \end{array}$ 14. $\begin{array}{r} 5 \\ +\ 9 \\ \hline \end{array}$

Sommes égales à 16, 17 et 18

3 + 9 = 12

2 + 10 = 12

Pour ajouter 9, tu peux ajouter 10 et soustraire 1.

Nombres pairs

0	2	4	6	8

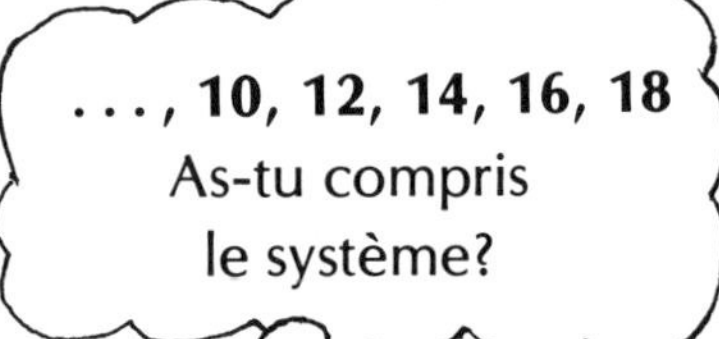

Trouver le **double** d'un nombre c'est ajouter ce nombre à lui-même.

0	1	2	3	4
+ 0	+ 1	+ 2	+ 3	+ 4
0	2	4	6	8

EXERCICES

Complète les additions.

1.	**2.**	**3.**	**4.**	**5.**	**6.**
9	9	9	3	4	5
+ 7	+ 8	+ 6	+ 9	+ 9	+ 9
1■	■7	■■	1■	■3	■■

Écris les additions.

7. 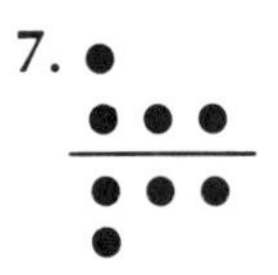

8. **9.** **10.** **11.** **12.**

EXERCICES

Additionne.

1. $3 + 9$
2. $5 + 9$
3. $8 + 9$
4. $9 + 7$
5. $9 + 9$
6. $9 + 4$
7. $8 + 8$
8. $6 + 6$
9. $7 + 7$
10. $9 + 9$
11. $5 + 5$
12. $10 + 10$

8 bâtons de hockey
8 cartes de hockey
9 cartes de base-ball

7 ballons de soccer
9 ballons de football
7 chaussures de soccer

13. Il y a ■ cartes.
14. Il y a ■ objets pour le hockey.
15. Il y a ■ ballons.
16. Il y a ■ objets pour le soccer.

Table d'additions

$3 + 7$

Mets ton doigt à côté du 3.
Fais–le glisser horizontalement jusqu'à la colonne du 7.
La réponse est 10.

$3 + 7 = 10$

+	0	1	2	3	4	5	6	7	8	9
0	0	1	2	3	4	5	6	7	8	9
1	1	2	3	4	5	6	7	8	9	10
2	2	3	4	5	6	7	8	9	10	11
3	3	4	5	6	7	8	9	10	11	12
4	4	5	6	7	8	9	10	11	12	13
5	5	6	7	8	9	10	11	12	13	14
6	6	7	8	9	10	11	12	13	14	15
7	7	8	9	10	11	12	13	14	15	16
8	8	9	10	11	12	13	14	15	16	17
9	9	10	11	12	13	14	15	16	17	18

Réponds à l'aide de la table.

Trouve $9 + 6$ et $6 + 9$.
Est-ce que tu fais glisser ton doigt de la même façon?
Est-ce que les réponses sont identiques?

L'addition de 3 nombres

Qui a gagné la partie?

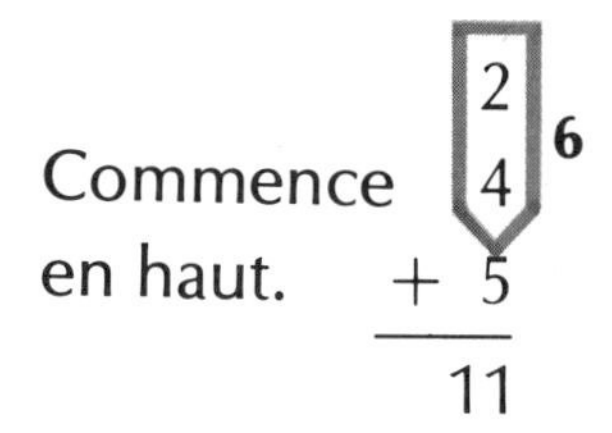

Commence en haut.	Commence en bas.	Commence aux extrémités.
2	2	2
4 (6)	4 (9)	4 (7)
+ 5	+ 5	+ 5
11	11	11

6	2	3
3	9	7
+ 4	+ 1	+ 8
13	12	18

EXERCICES

Additionne.

1.	2.	3.	4.	5.	6.
2	3	6	7	4	5
2	4	2	1	2	2
+ 3	+ 3	+ 1	+ 2	+ 4	+ 5

Cherche 10, puis additionne.

7.	8.	9.	10.	11.	12.
7	9	1	2	5	7
6	5	8	6	5	3
+ 3	+ 1	+ 2	+ 4	+ 2	+ 4

EXERCICES

Trouve 10, puis additionne.

1.	2.	3.	4.	5.	6.
9	6	2	8	9	5
3	4	7	4	1	5
+ 1	+ 3	+ 3	+ 2	+ 9	+ 5

Additionne.

7.	8.	9.	10.	11.	12.
2	6	3	4	3	6
3	2	4	6	2	2
+ 2	+ 7	+ 3	+ 3	+ 3	+ 4

13.	14.	15.	16.	17.	18.
4	5	2	3	6	4
4	4	7	4	4	7
+ 2	+ 5	+ 3	+ 5	+ 5	+ 4

Trouve les gagnants!

19.

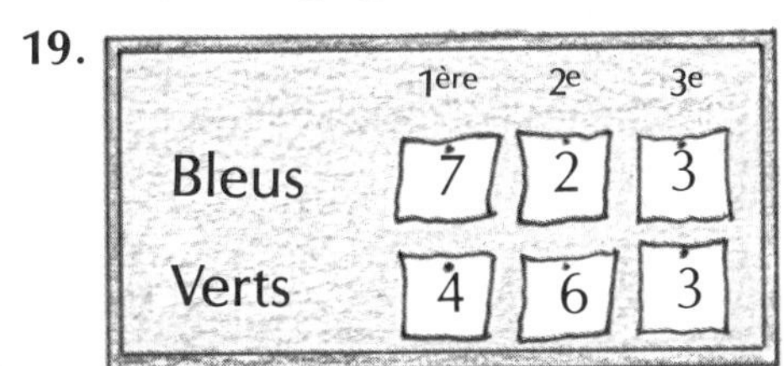

20.

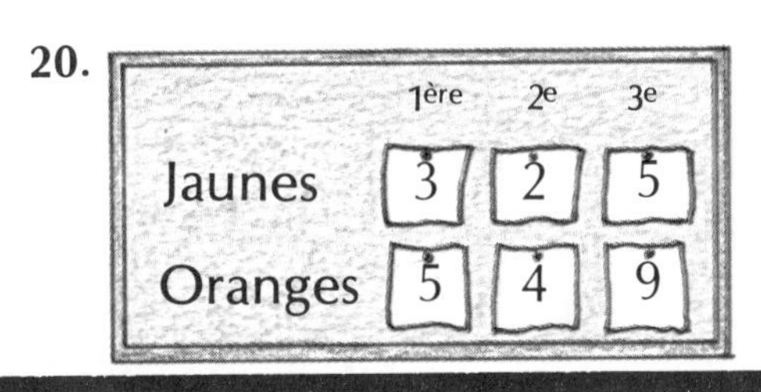

Les parenthèses de Linda

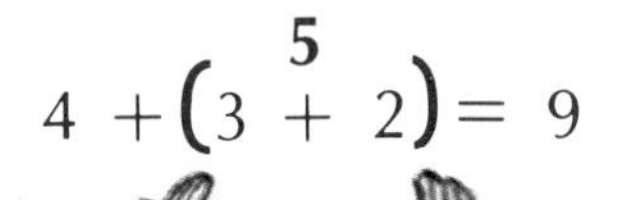

Linda Parenthèse nous montre comment elle s'y prend pour additionner trois nombres.

1. $(7 + 2) + 2$
2. $3 + (2 + 6)$
3. $2 + (6 + 4)$
4. $(4 + 4) + 7$
5. $(8 + 0) + 5$
6. $6 + (5 + 4)$
7. $(2 + 6) + 6$
8. $7 + (5 + 3)$

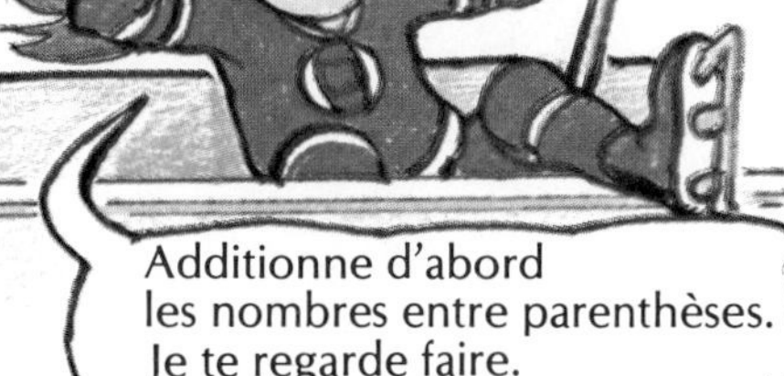

Le périmètre d'un triangle

Le **périmètre** d'une figure est la longueur de son contour.

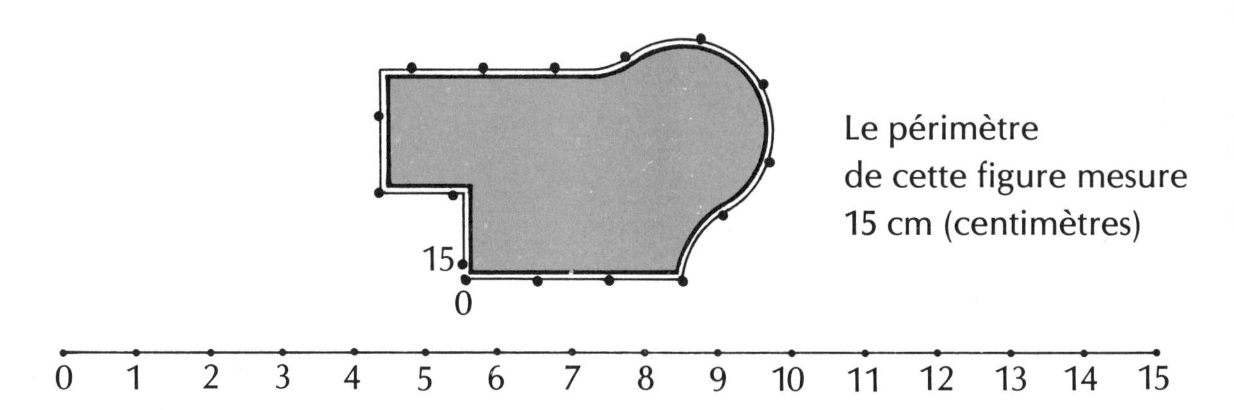

Le périmètre
de cette figure mesure
15 cm (centimètres)

Un **triangle** a 3 côtés.
Son périmètre est la longueur totale de ses côtés.

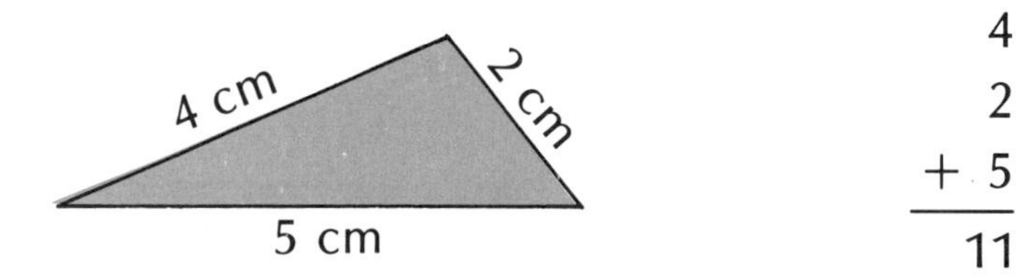

$$\begin{array}{r} 4 \\ 2 \\ +\ 5 \\ \hline 11 \end{array}$$

Le périmètre de ce triangle est 11 cm.

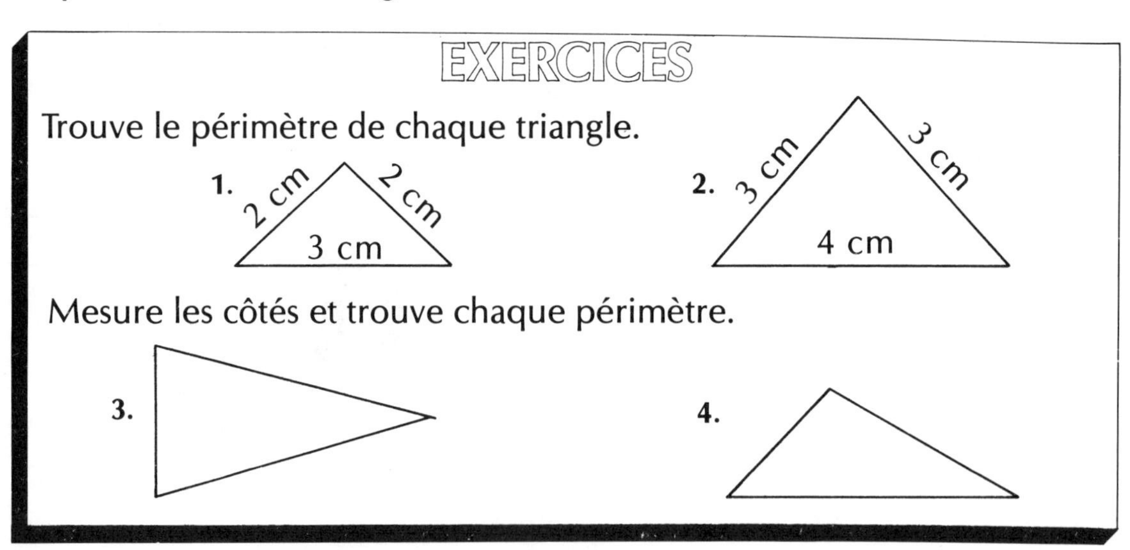

EXERCICES

Trouve le périmètre de chaque triangle.

Mesure les côtés et trouve chaque périmètre.

EXERCICES

Mesure les côtés et trouve chaque périmètre.

1.

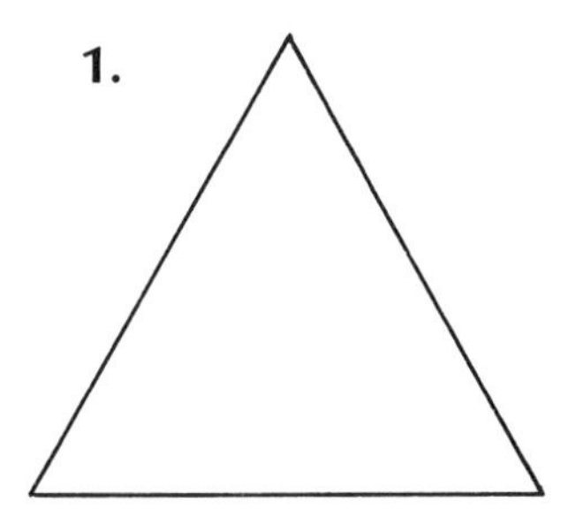

2.

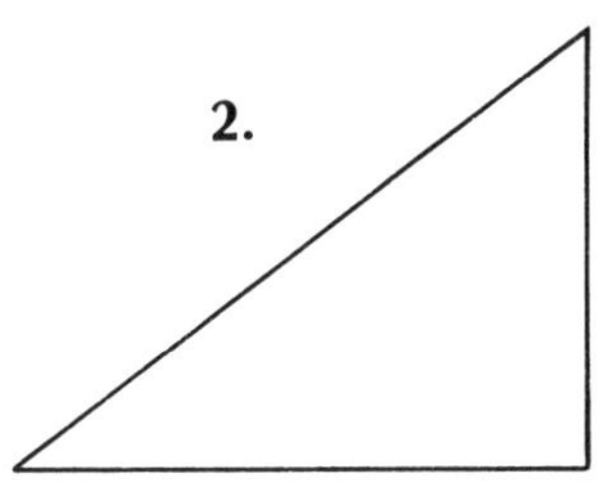

3.

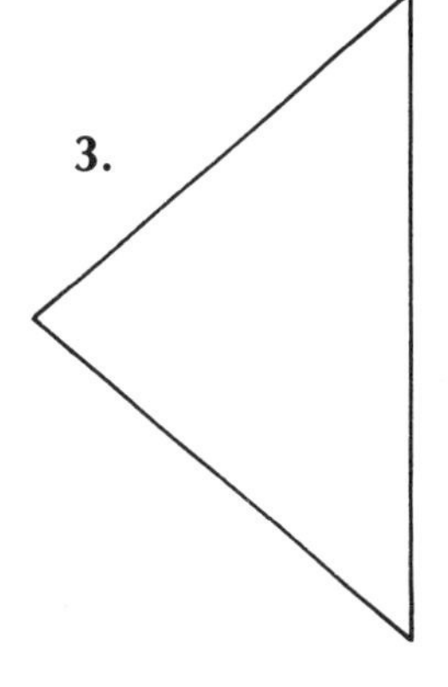

Additionne.

4. 3 cm	**5.** 5 cm	**6.** 4 cm	**7.** 5 cm	**8.** 3 cm
5 cm	4 cm	4 cm	3 cm	3 cm
+ 6 cm	+ 3 cm	+ 7 cm	+ 5 cm	+ 9 cm

9. Trace un triangle en utilisant les mesures de la question 4.

10. Essaie de tracer un triangle d'après les mesures de la question 8. Décris ce qui se passe.

Les fautes de Pitou

Pitou a écrit ce qui est en bleu.
Peux-tu corriger ses 6 fautes?

+	0	1	2	3	4	5	6	7	8	9	10
0	0	1	2	3	4	5	6	7	8	9	10
1	1	2	3	4	5	6	7	8	9	10	11
2	2	3	4	5	6	7	8	9	10	11	12
3	3	4	5	6	7	8	9	10	11	12	13
4	4	5	6	7	8	9	10	11	12	13	14
5	5	6	7	8	9	10	11	11	12	14	15
6	6	7	8	9	10	11	12	13	14	16	16
7	7	8	9	10	10	12	13	14	15	16	17
8	8	9	10	11	12	12	15	15	16	17	18
9	9	10	11	12	13	14	15	16	17	18	19
10	10	11	12	13	14	15	16	17	18	19	20

RENSEIGNEMENTS SUPPLÉMENTAIRES

La page des sports

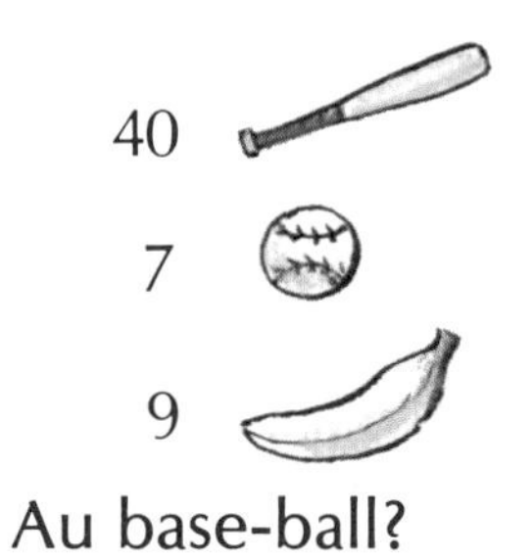

Au base-ball?

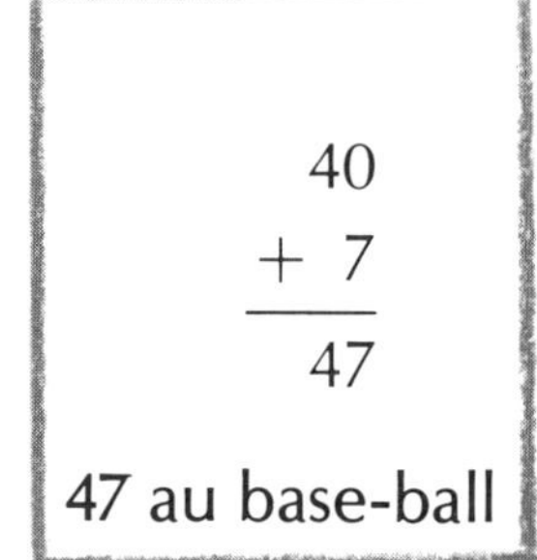

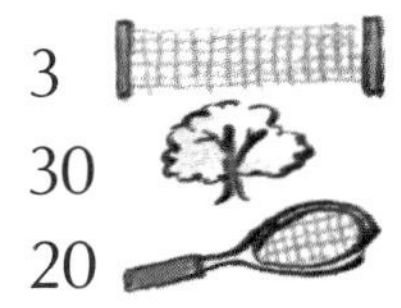

1. Au tennis?

2. Aux quilles?

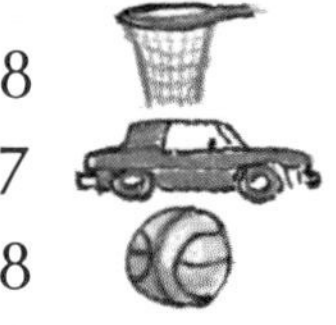

3. Au basket-ball?

6
3
9
7

4. En natation?

5. Au hockey?

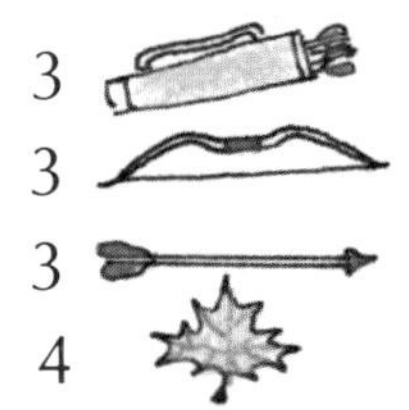

6. Au tir à l'arc?

Résolution de Problèmes

La niche de Pitou

1. Construis 4 «niches» triangulaires avec 9 pailles et du papier collant.
2. Construis 4 niches carrées avec 6 pailles et du papier collant.

Le courrier des lecteurs

Cher élève,

J'adore les sports. J'ai fait du ski pendant 2 heures samedi, 7 heures dimanche et 5 heures lundi.

J'ai aussi joué au football avec mes amis. Durant la dernière partie nous avions seulement 20 points, à 4 secondes de la fin. Mon ami Joujou a réussi à marquer 6 points avant la fin de la partie. Nous avons prévu de disputer 7 parties ce mois-ci et 8 parties le mois prochain.

Mon sport préféré est la natation. Je peux nager 6 longueurs sur le dos et 5 autres longueurs en barbotant.
Est-ce que tu peux nager de cette façon?

Ton assistant, Pitou

RÉSOLUTION DE PROBLÈMES

1. Combien de longueurs est-ce je peux faire en tout?
2. Combien de parties de football allons-nous disputer?
3. Pendant combien d'heures est-ce que j'ai skié durant la semaine?
4. Combien avions-nous de points avec ceux de Joujou?
5. Pendant combien d'heures est-ce que j'ai skié en fin de semaine?

RÉVISION

Additionne.

1. $\begin{array}{r} 9 \\ +\ 7 \\ \hline \end{array}$
2. $\begin{array}{r} 9 \\ +\ 9 \\ \hline \end{array}$
3. $\begin{array}{r} 8 \\ +\ 9 \\ \hline \end{array}$
4. $\begin{array}{r} 8 \\ +\ 8 \\ \hline \end{array}$
5. $\begin{array}{r} 7 \\ +\ 9 \\ \hline \end{array}$
6. $\begin{array}{r} 8 \\ 2 \\ +\ 5 \\ \hline \end{array}$
7. $\begin{array}{r} 5 \\ 6 \\ +\ 5 \\ \hline \end{array}$
8. $\begin{array}{r} 7 \\ 2 \\ +\ 1 \\ \hline \end{array}$
9. $\begin{array}{r} 5 \\ 4 \\ +\ 2 \\ \hline \end{array}$
10. $\begin{array}{r} 7 \\ 6 \\ +\ 2 \\ \hline \end{array}$

Un «Super Bowl» dans l'écuelle de Pitou

COMPTE PAR 10

Compte par 10 en additionnant dix chaque fois.

Trouve ces nombres dans le tableau: 18 28 38 48 58.

Que remarques-tu?

1	2	3	4	5	6	7	8	9	10
11	12	13	14	15	16	17	18	19	20
21	22	23	24	25	26	27	28	29	30
31	32	33	34	35	36	37	38	39	40
41	42	43	44	45	46	47	48	49	50
51	52	53	54	55	56	57	58	59	60
61	62	63	64	65	66	67	68	69	70
71	72	73	74	75	76	77	78	79	80
81	82	83	84	85	86	87	88	89	90
91	92	93	94	95	96	97	98	99	100

PITOU

COMPTE PAR 9

Trouve ces nombres dans le tableau:
7, 16, 25, 34, 43, 52, 61, 70, 79.

Que remarques-tu?

vue de dessus

Compte par 10 de:

1. 5 à 95 **2.** 24 à 94 **3.** 11 à 91

Compte par 9 de:

4. 8 à 71 **5.** 19 à 91 **6.** 6 à 96

Additionne.

7. 5 + 10 **8.** 24 + 10 **9.** 41 + 10

10. 8 + 9 **11.** 19 + 9 **12.** 16 + 9

P

vue de pro

CHAPITRE 1 TEST

Additionne.

1. 60 + 3
2. 10 + 8
3. $90 + 8$
4. $20 + 3$
5. $9 + 10$
6. $8 + 3$
7. $6 + 4$
8. $3 + 7$
9. $9 + 6$
10. $7 + 8$

11. Mesure la longueur de la flèche en centimètres.

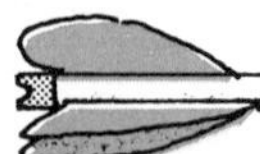

Additionne.

12. $8 + 5$
13. $7 + 5$
14. $8 + 6$
15. $7 + 6$
16. $8 + 4$
17. $8 + 8$
18. $7 + 9$
19. $9 + 9$
20. $9 + 8$
21. $9 + 7$
22. $4 + 6 + 4$
23. $4 + 6 + 3$
24. $3 + 2 + 7$
25. $6 + 2 + 3$
26. $8 + 7 + 2$

Mesure les côtés et calcule le périmètre.

27.

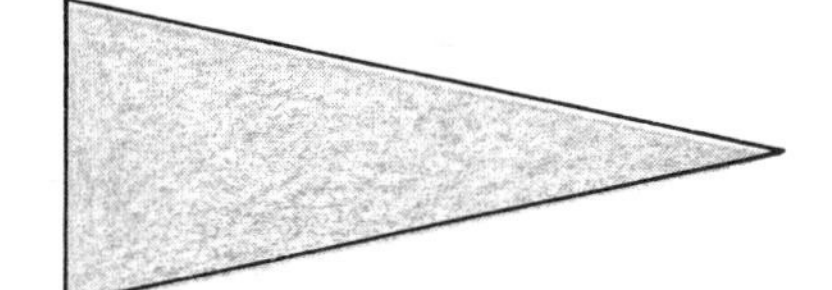

Il y a ■ balles.

28. 9
8

29. 6
3
6

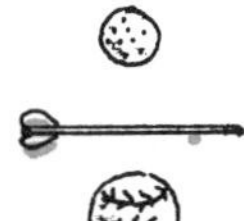

CHAPITRE 2
LA SOUSTRACTION

L'aiguille dans la meule de foin

Meule de foin A

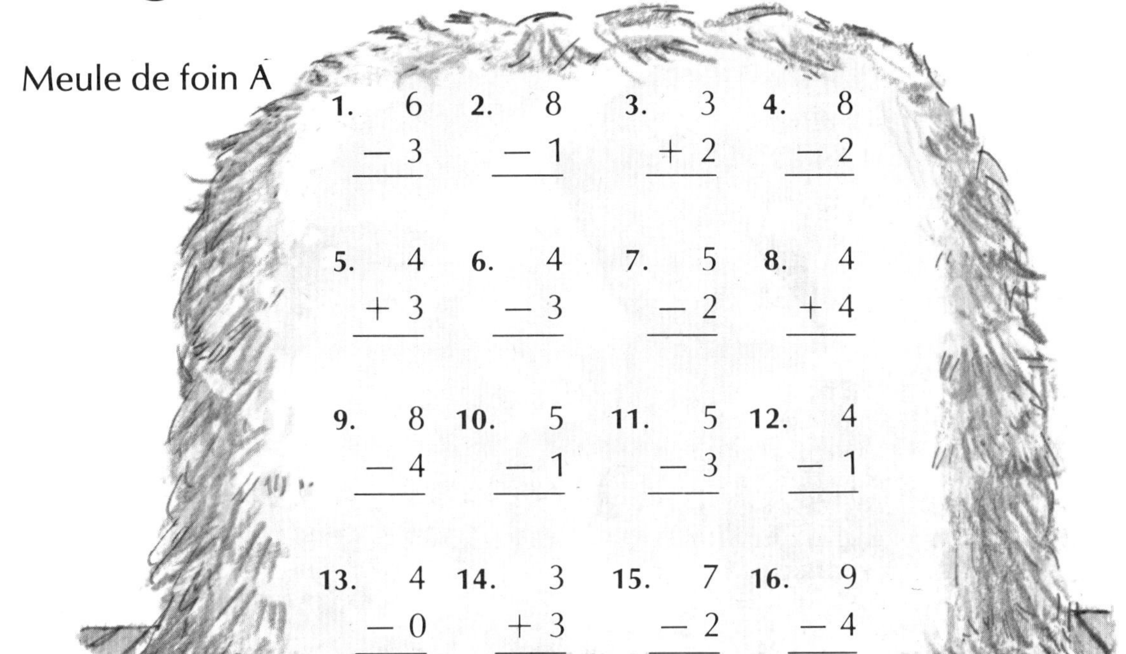

1. $6 - 3$
2. $8 - 1$
3. $3 + 2$
4. $8 - 2$
5. $4 + 3$
6. $4 - 3$
7. $5 - 2$
8. $4 + 4$
9. $8 - 4$
10. $5 - 1$
11. $5 - 3$
12. $4 - 1$
13. $4 - 0$
14. $3 + 3$
15. $7 - 2$
16. $9 - 4$

Meule de foin B

1. $7 - 4$
2. $9 - 2$
3. $1 + 4$
4. $9 - 3$
5. $5 + 2$
6. $9 - 8$
7. $8 - 5$
8. $5 + 3$
9. $7 - 3$
10. $9 - 5$
11. $8 - 6$
12. $9 - 6$
13. $6 - 2$
14. $7 - 5$
15. $6 - 1$
16. $8 - 3$

Opérations apparentées

Chaque boîte de légumes permet de réaliser 4 opérations.

$$\begin{array}{r} 10 \\ -\ 6 \\ \hline 4 \end{array} \qquad \begin{array}{r} 10 \\ -\ 4 \\ \hline 6 \end{array} \qquad \begin{array}{r} 6 \\ +\ 4 \\ \hline 10 \end{array} \qquad \begin{array}{r} 4 \\ +\ 6 \\ \hline 10 \end{array}$$

$$\begin{array}{r} 10 \\ -\ 7 \\ \hline 3 \end{array} \qquad \begin{array}{r} 10 \\ -\ 3 \\ \hline 7 \end{array} \qquad \begin{array}{r} 7 \\ +\ 3 \\ \hline 10 \end{array} \qquad \begin{array}{r} 3 \\ +\ 7 \\ \hline 10 \end{array}$$

Avec ces 3 nombres, on peut écrire 2 additions et 2 soustractions.

$$\begin{array}{r} 11 \\ -\ 9 \\ \hline 2 \end{array} \qquad \begin{array}{r} 11 \\ -\ 2 \\ \hline 9 \end{array} \qquad \begin{array}{r} 9 \\ +\ 2 \\ \hline 11 \end{array} \qquad \begin{array}{r} 2 \\ +\ 9 \\ \hline 11 \end{array}$$

EXERCICES

Écris les soustractions qui manquent.

1. 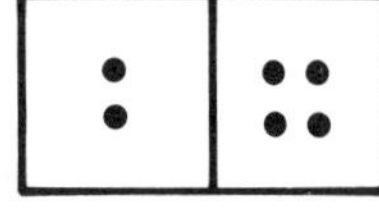

$$\begin{array}{r} 2 \\ +\ 4 \\ \hline 6 \end{array} \qquad \begin{array}{r} 4 \\ +\ 2 \\ \hline 6 \end{array}$$

2.

$$\begin{array}{r} 6 \\ +\ 5 \\ \hline 11 \end{array} \qquad \begin{array}{r} 5 \\ +\ 6 \\ \hline 11 \end{array}$$

3. 

$$\begin{array}{r} 2 \\ +\ 5 \\ \hline 7 \end{array} \qquad \begin{array}{r} 5 \\ +\ 2 \\ \hline 7 \end{array}$$

4. 

$$\begin{array}{r} 2 \\ +\ 8 \\ \hline 10 \end{array} \qquad \begin{array}{r} 8 \\ +\ 2 \\ \hline 10 \end{array}$$

EXERCICES

Soustrais.

1.	2.	3.	4.	5.	6.
10 − 1	10 − 9	10 − 2	10 − 8	10 − 7	10 − 5

7.	8.	9.	10.	11.	12.
11 − 5	11 − 6	11 − 3	11 − 8	11 − 4	11 − 7

13.	14.	15.	16.	17.	18.
10 − 3	11 − 9	10 − 4	11 − 2	10 − 6	11 − 8

Écris les quatre opérations apparentées pour chaque problème.

19. 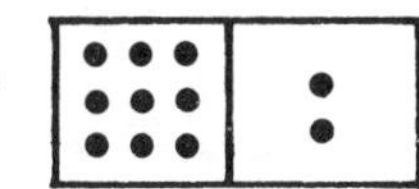

20. 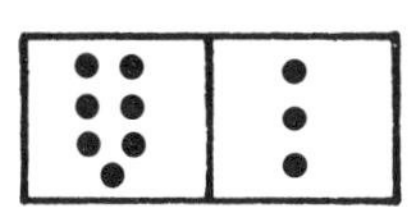

21. 

22. 

23. 

24. 

La corne d'abondance

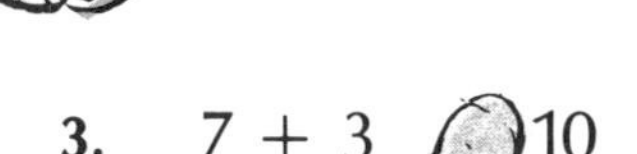

La corne se vide.

Résous chaque équation.

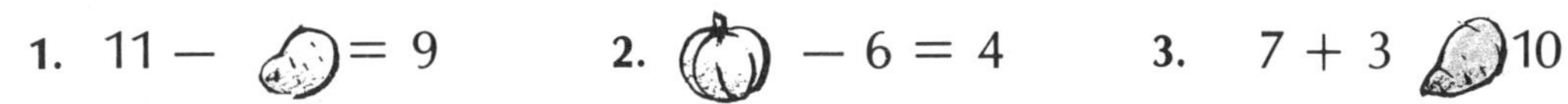

1. 11 − = 9
2. − 6 = 4
3. 7 + 3 10
4. 5 5 = 10
5. 10 − 2 =
6. − 8 = 2
7. + 2 = 11
8. 11 5 = 6
9. 11 − = 7

1 de moins et 10 de moins

Jean veut acheter 36 courges.

Il a 23 dollars.

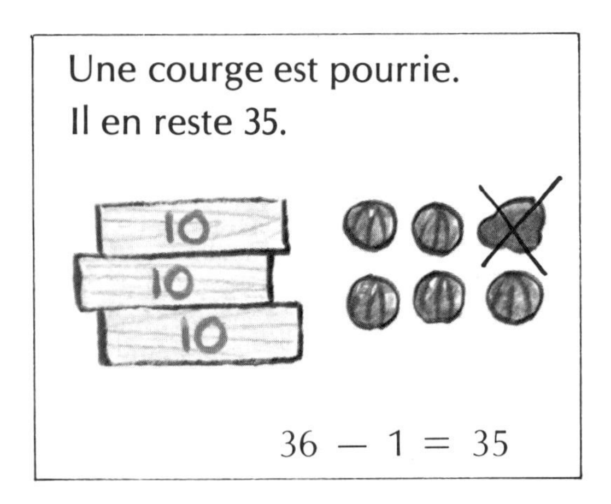

Une courge est pourrie.
Il en reste 35.

36 — 1 = 35

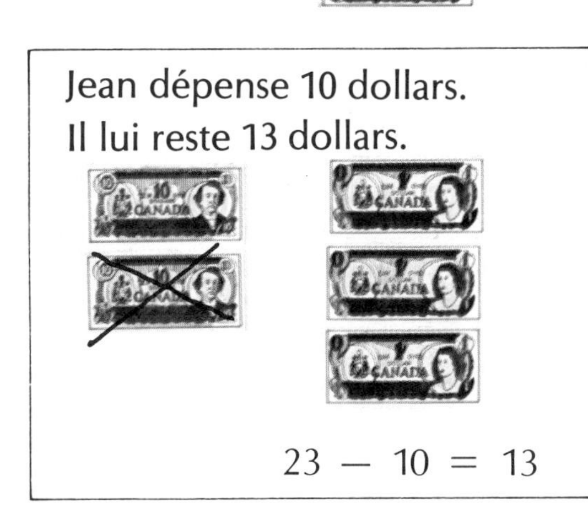

Jean dépense 10 dollars.
Il lui reste 13 dollars.

23 — 10 = 13

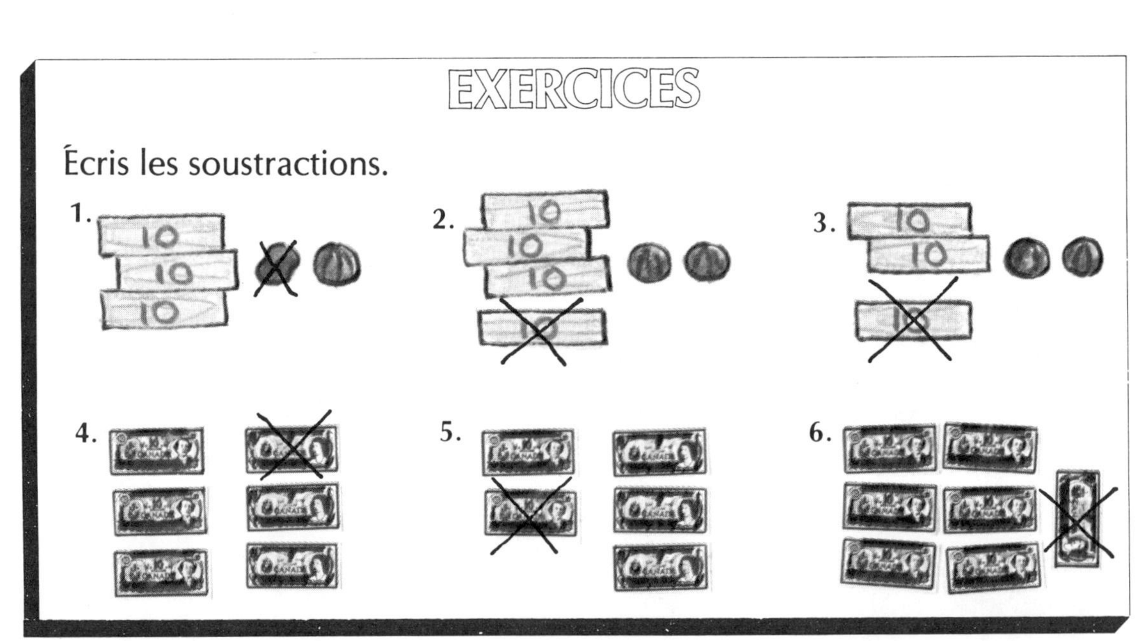

EXERCICES

Écris les soustractions.

1.

2.

3.

4.

5.

6.

EXERCICES

Soustrais.

1. 36 − 1
2. 25 − 1
3. 17 − 1
4. 84 − 1
5. 36 − 10
6. 25 − 10
7. 17 − 10
8. 84 − 10

9.	10.	11.	12.
42	63	59	98
− 10	− 1	− 10	− 1

13.	14.	15.	16.
9	19	12	51
− 1	− 10	− 10	− 1

Continue.

17. 16 15 14 13 ■ ■ ■ ■ ■ ■
18. 88 87 86 85 ■ ■ ■ ■ ■ ■
19. 92 82 72 62 ■ ■ ■ ■ ■ ■
20. 96 86 76 66 ■ ■ ■ ■ ■ ■
21. 3 13 23 33 ■ ■ ■ ■ ■ ■
22. 90 81 72 63 ■ ■ ■ ■ ■ ■

Lire, écrire et compter

Lis les mots.
Écris les nombres.

1. trente et un
2. vingt-deux
5. quarante-six
6. cinquante-trois
9. soixante-huit
10. soixante-dix-sept
13. quatre-vingt-dix-huit
14. quatre-vingt-neuf

Lis les nombres.
Écris les mots.

3. 21
4. 32
7. 56
8. 43
11. 78
12. 67
15. 99
16. 88

Soustractions amusantes

9 de moins

14 oiseaux sont perchés sur le mur.

10 oiseaux partent vers le sud mais l'un d'eux tombe.

9 s'envolent et 5 restent.

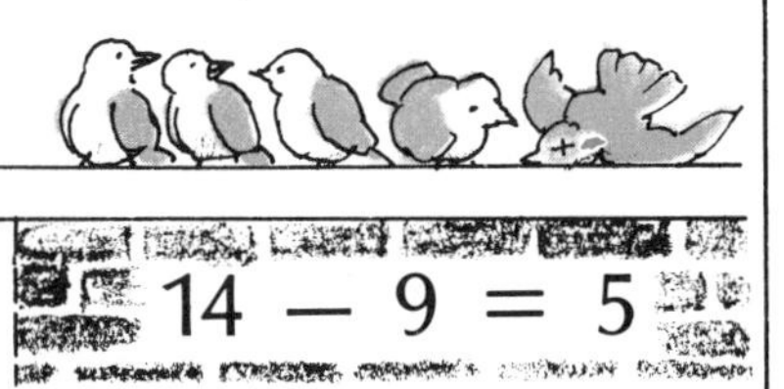

$14 - 9 = 5$

Voyons ceci de plus près.

$$\begin{array}{r} 14 \\ -\ 9 \\ \hline \end{array}$$

Réfléchis

Enlève 10.
Puis ajoute 1.

$$\begin{array}{r} 14 \\ -\ 10 \\ \hline 4 \end{array} \qquad \begin{array}{r} 4 \\ +\ 1 \\ \hline 5 \end{array}$$

$$\begin{array}{r} 14 \\ -\ 9 \\ \hline 5 \end{array}$$

Bulles de doubles

$$\begin{array}{r} 6 \\ +\ 6 \\ \hline 12 \end{array} \quad \begin{array}{r} 12 \\ -\ 6 \\ \hline 6 \end{array} \qquad \begin{array}{r} 7 \\ +\ 7 \\ \hline 14 \end{array} \quad \begin{array}{r} 14 \\ -\ 7 \\ \hline 7 \end{array} \qquad \begin{array}{r} 8 \\ +\ 8 \\ \hline 16 \end{array} \quad \begin{array}{r} 16 \\ -\ 8 \\ \hline 8 \end{array} \qquad \begin{array}{r} 9 \\ +\ 9 \\ \hline 18 \end{array} \quad \begin{array}{r} 18 \\ -\ 9 \\ \hline 9 \end{array} \qquad \begin{array}{r} 10 \\ +\ 10 \\ \hline 20 \end{array} \quad \begin{array}{r} 20 \\ -\ 10 \\ \hline 10 \end{array}$$

EXERCICES

Additionne et soustrais.

1. $\begin{array}{r} 15 \\ -\ 10 \\ \hline \end{array} \quad \begin{array}{r} 5 \\ +\ 1 \\ \hline \end{array} \quad \begin{array}{r} 15 \\ -\ 9 \\ \hline \end{array}$

2. $\begin{array}{r} 2 \\ +\ 1 \\ \hline \end{array} \quad \begin{array}{r} 12 \\ -\ 9 \\ \hline \end{array}$

3. $\begin{array}{r} 8 \\ +\ 1 \\ \hline \end{array} \quad \begin{array}{r} 18 \\ -\ 9 \\ \hline \end{array}$

4. $\begin{array}{r} 8 \\ +\ 8 \\ \hline \end{array} \quad \begin{array}{r} 16 \\ -\ 8 \\ \hline \end{array}$

5. $\begin{array}{r} 5 \\ +\ 5 \\ \hline \end{array} \quad \begin{array}{r} 10 \\ -\ 5 \\ \hline \end{array}$

6. $\begin{array}{r} 7 \\ +\ 7 \\ \hline \end{array} \quad \begin{array}{r} 14 \\ -\ 7 \\ \hline \end{array}$

EXERCICES

Soustrais.

1. $13 - 9$
2. $14 - 7$
3. $12 - 9$
4. $15 - 9$
5. $17 - 9$
6. $10 - 5$
7. $18 - 9$
8. $16 - 9$
9. $16 - 8$
10. $14 - 9$
11. $12 - 6$
12. $20 - 10$

Écris les quatre opérations apparentées.

13. 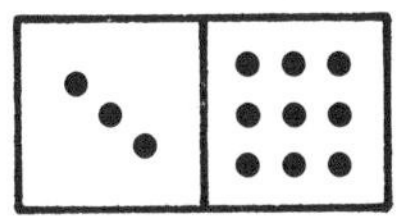

14. 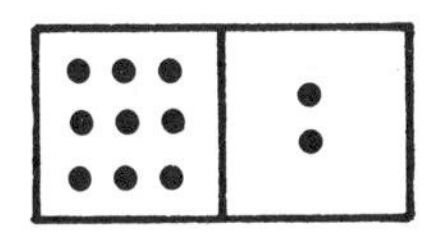

15. 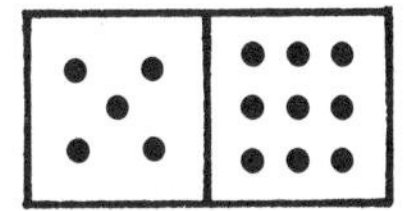

16. 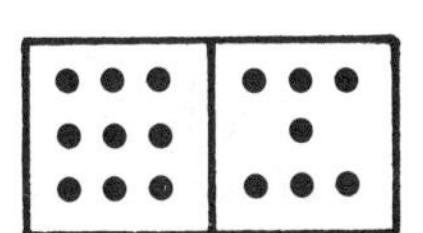

17. 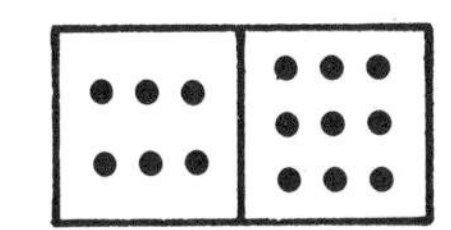

18. 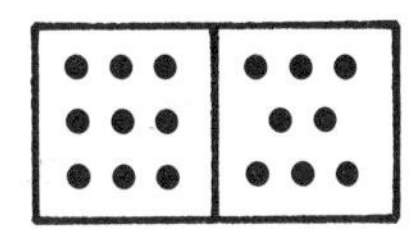

 et  cherchent une noisette.
Quel est celui qui s'en rapproche le plus?

 SE DÉPLACE DE
- 4 cases vers le sud
- 8 vers l'est
- 3 vers le sud
- 5 vers l'ouest
- 2 vers le nord
- 2 vers l'est

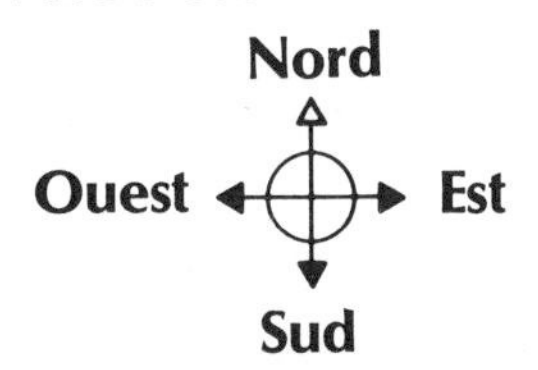

	1	2	3	4	5	6	7	8	
10	11	12	13	14	15	16	17	18	19
20	21	22	23	24	25	26	27	28	29
30	31	32	33	34	35	36	37	38	39
40	41	42	43	44	45	46	47	48	49
50	51	52	53	54	55	56	57	58	59
60	61	62	63	64	65		67	68	69
70	71	72	73	74	75	76	77	78	79
80	81	82	83	84	85	86	87	88	89
90	91	92	93	94	95	96	97	98	99

SE DÉPLACE DE
- 8 cases vers le sud
- 9 vers l'ouest
- 7 vers le nord
- 6 vers l'est
- 3 vers le sud
- 2 vers l'ouest

Les décimètres et les centimètres

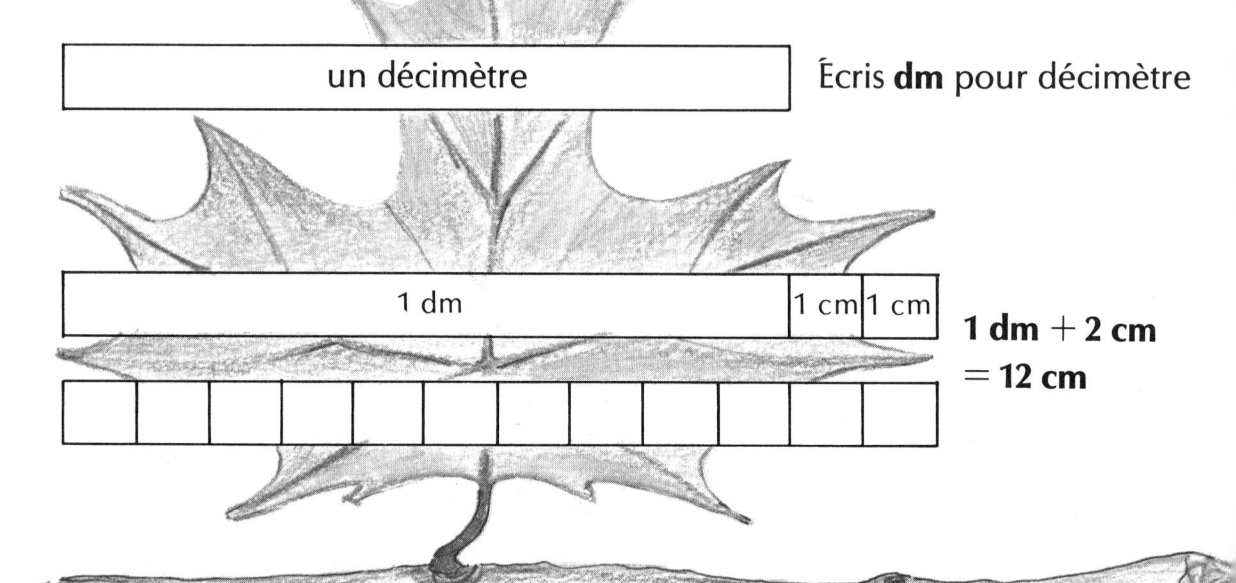

Écris **dm** pour décimètre

1 dm + 2 cm = 12 cm

1 dm + 6 cm = 16 cm 2 dm + 3 cm = 23 cm 3 dm = 30 cm

EXERCICES

Mesure les lignes.

1.

2.

3.

Résous les équations.

4. 1 dm + 7 cm = ___ cm

5. 2 dm + 7 cm = ___ cm

6. 6 dm + 7 cm = ___ cm

7. ___ dm + 4 cm = 24 cm

8. ___ dm + 4 cm = 54 cm

9. ___ dm + 4 cm = 94 cm

10. 2 dm + ___ cm = 26 cm

11. 2 dm + ___ cm = 29 cm

12. 4 dm = ___ cm

13. ___ dm = 70 cm

14. 9 dm = ___ cm

EXERCICES

Résous les équations.

1. 5 dm + 4 cm = ___ cm
2. ___ dm + 7 cm = 37 cm
3. 9 dm + 3 cm = ___ cm
4. 2 dm + ___ cm = 25 cm
5. 5 dm = ___ cm
6. ___ dm + 2 cm = 52 cm
7. 8 dm + ___ cm = 82 cm
8. ___ dm = 60 cm

9. Recopie et complète le tableau.

	ESTIMATION	MESURE PRÉCISE
longueur de mon livre	___ dm	___ dm + ___ cm = ___ cm
largeur de mon livre	___ dm	___ dm + ___ cm = ___ cm
longueur de mon pupitre	___ dm	___ dm + ___ cm = ___ cm
largeur de mon pupitre	___ dm	___ dm + ___ cm = ___ cm

10. Dessine, en t'aidant d'une règle graduée en centimètres:

un arbre de 17 cm de haut
une clôture de 21 cm de long
un camion de 11 cm de haut
un chemin de 29 cm de long
une voiture de 1 dm de long
un oiseau de 5 cm de large

RÉVISION

Soustrais.

1. 10 − 6
2. 11 − 5
3. 10 − 3
4. 11 − 7
5. 10 − 8
6. 17 − 10
7. 17 − 1
8. 24 − 10
9. 24 − 1
10. 98 − 10
11. 14 − 9
12. 12 − 9
13. 17 − 9
14. 14 − 7
15. 16 − 8

Soustraction à partir de 12 et de 13

Avec une règle graduée, ce sera plus facile!

$$13 - 6 = 7$$

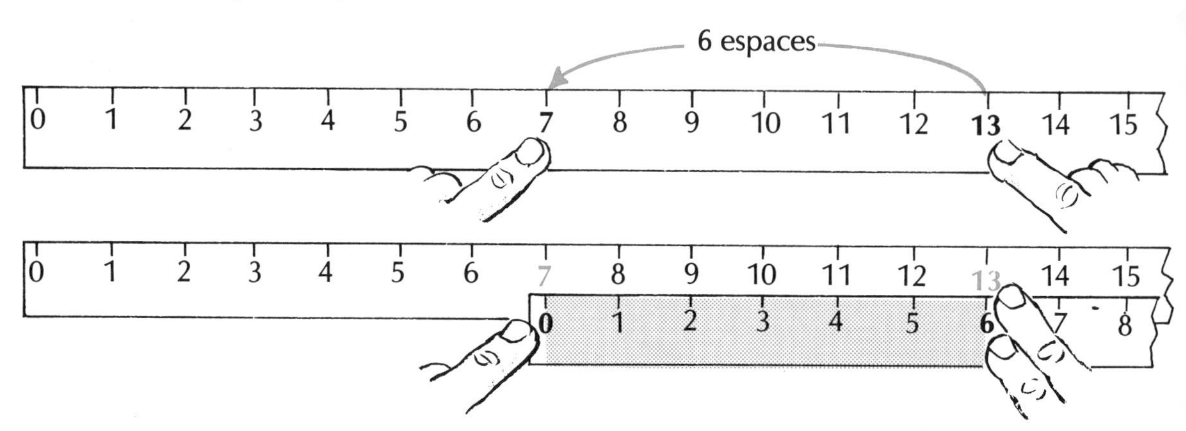

N'oublie pas celles-ci!

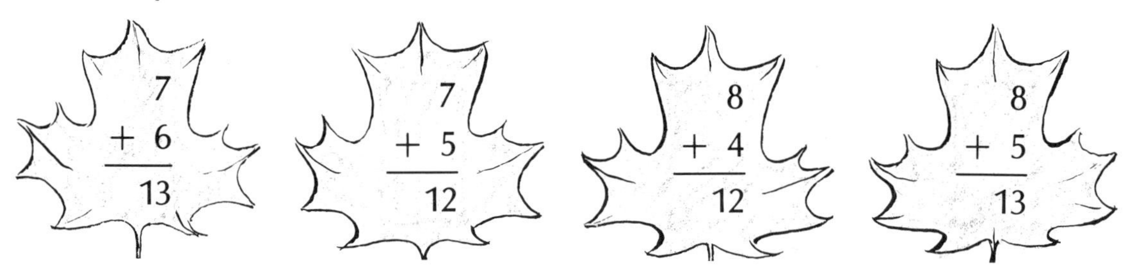

EXERCICES

Écris les soustractions.

1. 5 6 7 8 9 10 11 12 13

2. 1 2 3 4 5 6 7 8 9 10 11 12
0 1 2 3 4 5 6 7 8

Écris les soustractions apparentées.

3. $7 + 6 = 13$

4. $7 + 5 = 12$

5. $8 + 4 = 12$

6. $8 + 5 = 13$

EXERCICES

Soustrais.

1. $13 - 7$
2. $13 - 6$
3. $12 - 7$
4. $12 - 5$
5. $13 - 8$
6. $13 - 5$
7. $12 - 4$
8. $12 - 8$
9. $13 - 4$
10. $13 - 9$
11. $12 - 3$
12. $12 - 9$

Recopie et complète les tableaux.

13.

−	4	6	7	5	8
12					

14.

−	4	6	8	5	7
13					

Une table bien pratique

Une table d'addition peut t'aider à soustraire.

$13 - 6$

Mets ton doigt sur le 6.
Fais-le glisser jusqu'à 13.
Regarde en haut et tu verras le 7.

Sers-toi de la table pour soustraire.

1. $12 - 7$
2. $13 - 5$
3. $17 - 9$
4. $15 - 7$
5. $14 - 6$
6. $16 - 8$

Les nombres ordinaux

Énumération d'automne

- La **première** image que tu vois est une boîte de crayons.
- La **deuxième**, un sac de sport, petit et rond.
- La **troisième**, une promenade dans la nature,
- Précède la **quatrième**, une belle page d'écriture.
- La **cinquième** est un chandail en laine que tu portes
- Pour jouer sur la **sixième**, un tas de feuilles mortes.
- Quand elles brûleront, la fumée, **septième**, ira en tourbillons
- Rejoindre la **huitième**, des oiseaux qui s'en vont.
- La **neuvième** est une énorme citrouille que tu sculpteras.
- Elle accueillera l'automne avec la **dixième**: un sourire béat.

boîte de crayons	sac de sport	promenade	écriture	chandail	feuilles mortes	fumée	oiseaux	citrouille	sourire

EXERCICES

1. Qu'est-ce qui est sixième?
2. Qu'est-ce qui est quatrième?
3. Qu'est-ce qui est troisième?
4. Qu'est-ce qui est dixième?
5. Qu'est-ce qui est cinquième?
6. Qu'est-ce qui est huitième?

Complète avec un nombre ordinal.

7. Le sac de sport est ■
8. La fumée est ■
9. La citrouille est ■
10. La boîte est ■
11. Le chandail est ■
12. Les oiseaux sont ■

EXERCICES

A B C D E F G H I J K L M N O P Q R S T U V W X Y Z

À quelle lettre correspond chaque nombre ordinal?

1. treizième
2. vingt-sixième
3. neuvième
4. dix-neuvième
5. vingt et unième
6. quinzième
7. vingt-quatrième
8. douzième

À quel nombre ordinal correspond chaque lettre?

9. K
10. N
11. Q
12. V
13. W
14. Y

Dans le grenier

Écris le jour de la semaine.

1. le 5
2. le 1er
3. le 24
4. le 21

Que remarques-tu?

Écris la date.

5. le premier lundi
6. Halloween
7. le quatrième vendredi
8. la Fête de l'action de grâce
9. le deuxième dimanche
10. le troisième mardi
11. Construis un calendrier pour octobre de cette année. Marque les dates spéciales.

La soustraction par étapes

Nous avons utilisé 10 dans bien des soustractions.
10 t'aide à enjamber les dragons de la soustraction.

Pour faire

$$\begin{array}{r} 14 \\ -\ 8 \\ \hline \end{array}$$

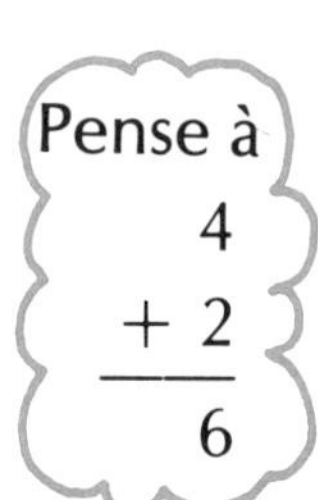

Pour faire

$$\begin{array}{r} 15 \\ -\ 7 \\ \hline \end{array}$$

Pense à

$$\begin{array}{r} 5 \\ +\ 3 \\ \hline 8 \end{array}$$

EXERCICES

Soustrais.

1. $\begin{array}{r} 10 \\ -\ 2 \\ \hline \end{array}$ **2.** $\begin{array}{r} 10 \\ -\ 3 \\ \hline \end{array}$ **3.** $\begin{array}{r} 10 \\ -\ 4 \\ \hline \end{array}$ **4.** $\begin{array}{r} 14 \\ -\ 10 \\ \hline \end{array}$ **5.** $\begin{array}{r} 15 \\ -\ 10 \\ \hline \end{array}$ **6.** $\begin{array}{r} 17 \\ -\ 10 \\ \hline \end{array}$

7. $\begin{array}{r} 14 \\ -\mathbf{10} \\ \hline \end{array}$ $\begin{array}{r} \mathbf{10} \\ -\ 8 \\ \hline \end{array}$ $\begin{array}{r} 14 \\ -\ 8 \\ \hline \end{array}$ **8.** $\begin{array}{r} 15 \\ -\mathbf{10} \\ \hline \end{array}$ $\begin{array}{r} \mathbf{10} \\ -\ 7 \\ \hline \end{array}$ $\begin{array}{r} 15 \\ -\ 7 \\ \hline \end{array}$

9. $\begin{array}{r} 17 \\ -\mathbf{10} \\ \hline \end{array}$ $\begin{array}{r} \mathbf{10} \\ -\ 8 \\ \hline \end{array}$ $\begin{array}{r} 17 \\ -\ 8 \\ \hline \end{array}$ **10.** $\begin{array}{r} 14 \\ -\mathbf{10} \\ \hline \end{array}$ $\begin{array}{r} \mathbf{10} \\ -\ 6 \\ \hline \end{array}$ $\begin{array}{r} 14 \\ -\ 6 \\ \hline \end{array}$

11. Pour faire $\begin{array}{r} 14 \\ -\ 5 \\ \hline \end{array}$ Pense à $\begin{array}{r} \blacksquare \\ +\blacksquare \\ \hline \end{array}$ **12.** Pour faire $\begin{array}{r} 15 \\ -\ 8 \\ \hline \end{array}$ Pense à $\begin{array}{r} \blacksquare \\ +\blacksquare \\ \hline \end{array}$ **13.** Pour faire $\begin{array}{r} 16 \\ -\ 7 \\ \hline \end{array}$ Pense à $\begin{array}{r} \blacksquare \\ +\blacksquare \\ \hline \end{array}$

EXERCICES

Soustrais.

1. $13 - 8$	2. $12 - 7$	3. $15 - 8$	4. $14 - 7$	5. $14 - 8$	6. $15 - 7$
7. $16 - 7$	8. $13 - 6$	9. $17 - 8$	10. $15 - 6$	11. $13 - 7$	12. $11 - 6$
13. $14 - 6$	14. $16 - 8$	15. $12 - 6$	16. $15 - 9$	17. $12 - 5$	18. $17 - 9$
19. $14 - 5$	20. $16 - 9$	21. $13 - 5$	22. $14 - 9$	23. $18 - 9$	24. $13 - 9$
25. $11 - 4$	26. $12 - 3$	27. $13 - 4$	28. $11 - 2$	29. $12 - 4$	30. $11 - 3$

Dragons vaincus

Fais correspondre les têtes et les pieds.

1.

2.

3.

4.

A.

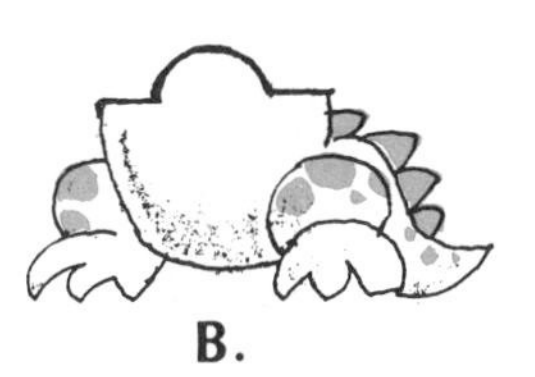
B.

C.

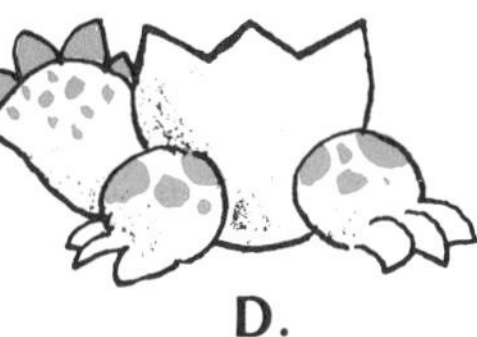
D.

Histoires et dessins

Pour additionner, pense **ensemble** ou **en tout**.

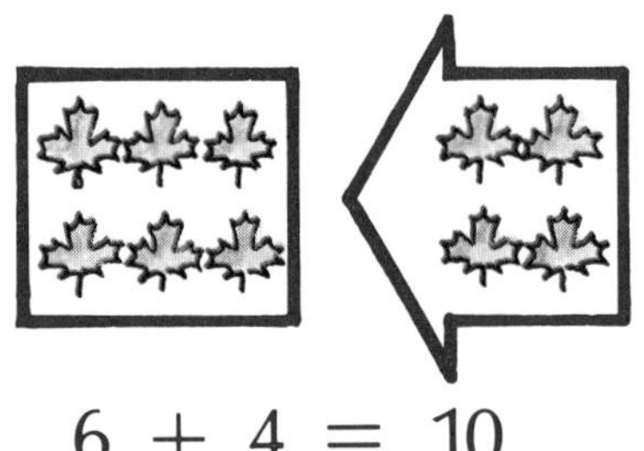

$6 + 4 = 10$

Pour soustraire, pense à **partie** ou à **séparation**.

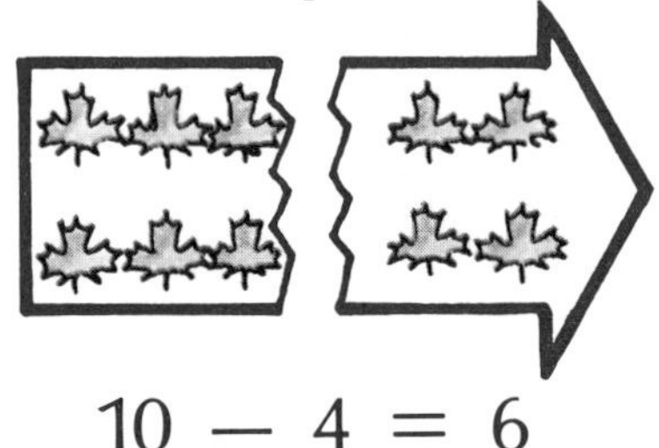

$10 - 4 = 6$

Choisis le dessin correspondant.

Écris l'équation appropriée.

1. 10 feuilles
3 tombent
Combien en reste-t-il?

A.
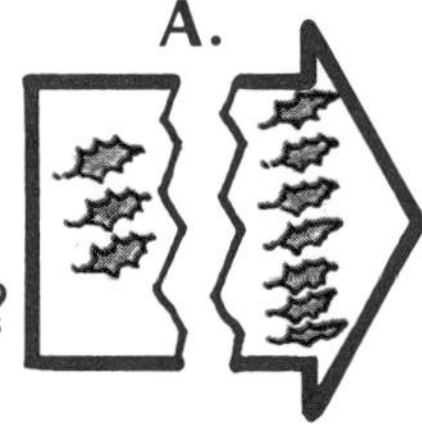
B.

C.
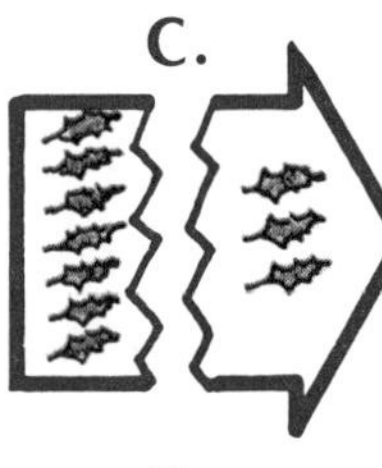

2. 7 oiseaux
8 de plus arrivent.
Il y en a ■ en tout.

A.
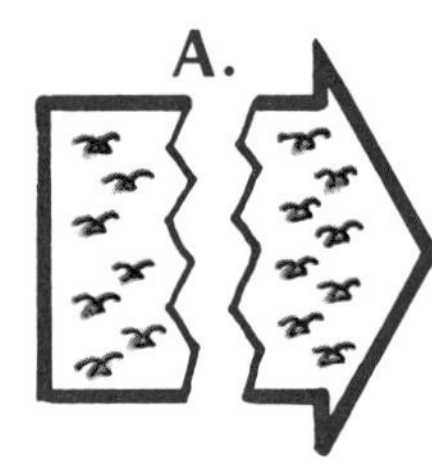
B.
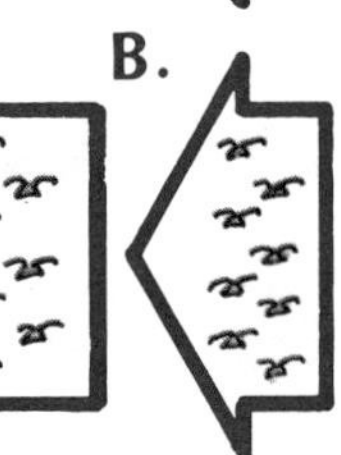
C.
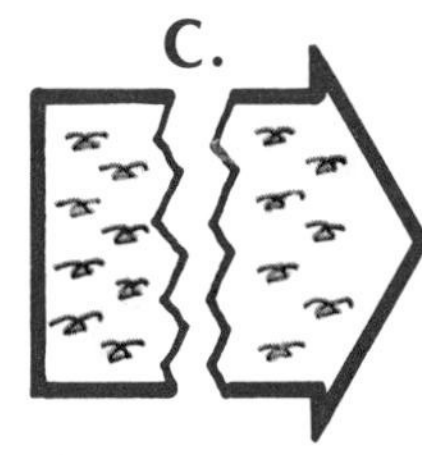

3. 11 courges
4 disparaissent.
Combien en reste-t-il?

A.
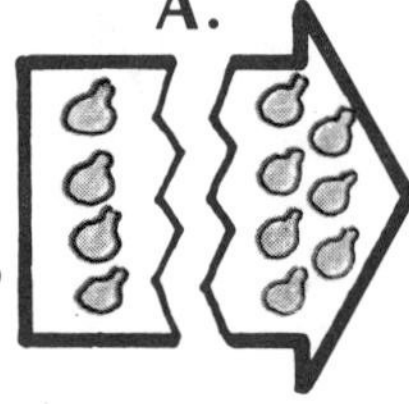
B.
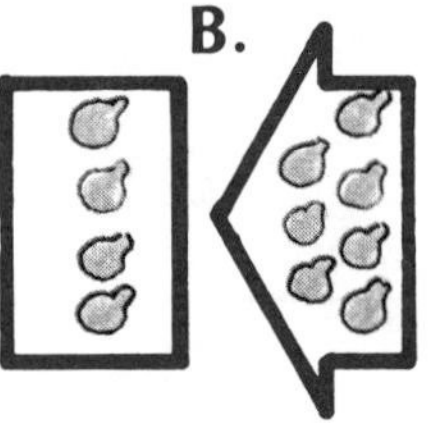
C.
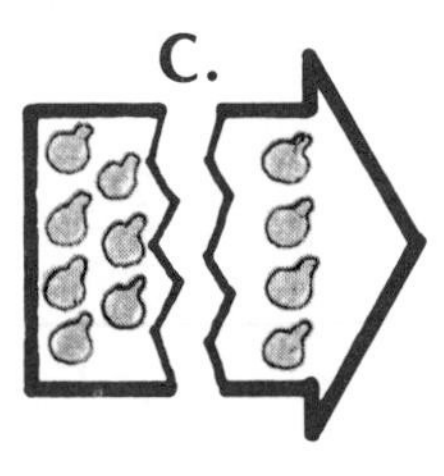

4. 3 écureuils
2 lapins
Il y a ■ animaux.

A.
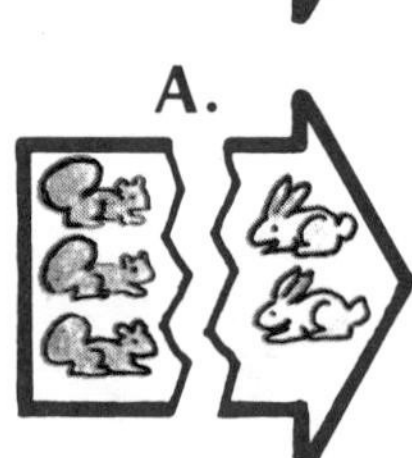
B.
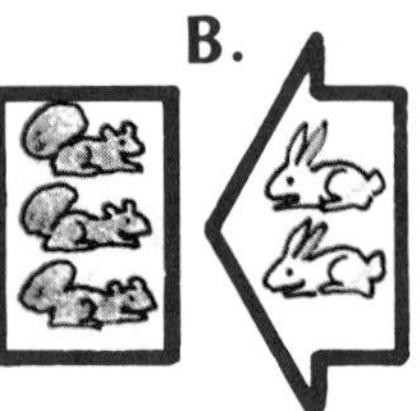
C.

Un travail d'artiste

Dessine les objets, puis écris l'équation.

1. 14 citrouilles
   8 sont sculptées
   Combien ne le sont pas?

2. 9 masques de clowns
   5 masques de dragons
   Il y a ■ masques.

3. 13 sorcières
   5 n'ont pas de balai.
   Combien ont des balais?

4. 16 enfants
   8 costumes
   Combien n'en ont pas?

RÉSOLUTION DE PROBLÈMES

RÉVISION

A8

Soustrais.

1.	2.	3.	4.	5.	6.
12	13	12	13	12	13
− 5	− 6	− 7	− 4	− 8	− 5

N2

7. Que représente le premier dessin?
8. Le sixième?
9. Le quatrième?

fantôme

clown

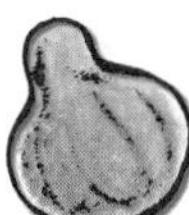

courge

sorcière matelot

citrouille

A9

Soustrais.

10.	11.	12.	13.	14.	15.
16	15	14	17	15	13
− 7	− 8	− 6	− 8	− 7	− 6

TEST CHAPITRE 2

Soustrais.

1. $10 - 7$
2. $11 - 8$
3. $11 - 4$
4. $10 - 2$
5. $11 - 7$
6. $13 - 1$
7. $13 - 10$
8. $27 - 1$
9. $27 - 10$
10. $10 - 1$
11. $15 - 9$
12. $16 - 8$
13. $13 - 9$
14. $14 - 7$
15. $18 - 9$

Résous les équations.

16. 2 dm = ■ cm

17. 2 dm + 3 cm = ■ cm

Soustrais.

18. $12 - 3$
19. $13 - 5$
20. $12 - 8$
21. $13 - 6$
22. $12 - 5$

23. Quelle est la onzième lettre?

24. Quelle est la seizième lettre?

A B C D E F G H I J K L M N O P Q R S T U V W X Y Z

Soustrais.

25. $14 - 8$
26. $15 - 7$
27. $16 - 7$
28. $17 - 8$
29. $14 - 6$

Résous les problèmes.

30. 13 feuilles
6 tombent.
Combien en reste-t-il?

31. 8 merles
5 corneilles
Il y a ■ oiseaux.

REPRISE

L'ADDITION

Additionne.

1. $4 + 6$
2. $8 + 7$
3. $8 + 3$
4. $4 + 7$
5. $6 + 5$
6. $8 + 6$
7. $6 + 6$
8. $5 + 8$
9. $8 + 4$
10. $5 + 7$
11. $9 + 8$
12. $8 + 8$
13. $3 + 9$
14. $9 + 6$
15. $5 + 5$
16. $8 + 0$
17. $2 + 9$
18. $7 + 7$
19. $4 + 3$
20. $9 + 4$
21. $6 + 7$
22. $9 + 9$
23. $0 + 9$
24. $7 + 9$
25. $9 + 5$
26. $10 + 7$
27. $50 + 3$
28. $9 + 10$
29. $8 + 70$
30. $10 + 6$
31. $4 + 1 + 3$
32. $5 + 5 + 8$
33. $6 + 2 + 4$
34. $9 + 2 + 8$
35. $5 + 7 + 4$

36. Il y a ■ objets pour le golf.

6 ballons
9 crosses de golf
9 balles de golf

CHAPITRE 3

LES NOMBRES JUSQU'À 9999

La réalité et la fiction

Écris normalement.

1.  

2. 

3. 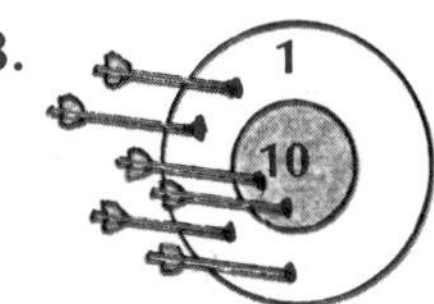

4. 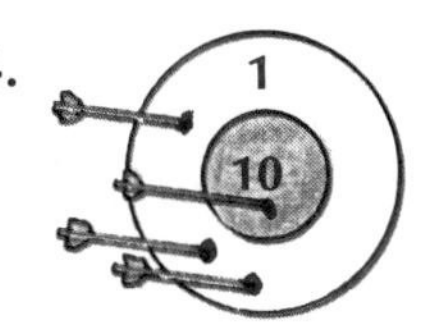

5. 

6. 

7. trente-six
8. quatre-vingt-douze
9. soixante-quatre
10. cinquante-trois

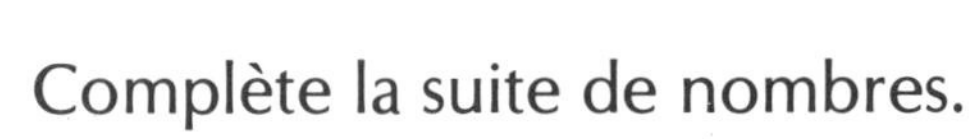

Complète la suite de nombres.

11. 75 76 77 ■ ■ ■ ■ 82
12. 34 35 36 ■ ■ ■ ■ 41
13. 33 32 31 ■ ■ ■ ■ 26
14. 64 63 62 ■ ■ ■ ■ 57
15. 26 36 46 ■ ■ ■ ■ 96
16. 5 15 25 ■ ■ ■ ■ 75

Sers-toi du signe = pour écrire les équations.

1. 20 + 6
2. 40 + 3
3. 6 + 30
4. 7 + 90
5. 3 dizaines
2 unités
6. 1 dizaine
6 unités
7. 3 unités
8 dizaines
8. 7 unités
3 dizaines
9. 24 + 1
10. 37 + 1
11. 52 + 10
12. 27 + 10

Les centaines

centaine	dizaine	unité
100	10	1

1 centaine = 10 dizaines 1 dizaine = 10 unités

100 = 10 dizaines 10 = 10 unités

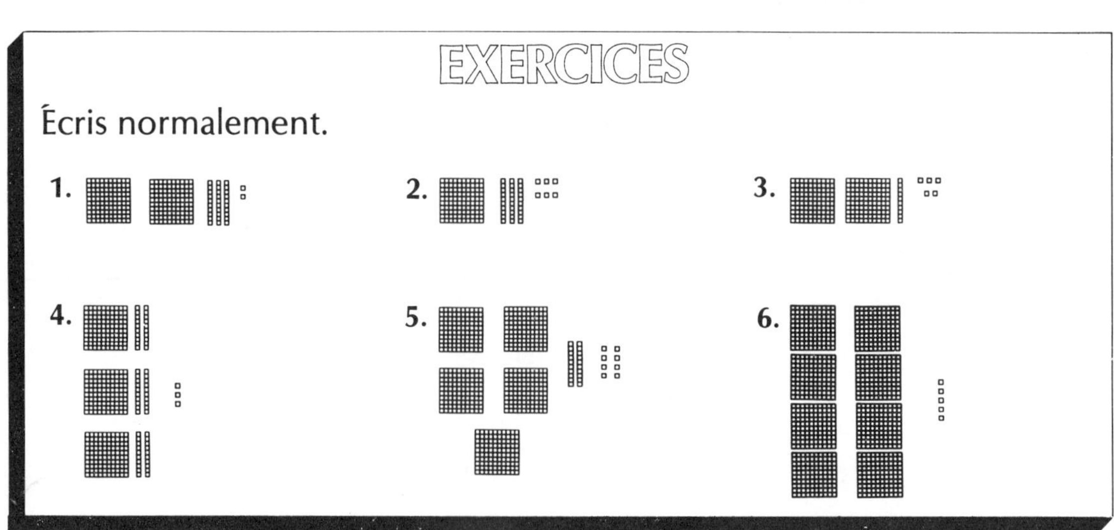

EXERCICES

Écris normalement.

1.

2.

3.

4.

5.

6.

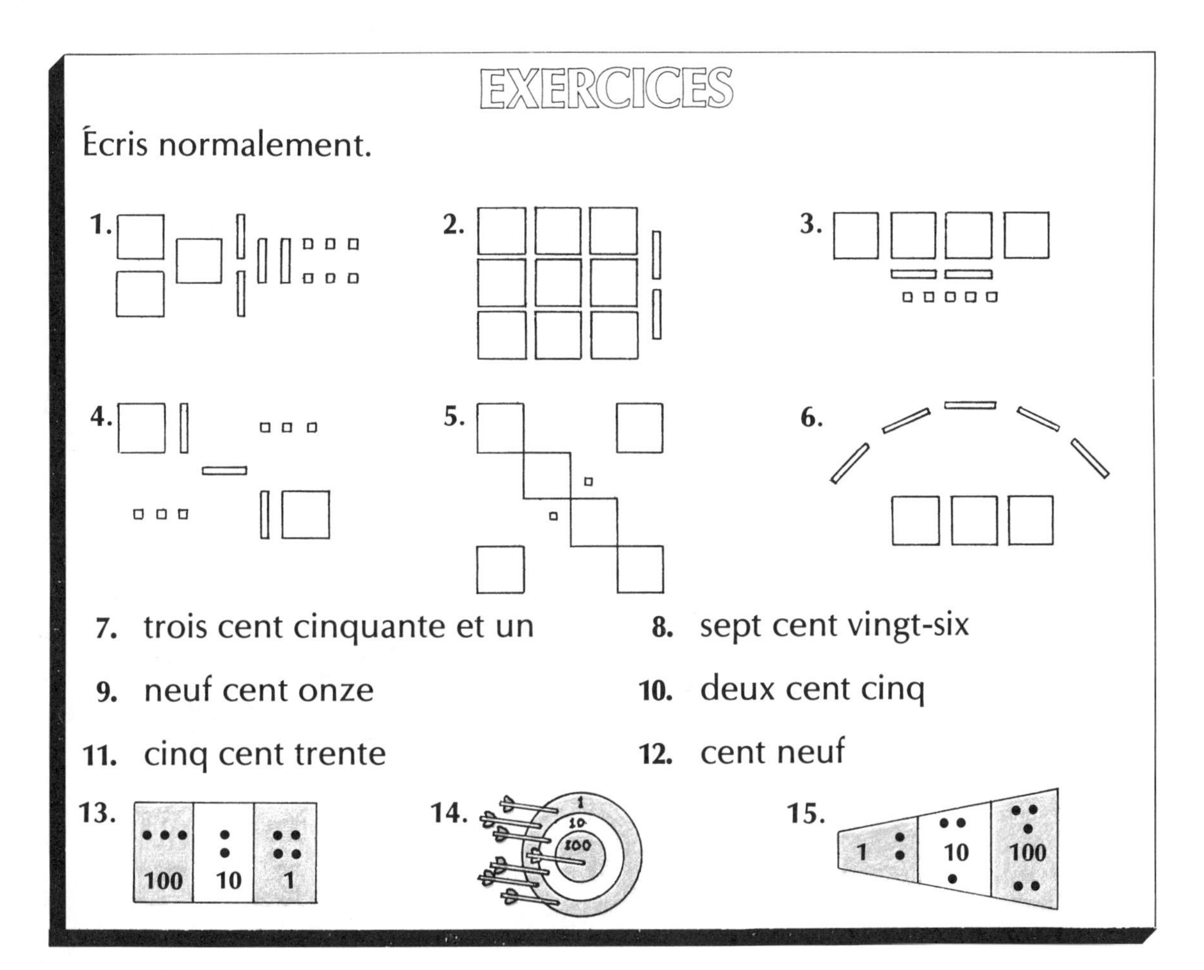

EXERCICES

Écris normalement.

7. trois cent cinquante et un
8. sept cent vingt-six
9. neuf cent onze
10. deux cent cinq
11. cinq cent trente
12. cent neuf

Quatre contes

Écris le nombre de pages en toutes lettres.

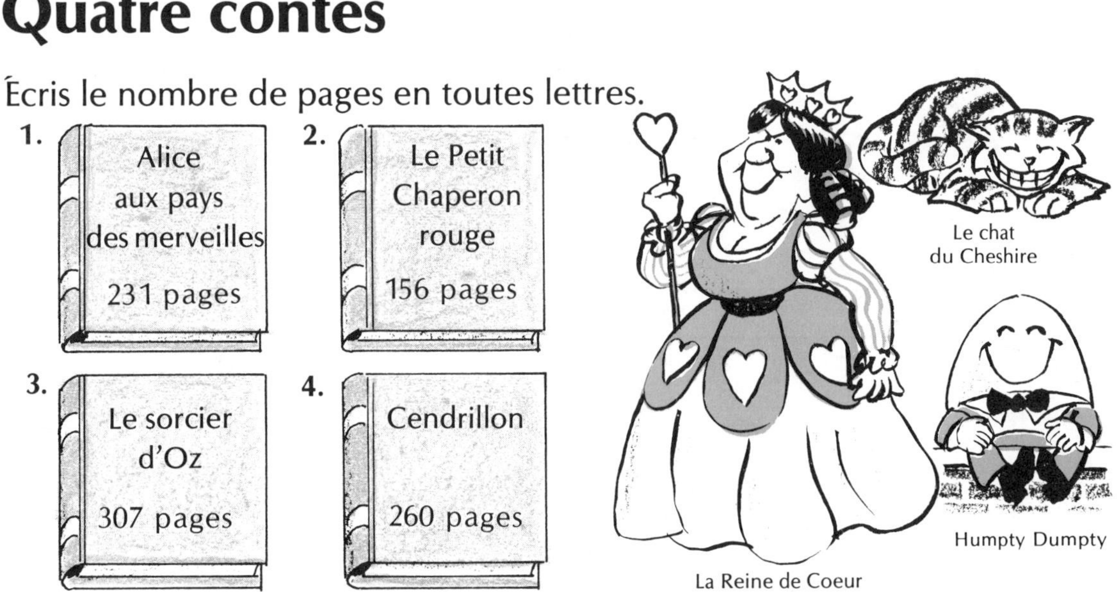

Je compte

Pour compter par unités, ajoute un ▫ de plus.

☐	▯▯▯	▫▫▫▫▫▫▫▫	1	3	8
☐	▯▯▯	▫▫▫▫▫▫▫▫▫	1	3	9
☐	▯▯▯▯		1	4	0
☐	▯▯▯▯	▫	1	4	1

Nous avons échangé **10** unités pour 1 dizaine

☐☐	▯▯▯▯▯ ▯▯▯▯	▫▫▫▫▫▫▫▫	2	9	8
☐☐	▯▯▯▯▯ ▯▯▯▯	▫▫▫▫▫▫▫▫▫	2	9	9
☐☐☐			3	0	0
☐☐☐		▫	3	0	1
☐☐☐		▫▫	3	0	2

Nous avons d'abord échangé **10** ▫ pour 1 ▯.
Ensuite nous avons échangé **10** ▯ pour 1 ☐.

Par unités.
167 16**8** 16**9** 17**0**
À rebours par unités.
49**2** 49**1** 49**0** 48**9**

Par dizaines.
1**6**7 1**7**7 1**8**7 1**9**7
À rebours par dizaines.
4**9**2 4**8**2 4**7**2 4**6**2

Par centaines.
167 **2**67 **3**67 **4**67
À rebours par centaines.
492 **3**92 **2**92 **1**92

EXERCICES

Continue.

1.

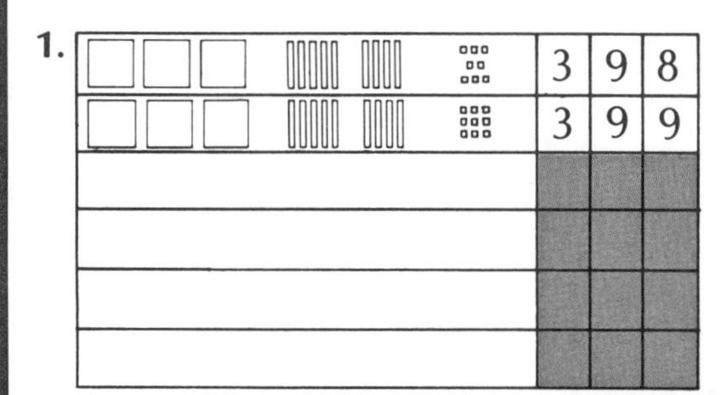

☐☐☐	▯▯▯▯▯ ▯▯▯▯	▫▫▫▫▫▫▫▫	3	9	8
☐☐☐	▯▯▯▯▯ ▯▯▯▯	▫▫▫▫▫▫▫▫▫	3	9	9

2. 267 268 ▬ ▬ ▬ 272
3. 192 193 ▬ ▬ ▬ 197
4. 497 498 ▬ ▬ ▬ 502
5. 230 240 ▬ ▬ ▬ 280
6. 205 305 ▬ ▬ ▬ 705

EXERCICES

Compte par **unités**.

1. de 96 à 103
2. de 185 à 192
3. de 297 à 304
4. de 332 à 339
5. de 436 à 443
6. de 587 à 594
7. de 695 à 702
8. de 762 à 769
9. de 992 à 999
10. à rebours de 449 à 442
11. à rebours de 897 à 890
12. à rebours de 183 à 176
13. à rebours de 104 à 97
14. à rebours de 405 à 398
15. à rebours de 634 à 627

Compte par **dizaines**.

16. de 125 à 195
17. de 620 à 330
18. de 782 à 852
19. à rebours de 251 à 181
20. à rebours de 736 à 666

Compte par **centaines**.

21. de 100 à 800
22. de 206 à 906
23. de 124 à 824
24. à rebours de 907 à 207
25. à rebours de 730 à 30

Nombres croisés

Recopie les tableaux. Complète-les en essayant de comprendre le mécanisme de la progression.

157	158	
257	258	
357		

135	235	
	245	
	255	

769		789
771		791

Les nombres jusqu'à 999

Les robots de l'espace comptent. Écoute-les!

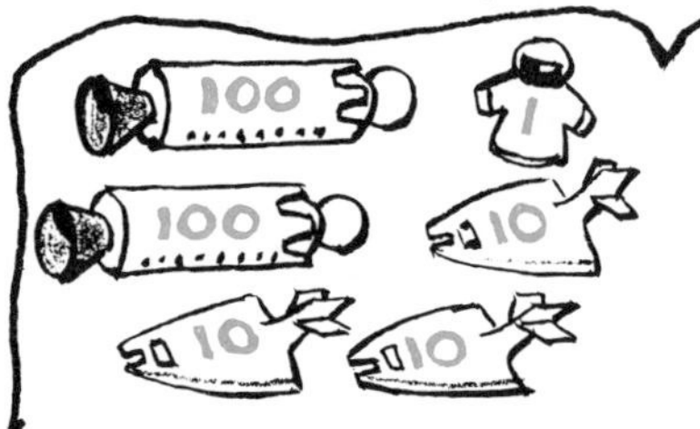

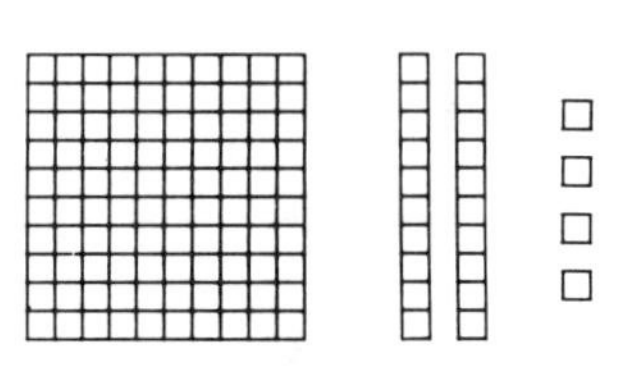

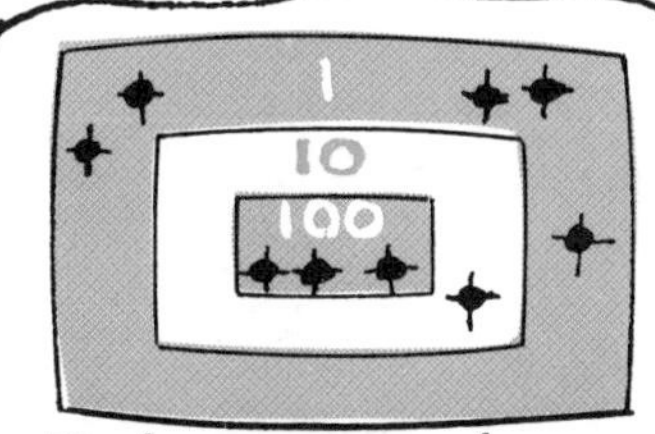

Comptons!

100, 200, 210, 220, 230, 231

Nous avons **231** hommes dans l'espace.

Faisons un tableau

centaines	dizaines	unités

Je fonctionne avec **124** piles.

Ecrivons sous forme développée

300 + 10 + 5 = 315

J'ai marqué **315** points avec mon fusil à rayon laser.

231, 124, et 315 sont écrits **normalement**.

EXERCICES

Écris **normalement**.

1.

centaines	dizaines	unités
5	6	8

2.

centaines	dizaines	unités
1	6	2

3.

centaines	dizaines	unités
4	7	2

4. 200 + 30 + 6

5. 700 + 20 + 4

6. 900 + 60 + 7

7.

8.

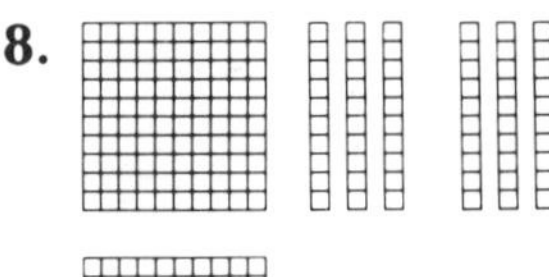

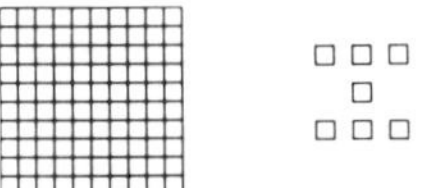

9.

EXERCICES

Écris normalement.

1. 100 + 60 + 7
2. 200 + 90 + 2
3. 8 + 70 + 500
4. 9 + 30 + 100
5. 30 + 600 + 5
6. 50 + 700 + 6
7. 500 + 8
8. 600 + 30
9. 100 + 4

10. 

11. centaines 3 dizaines 0 unités 6

12. centaines 7 dizaines 8 unités 0

13. unités 3 dizaines 4 centaines 1

14. 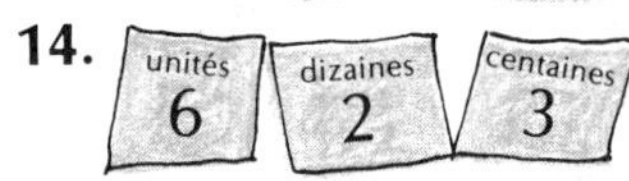

15. 

16. dizaines 2 centaines 5 unités 6

17. centaines 6 unités 8

18. centaines 7 dizaines 3

Résous les équations.

19. 200 + ■ + 7 = 267
20. 300 + 80 + ■ = 385
21. ■ + 20 + 8 = 728
22. 726 = 20 + 700 + ■
23. 835 = 5 + 800 + ■
24. 613 = 10 + 3 + ■

Compte encore! Encercle le dernier nombre.

25. 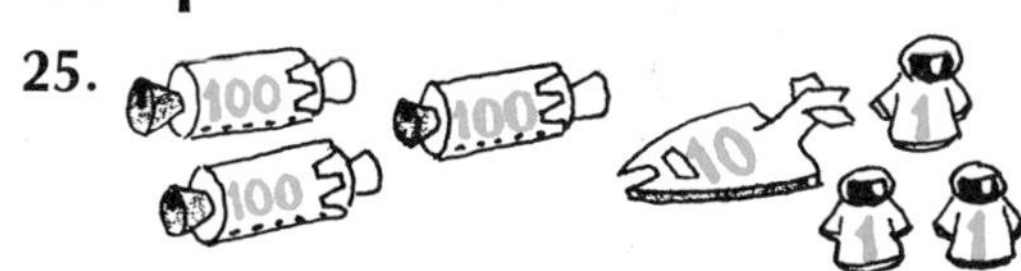

26. 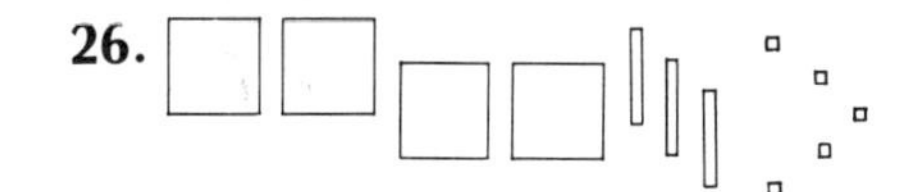

Avec l'ordinateur

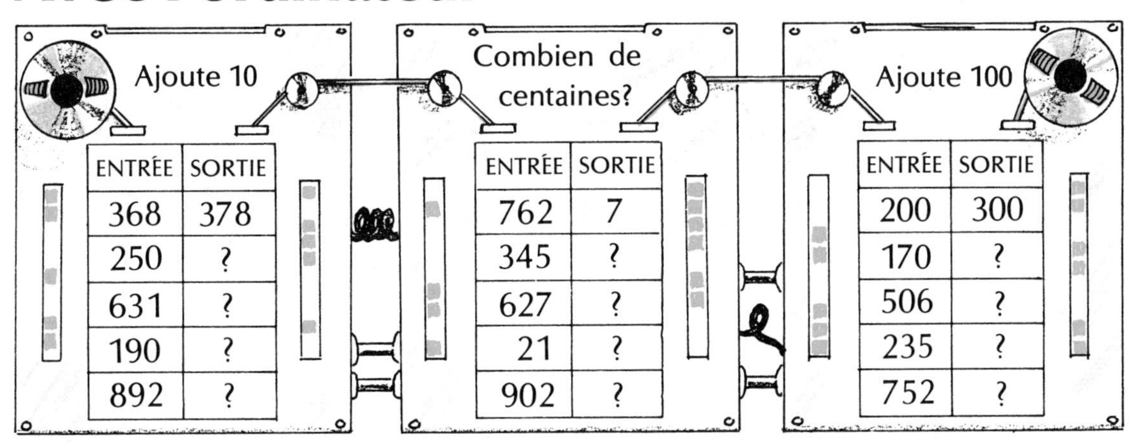

Ajoute 10

ENTRÉE	SORTIE
368	378
250	?
631	?
190	?
892	?

Combien de centaines?

ENTRÉE	SORTIE
762	7
345	?
627	?
21	?
902	?

Ajoute 100

ENTRÉE	SORTIE
200	300
170	?
506	?
235	?
752	?

Comparaisons

$20 < 40$
20 est **plus petit** que 40

$700 > 300$
700 est **plus grand** que 300

Compare ces nombres à l'aide de la machine infernale.

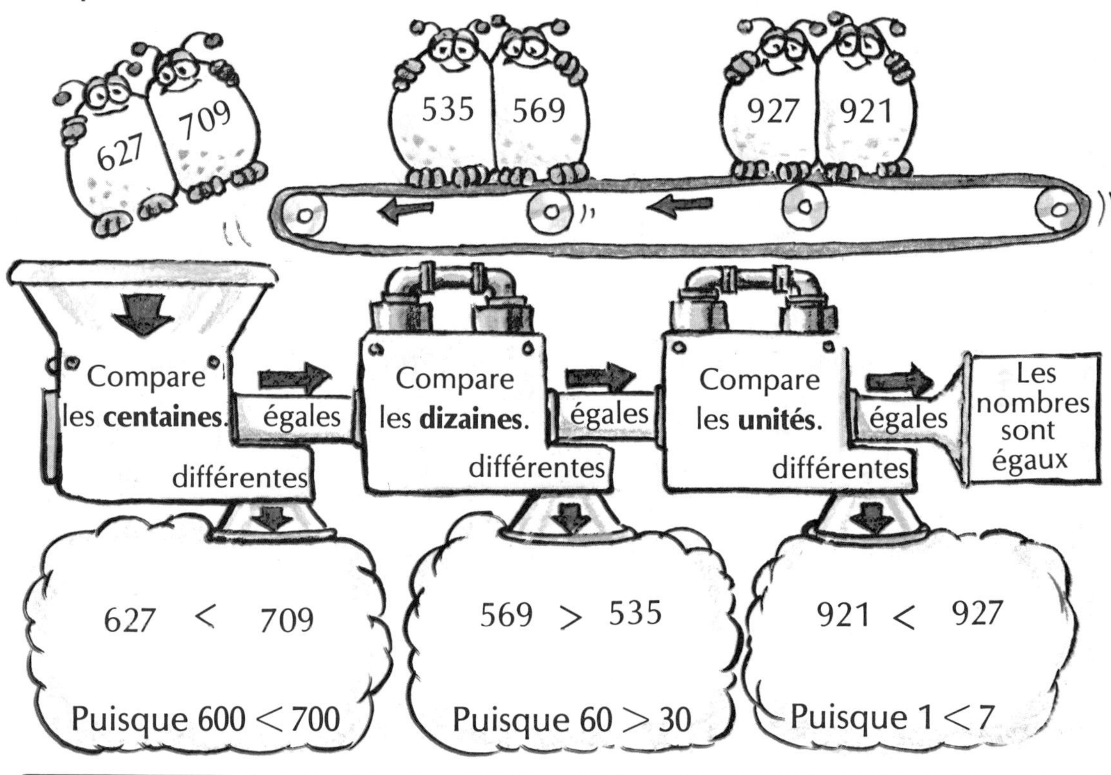

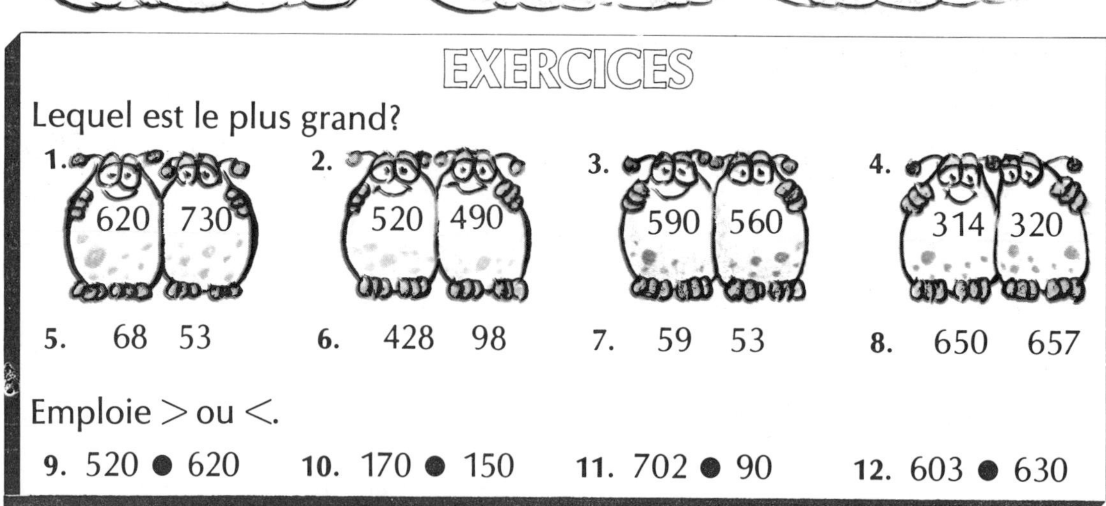

EXERCICES

Lequel est le plus grand?

1. 620 730 **2.** 520 490 **3.** 590 560 **4.** 314 320

5. 68 53 **6.** 428 98 **7.** 59 53 **8.** 650 657

Emploie $>$ ou $<$.

9. 520 ● 620 **10.** 170 ● 150 **11.** 702 ● 90 **12.** 603 ● 630

EXERCICES

Emploie <, >, ou =

1. 250 ● 230 2. 78 ● 83 3. 120 ● 90 4. 306 ● 309

5. 709 ● 800 6. 568 ● 590 7. 307 ● 209 8. 78 ● 103

9. 206 ● 199 10. 452 ● 450 11. 781 ● 780 12. 342 ● 542

13. 80 + 7 ● 78 14. 300 + 9 ● 309 15. 60 + 100 + 3 ● 613

Écris les nombres en allant du plus petit au plus grand.

16.

17.

18.

RÉVISION

Écris normalement.

1.

2.

3. trois cent six

Complète les suites de nombres.

4. 737 738 ■ ■ 741 5. 498 499 ■ ■ 502

6. 737 747 ■ ■ 777 7. 498 598 ■ ■ 898

Écris normalement.

8. 300 + 20 + 6 9. 20 + 900 + 2 10.

11.

Emploie < ou >.

12. 63 ● 75 13. 186 ● 181 14. 235 ● 401 15. 398 ● 389

Mètres Décimètres Centimètres

Un **mètre** mesure 10 | décimètres de long. |

Un **mètre** mesure 100 ☐ centimètres de long.

Écris **m** pour mètre.
Est-ce que la petite fille mesure plus d'un m?

Est-ce que le Sasquatch mesure vraiment 3 m?

3 m = **300 cm**

3 m + 6 dm = **360 cm**
3 m + 2 cm = **302 cm**

3 m + 6 dm + 2 cm = **362 cm**

EXERCICES

Résous les équations.

1. 2 m = ■ cm **2.** 2 m + 6 dm = ■ cm **3.** 2 m + 6 dm + 4 cm = ■ cm

4. 7 m = ■ cm **5.** 7 m + 2 cm = ■ cm **6.** 7 m + 5 dm + 2 cm = ■ cm

7. 1 m = ■ cm **8.** 1 m + 6 dm = ■ cm **9.** 1 m + 6 dm + 7 cm = ■ cm

10. 9 m = ■ cm **11.** 9 m + 2 cm = ■ cm **12.** 9 m + 4 dm + 2 cm = ■ cm

13. 6 m = ■ cm **14.** 6 m + 5 cm = ■ cm **15.** 6 m + 0 dm + 5 cm = ■ cm

EXERCICES

Résous les équations.

1. 4 m = ■ cm
2. 8 m = ■ cm
3. 5 m = ■ cm
4. 3 m + 7 dm = ■ cm
5. 9 m + 3 dm + 6 cm = ■ cm
6. 8 m + 4 cm = ■ cm
7. 1 m + 2 dm + 5 cm = ■ cm
8. 7 m + 3 dm = ■ cm
9. 4 m + 0 dm + 4 cm = ■ cm
10. 5 dm + 3 cm = ■ cm
11. 8 m + 4 dm + 0 cm = ■ cm
12. 9 m + 0 dm = ■ cm
13. 5 m + 0 dm + 0 cm = ■ cm
14. Complète le tableau. Vérifie avec un mètre à ruban.

	Estimation	Mesure précise
largeur de la salle	■ m	■ m + ■ dm + ■ cm = ■ cm
longueur de la salle	■ m	■ m + ■ dm + ■ cm = ■ cm
longueur du tableau	■ m	■ m + ■ dm + ■ cm = ■ cm
longueur du porte-manteau	■ m	■ m + ■ dm + ■ cm = ■ cm

À la poursuite de chimères

Rends visite aux monstres. Pars de ta **maison** et reviens-y par l'itinéraire le plus court.

1. Homme des neiges et Sasquatch
2. Monstre du Loch Ness, Ogopogo, et Sasquatch
3. Homme des neiges, Ogopogo, et Monstre du Loch Ness

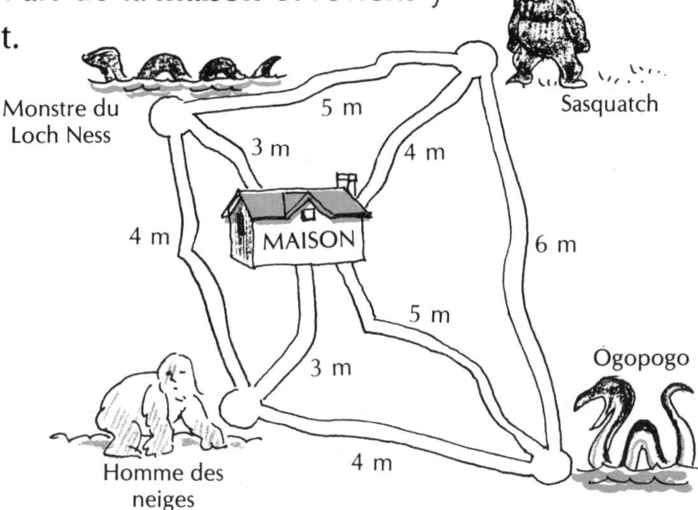

Dollars et cents

dix dollars	un dollar	dix cents	un cent

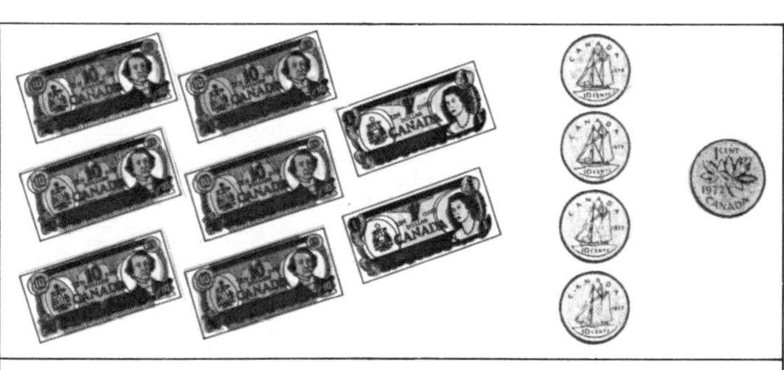

62,41$

62 dollars et 41 cents

1,75$

1 dollar et 75 cents

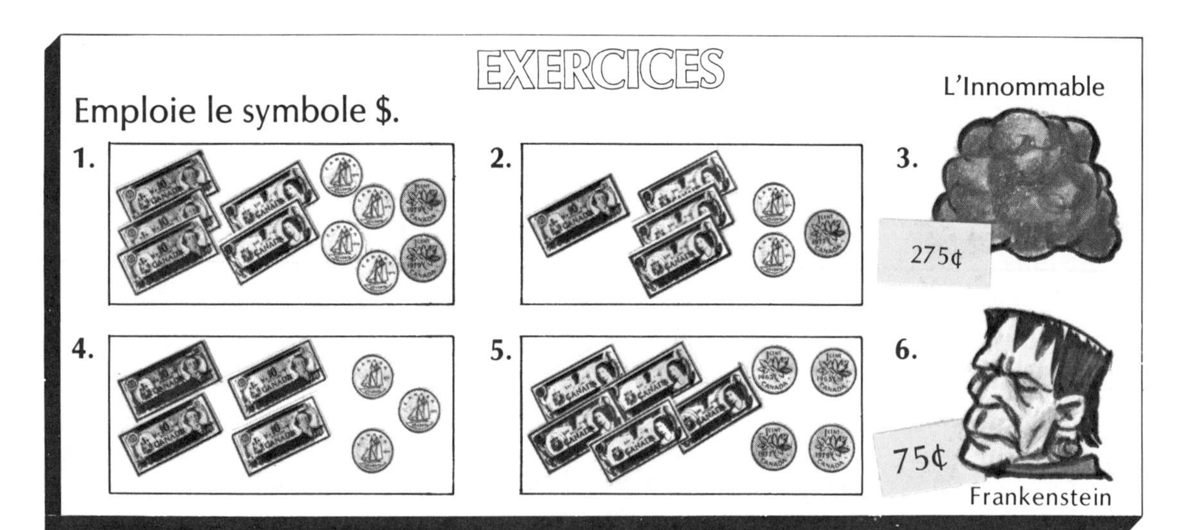

EXERCICES

Emploie le symbole $.

1.    

2.    

3.   

4.  

5. 

6. 

7. 

8. 

Résous ces équations.

9. = ■

10. = ■

11. 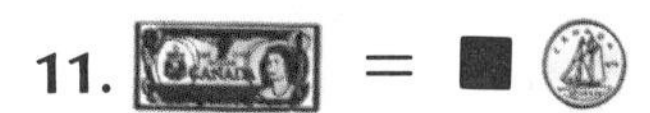 = ■

12. 5 = ■

13. 3  = ■

14. 2  = ■ 

Compte fantastique

Aide les monstres de la nuit à compter leur argent.

La Momie compte avec des pièces de 1¢.

1. de 4,87$ à 5,02$

2. de 38,95$ à 39,10$

Le Vampire compte avec des pièces de 10¢.

3. de 4,87$ à 6,37$

4. de 38,95$ à 40,45$

L'Homme requin compte avec des billets de 1$.

5. de 4,87$ à 19,87$

6. de 38,95$ à 53,95$

Le Cavalier sans tête compte avec des billets de 10$.

7. de 4,87$ à 94,87$

8. 38,95$ à 98,95$

Comparons

Lequel est **le plus** cher?

1. La Momie ou Dracula?
2. La Mouche ou l'Oeil?
3. L'Innommable ou la Créature de brume?

Lequel est **le moins** cher?

4. Frankenstein ou l'Innommable?
5. Le Vampire ou la Créature de brume?
6. La Mouche ou Dracula?

7. Lesquels coûtent **plus de** 10,00$?
8. Lesquels coûtent **moins de** 1,00$?
9. Lesquels coûtent **entre** 2,00$ et 20,00$?
10. Ecris le nom des monstres en allant du **moins** cher au **plus** cher.

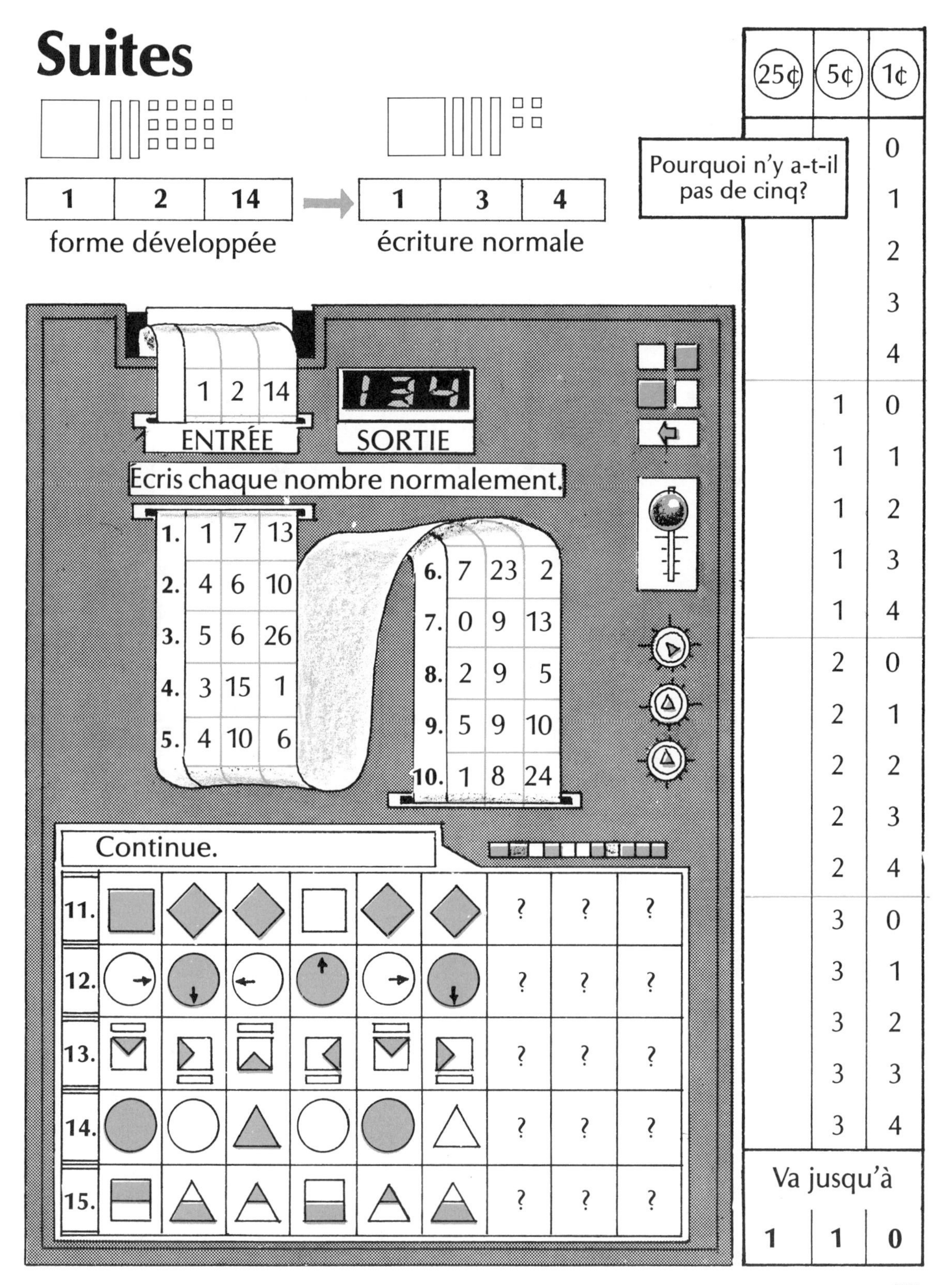
Suites
1 | 2 | 14
forme développée
1 | 3 | 4
écriture normale
Pourquoi n'y a-t-il pas de cinq?
25¢ 5¢ 1¢
0
1
2
3
4
1 0
1 1
1 2
1 3
1 4
2 0
2 1
2 2
2 3
2 4
3 0
3 1
3 2
3 3
3 4
Va jusqu'à
1 1 0
1 2 14
134
ENTRÉE
SORTIE
Écris chaque nombre normalement.
1. 1 7 13
2. 4 6 10
3. 5 6 26
4. 3 15 1
5. 4 10 6
6. 7 23 2
7. 0 9 13
8. 2 9 5
9. 5 9 10
10. 1 8 24
Continue.
11. ? ? ?
12. ? ? ?
13. ? ? ?
14. ? ? ?
15. ? ? ?

Les milliers

un millier | une centaine | une dizaine | une unité

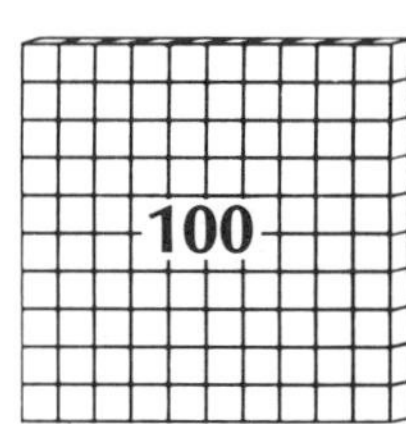

10

1

Atlas

1000 = **10** centaines
100 = **10** dizaines
10 = **10** unités

Héraclès

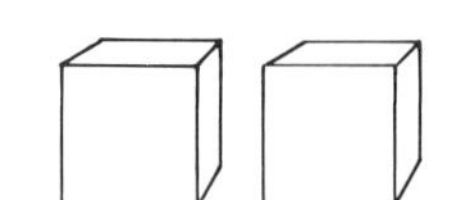

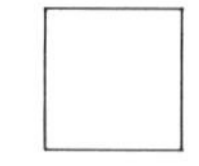

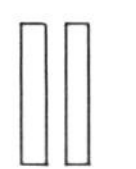

deux mille cent vingt-deux
2122

L'Hydre

EXERCICES

Écris normalement, puis ajoute dix.

1. 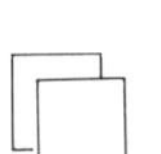 

2. 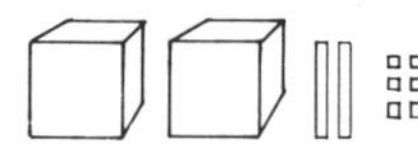

3.  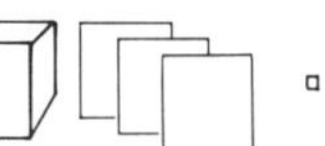

4. 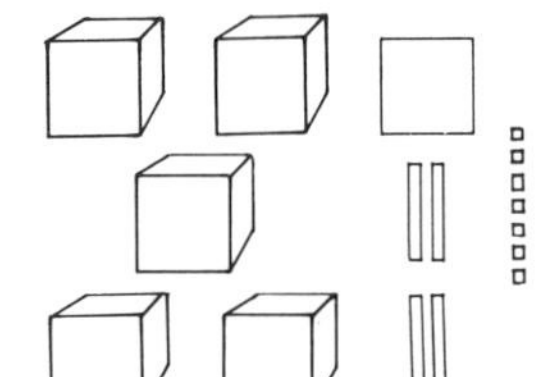

5. 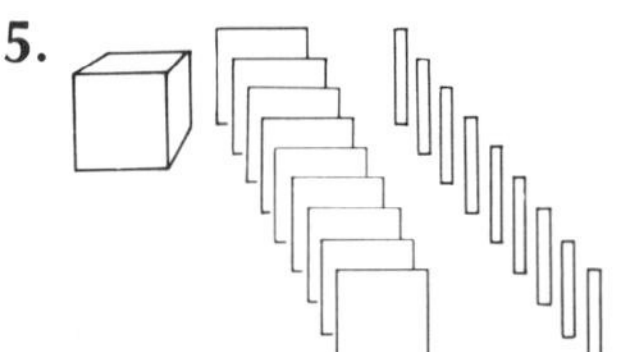

6. 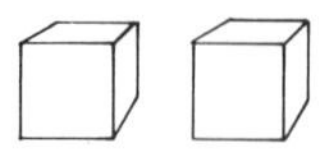

EXERCICES

Ajoute dix.

1. 1530 **2.** 3282 **3.** 7375 **4.** 6497 **5.** 3986

6. 8060 **7.** 6000 **8.** 4092 **9.** 2607 **10.** 994

Écris normalement.

11. six mille sept cent

12. neuf mille cinquante-six

13. trois mille onze

14. mille six cent deux

15. quatre mille deux cent seize

16. deux mille quarante

17.

1000	100	10	1
●●●	●	●●●●	●●

18.

Le Cyclope

19.

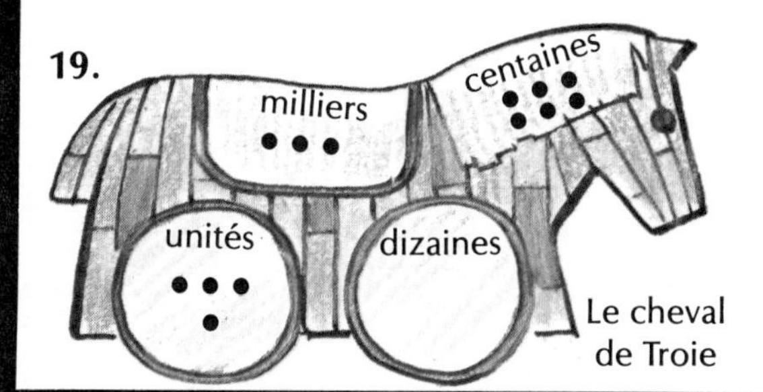

Le cheval de Troie

RÉVISION

Recopie et résous les équations.

1. $3\,\text{m} + 2\,\text{dm} + 6\,\text{cm} = ■\,\text{cm}$

2. $7\,\text{m} + 4\,\text{cm} = ■\,\text{cm}$

Emploie le symbole $.

3.  

4. 125¢

5.  

Écris normalement.

6.

7. de 3128 à 3133

8. deux mille un

TEST CHAPITRE 3

Écris normalement.

1. 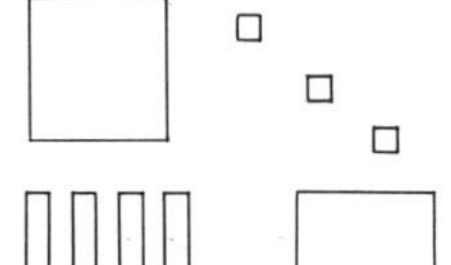

2. 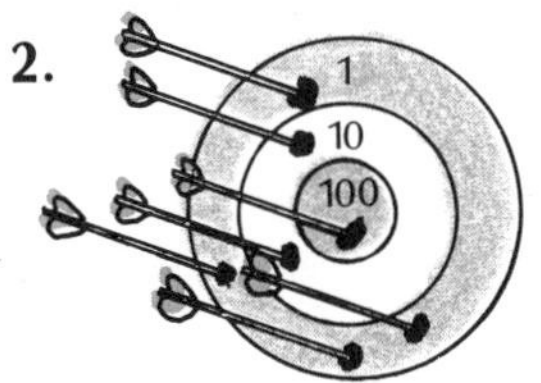

3. six cents

4. 900 + 30 + 8   **5.** 700 + 20 + 6   **6.** 3 + 400 + 80

7. 70 + 6 + 300   **8.** 200 + 70   **9.** 500 + 6

10.

100	10	1
7	2	4

11.  

12. 

Compte.

13. de 182 à 194   **14.** de 590 à 602   **15.** de 902 à 914

16. par dix, de 142 à 252   **17.** par cent, de 104 à 904

Emploie < ou >.

18. 635 ● 640   **19.** 799 ● 804   **20.** 120 ● 75   **21.** 727 ● 721

Écris et résous les équations.

22. 3 m = ■ cm   **23.** 4 m + 6 dm + 2 cm = ■ cm

Emploie le symbole $.

24.

10$	1$	10¢	1¢
7	3	0	5

25. 

26. 235¢

Écris normalement.

27. 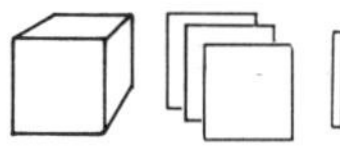

28. de 1658 à 1665

29. deux mille quatre

REPRISE LA SOUSTRACTION

Soustrais.

1. 10 − 3	**2.** 11 − 6	**3.** 10 − 5	**4.** 11 − 8	**5.** 10 − 1
6. 14 − 9	**7.** 16 − 8	**8.** 12 − 9	**9.** 18 − 9	**10.** 15 − 9
11. 12 − 8	**12.** 13 − 6	**13.** 12 − 3	**14.** 13 − 8	**15.** 12 − 5
16. 14 − 5	**17.** 16 − 7	**18.** 15 − 8	**19.** 14 − 6	**20.** 15 − 7
21. 11 − 7	**22.** 9 − 0	**23.** 17 − 9	**24.** 10 − 2	**25.** 8 − 3
26. 13 − 7	**27.** 11 − 4	**28.** 10 − 4	**29.** 13 − 5	**30.** 13 − 4
31. 29 − 10	**32.** 32 − 1	**33.** 46 − 10	**34.** 81 − 1	**35.** 30 − 10

Résous les problèmes suivants.

36. 18 masques
9 masques effrayants
Combien de masques ne sont pas effrayants?

37. 16 chauve-souris
10 s'envolent.
Combien en reste-t-il?

CHAPITRE 4
L'ADDITION

Par monts et par vaux
avec le globe-trotter
16 3 19 17 18 5 8 1 3 4 4 18
Quel est mon nom?
A. 4 + 4
B. 1 + 0
C. 7 + 4
D. 4 + 9
E. 9 + 9
F. 7 + 3
G. 10 + 5
H. 7 + 5
I. 4 + 5
J. 4 + 2
K. 5 + 5
L. 8 + 9
M. 2 + 8
N. 4 + 3
O. 1 + 2
P. 7 + 7
Q. 6 + 9
R. 10 + 6
S. 1 + 3
T. 2 + 3
U. 10 + 9
V. 4 + 6
W. 2 + 0
X. 10 + 2
Y. 8 + 4
Z. 1 + 9

Additions de 2 nombres de 2 chiffres

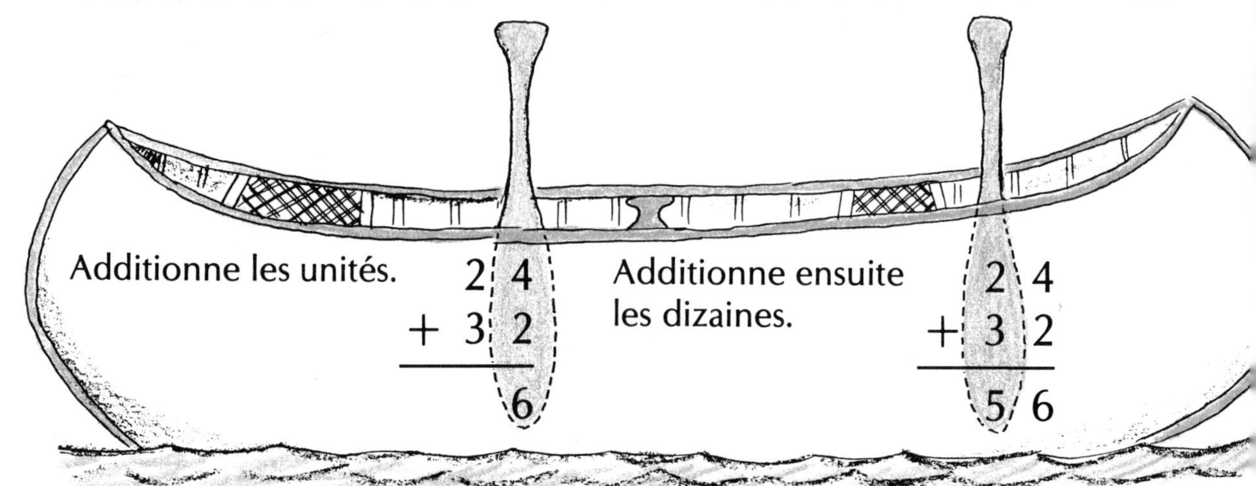

$$\begin{array}{r} 23 \\ +\ 16 \\ \hline \end{array}$$

23 explorateurs et 16 explorateurs. Total: 39 explorateurs

EXERCICES

Additionne.

1.	**2.**	**3.**	**4.**	**5.**
$\begin{array}{r} 34 \\ +\ 12 \\ \hline \end{array}$	$\begin{array}{r} 52 \\ +\ 13 \\ \hline \end{array}$	$\begin{array}{r} 20 \\ +\ 32 \\ \hline \end{array}$	$\begin{array}{r} 36 \\ +\ 30 \\ \hline \end{array}$	$\begin{array}{r} 32 \\ +\ 37 \\ \hline \end{array}$

6.	**7.**	**8.**	**9.**	**10.**
$\begin{array}{r} 40 \\ +\ 26 \\ \hline \end{array}$	$\begin{array}{r} 43 \\ +\ 16 \\ \hline \end{array}$	$\begin{array}{r} 40 \\ +\ 6 \\ \hline \end{array}$	$\begin{array}{r} 43 \\ +\ 6 \\ \hline \end{array}$	$\begin{array}{r} 7 \\ +\ 31 \\ \hline \end{array}$

11. 20 et 40 **12.** 70 et 11 **13.** 31 et 25

14. 12 et 54 **15.** 7 et 30 **16.** 23 et 4

EXERCICES

Additionne.

A.	50 + 38	**B.**	27 + 12	**C.**	24 + 24	**D.**	63 + 21	**E.**	84 + 15
F.	16 + 73	**G.**	70 + 20	**H.**	18 + 41	**I.**	30 + 40	**J.**	32 + 42
K.	50 + 29	**L.**	41 + 51	**M.**	50 + 40	**N.**	72 + 22	**O.**	23 + 60
P.	50 + 8	**Q.**	63 + 5	**R.**	70 + 7	**S.**	5 + 52	**T.**	9 + 80

U. 17 et 21 **V.** 50 et 37 **W.** 60 et 7

X. 43 + 46 **Y.** 80 + 13 **Z.** 35 + 20

57 88 70 57 - 89 38 58 88 90 88 93 99 77 ?

Peux-tu compléter ces tableaux?

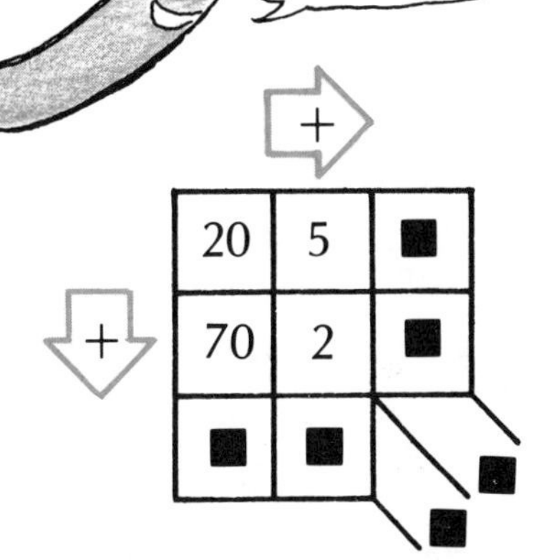

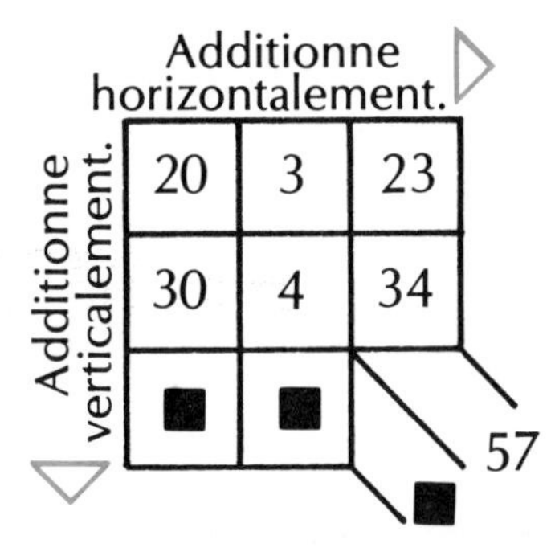

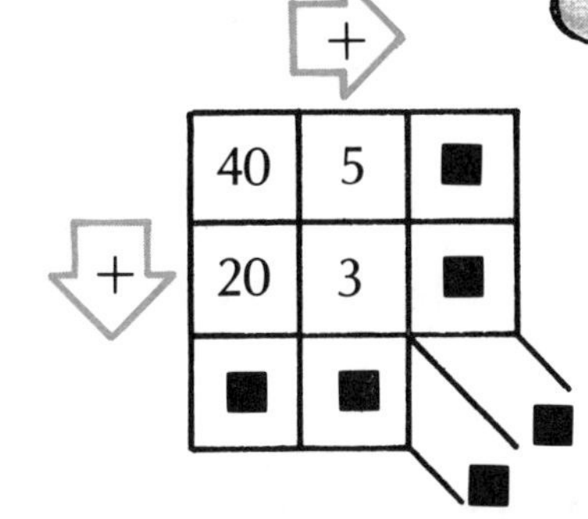

Additions de 2 nombres de 2 chiffres

	Additionne les unités.	Échange 10 unités contre 1 dizaine.	Additionne les dizaines.
		1	
25	25	25	
+ 9	+ 9	+ 9	
		4	

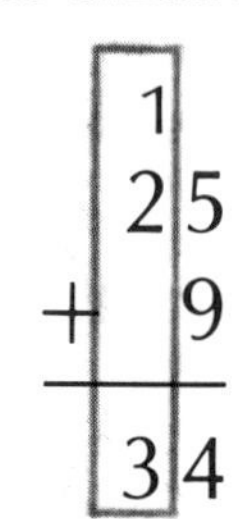

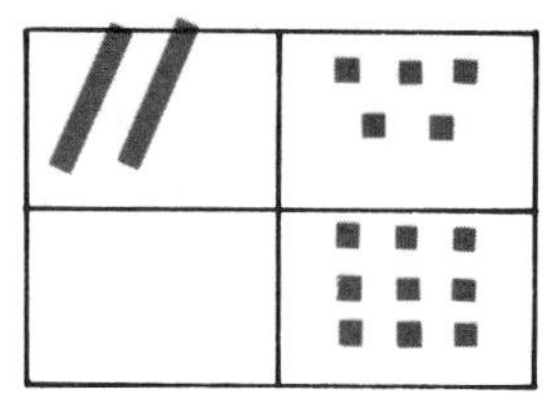

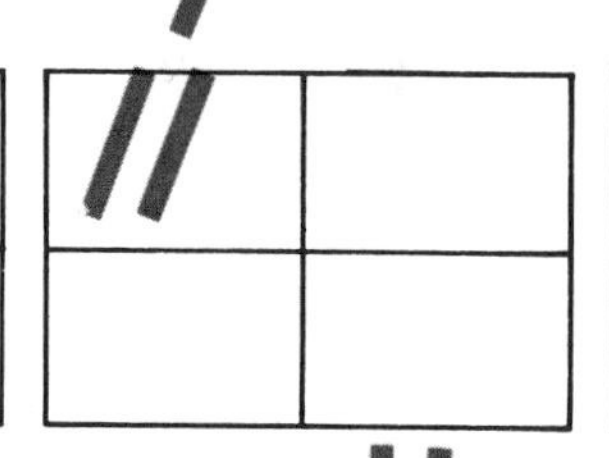

EXERCICES

Complète les additions.

1. ■ 14 + 9 = ...3	**2.** ■ 25 + 6 = ...1	**3.** ■ 46 + 6 = ...2	**4.** ■ 39 + 2 = ...1
5. 23 + 2 = ...5	**6.** 29 + 6 = ...5	**7.** 32 + 0 = ...2	**8.** 39 + 3 = ...2
9. 42 + 2	**10.** 45 + 9	**11.** 21 + 2	**12.** 26 + 7

EXERCICES

Additionne.

A.	24 + 8	**B.**	19 + 5	**C.**	36 + 6	**D.**	42 + 9	**E.**	58 + 4
F.	35 + 9	**G.**	27 + 8	**H.**	15 + 6	**I.**	45 + 7	**J.**	79 + 4
K.	38 + 8	**L.**	22 + 4	**M.**	53 + 4	**N.**	47 + 7	**O.**	59 + 9
P.	83 + 3	**Q.**	19 + 7	**R.**	33 + 7	**S.**	91 + 4	**T.**	45 + 5

U. 19 + 6 **V.** 38 + 7 **W.** 76 + 6 **X.** 6 + 22 **Y.** 7 + 77

De la suite dans les idées ...

Continue l'exercice commencé.

1.      
2.       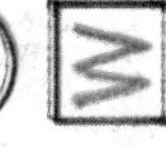
3. 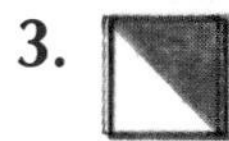     
4.  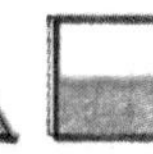  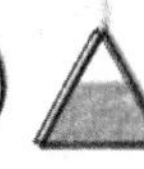 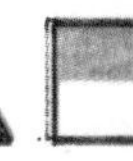 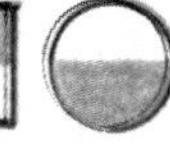

Additions de 2 nombres à 2 chiffres

	Additionne les unités.	Échange 10 unités contre 1 dizaine.	Additionne les dizaines.
		1	1
36	36	36	36
+ 29	+ 29	+ 29	+ 29
		5	65

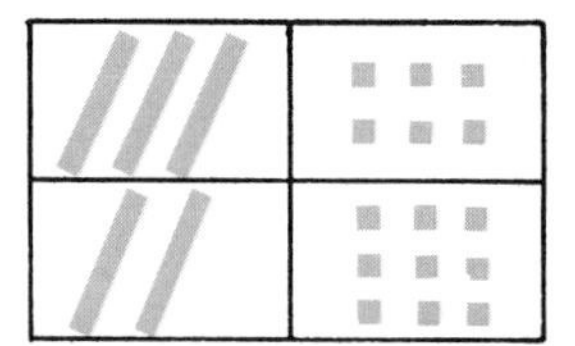
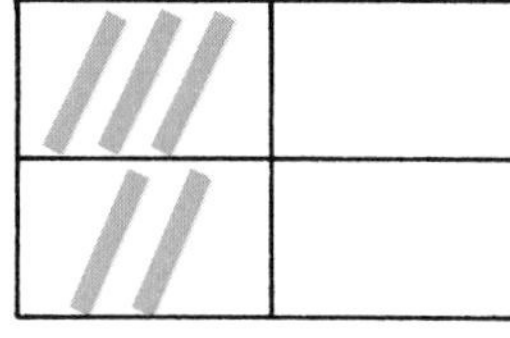
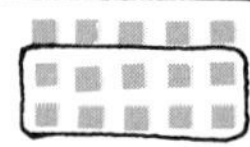
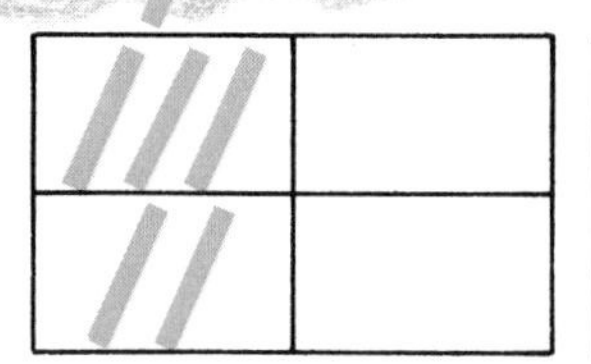

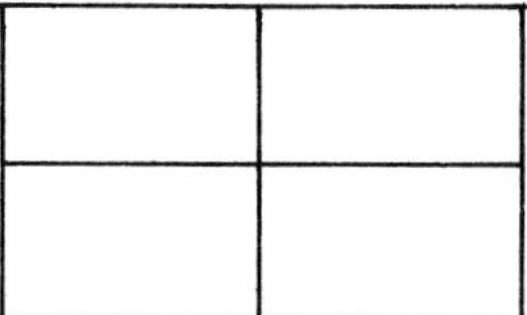

EXERCICES

Complète les additions.

1. ■ 14 + 39 = ▁3

2. ■ 25 + 16 = ▁1

3. ■ 46 + 26 = ▁2

4. ■ 39 + 22 = ▁1

5. 23 + 42 = ▁5

6. 29 + 46 = ▁5

7. 32 + 30 = ▁2

8. 39 + 33 = ▁2

9. 42 + 12 =

10. 45 + 19 =

11. 21 + 42 =

12. 26 + 47 =

EXERCICES

Additionne.

A. $28 + 34$

B. $28 + 19$

C. $39 + 28$

D. $37 + 39$

E. $46 + 27$

F. $56 + 36$

G. $25 + 57$

H. $31 + 29$

I. $44 + 49$

J. $16 + 18$

K. $32 + 24$

L. $36 + 5$

M. $48 + 13$

N. $62 + 5$

O. $78 + 12$

P. $38 + 46$

Q. $43 + 23$

R. $15 + 28$

S. $86 + 5$

T. $46 + 3$

U. $22 + 19$

V. $15 + 46$

W. $13 + 38$

X. $16 + 71$

Y. $6 + 77$

Z. $25 + 55$

Sommes

La somme de deux nombres encerclés doit être égale au nombre inscrit dans le carré qui les sépare.

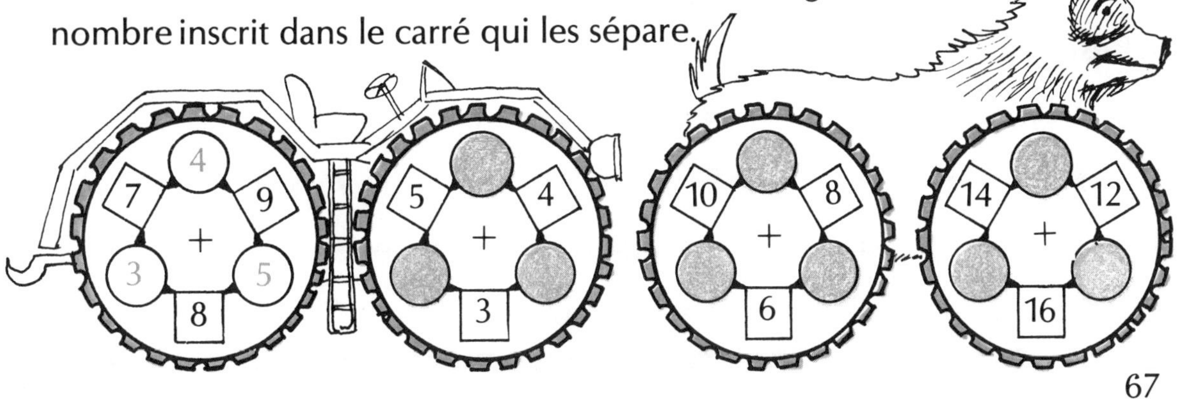

Le kilomètre

Un **kilomètre** est égal à 1000 mètres. 1 km = 1000 m

La distance qui sépare deux villes se mesure en kilomètres.

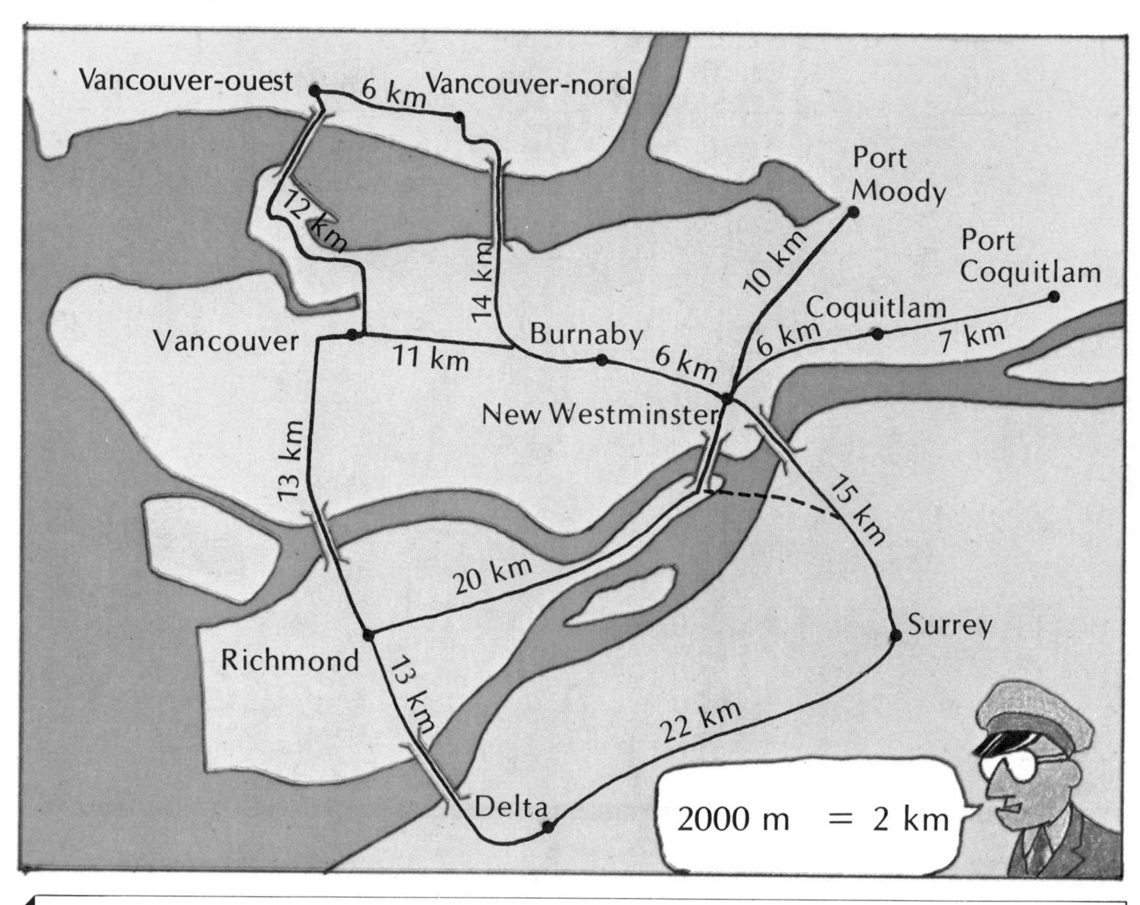

EXERCICES

Résous les équations.

1. 4 km = ■ m
2. 9 km = ■ m
3. 6 km = ■ m
4. ■ km = 7000 m
5. ■ km = 3000 m
6. ■ km = 5000 m
7. Combien de kilomètres y a-t-il entre Vancouver et Richmond?
8. Combien de kilomètres y a-t-il entre Burnaby et Coquitlam?

EXERCICES

Résous les équations.

A. 2000 m = ■ km B. 8 km = ■ m C. ■ km = 4000 m

D. ■ km = 3000 m E. 5000 m = ■ km F. 6 km = ■ m

G. 5 km = ■ m H. ■ km = 7000 m I. ■ km = 9000 m

Quelle unité emploies-tu pour mesurer:

J. la longueur d'un crayon?
K. la distance de la Terre à la Lune?
L. la largeur d'un appareil-photo?
M. la largeur d'une salle?
O. la longueur d'une rivière?
N. la longueur d'un corridor?
Q. la distance entre l'école et le lac?
P. la hauteur d'une chaise?
R. la distance de l'école à la rue?

Combien y a-t-il de kilomètres:

S. De Surrey à Richmond?
T. De Richmond à Vancouver-ouest?
U. De Delta à Burnaby?
V. De Surrey à Coquitlam?
W. De New Westminster à Vancouver?

RÉVISION

Additionne.

1. $15 + 24$
2. $28 + 60$
3. $62 + 7$
4. $30 + 50$
5. $70 + 9$
6. $15 + 6$
7. $28 + 5$
8. $62 + 9$
9. $32 + 8$
10. $79 + 9$
11. $15 + 39$
12. $28 + 26$
13. $62 + 24$
14. $32 + 49$
15. $79 + 17$

Sommes qui s'écrivent avec 3 chiffres

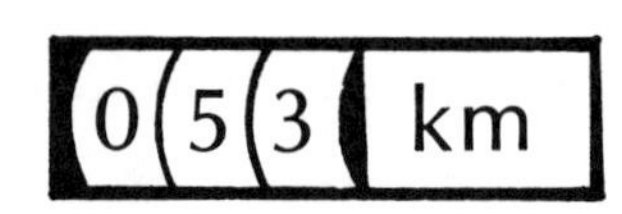

Au départ le compteur de la voiture indique 53 km. Rouletabosse parcourt 72 km. Qu'indique le compteur à l'arrivée?

Additionne les unités. Additionne les dizaines.

Regroupe les dizaines. 10 dizaines font 1 centaine.

$$\begin{array}{r} 53 \\ +\ 72 \\ \hline \end{array} \qquad \begin{array}{r} 53 \\ +\ 72 \\ \hline 5 \end{array} \qquad \begin{array}{r} 53 \\ +\ 72 \\ \hline 12\ 5 \end{array} \qquad \begin{array}{r} 53 \\ +\ 72 \\ \hline 125 \end{array}$$

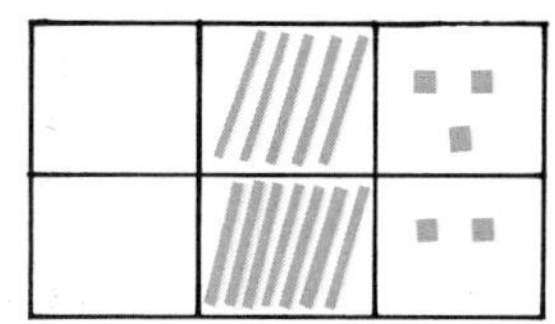
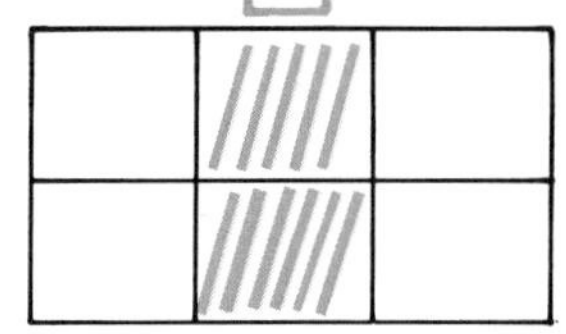
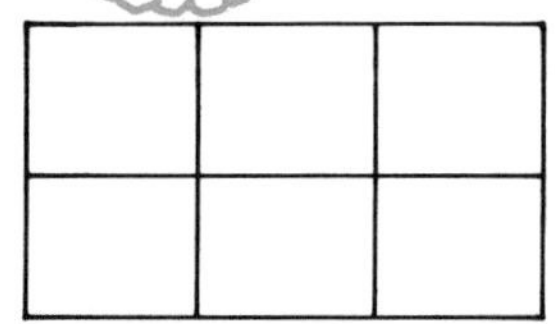
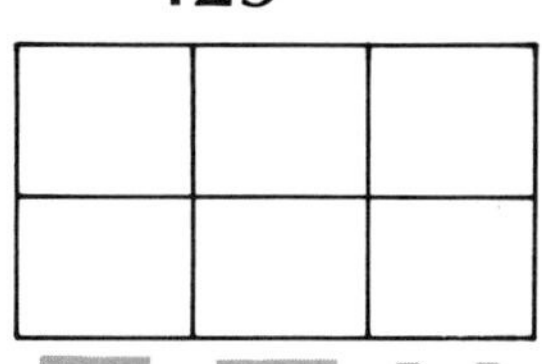

EXERCICES

Additionne.

1. $\begin{array}{r} 73 \\ +\ 72 \\ \hline ■■■ \end{array}$

2. $\begin{array}{r} 93 \\ +\ 63 \\ \hline ■■■ \end{array}$

3. $\begin{array}{r} 44 \\ +\ 81 \\ \hline ■■■ \end{array}$

4. $\begin{array}{r} 80 \\ +\ 86 \\ \hline ■■■ \end{array}$

5. $\begin{array}{r} 70 \\ +\ 85 \\ \hline \end{array}$

6. $\begin{array}{r} 23 \\ +\ 42 \\ \hline \end{array}$

7. $\begin{array}{r} 95 \\ +\ 91 \\ \hline \end{array}$

8. $\begin{array}{r} 31 \\ +\ 34 \\ \hline \end{array}$

9. 61 et 62
10. 55 et 61
11. 35 et 20
12. 83 et 73
13. 86 et 82
14. 90 et 16
15. 38 et 71
16. 45 et 84

EXERCICES

Additionne.

A.	84 + 74	**B.**	73 + 53	**C.**	67 + 82	**D.**	42 + 52	**E.**	83 + 95
F.	72 + 72	**G.**	62 + 37	**H.**	53 + 55	**I.**	78 + 91	**J.**	74 + 35

K. [0|7|8|km] plus 90 km

L. [0|9|6|km] plus 93 km

M. [0|4|3|km] plus 73 km

N. [0|6|8|km] plus 30 km

O. [0|3|5|km] plus 84 km

P. [0|5|3|km] plus 74 km

74 jeeps 63 camions	52 traversiers 94 remorqueurs	55 hélicoptères 33 avions

Q. Combien de véhicules vont sur l'eau?

R. Combien de véhicules volent?

S. Combien de véhicules ont un nom commençant par a?

T. Combien de véhicules ont des roues?

Écris normalement.

U. 13 dizaines 6 unités

V. 26 dizaines 3 unités

W. 4 dizaines 53 unités

X. 3 dizaines 85 unités

Y. 6 dizaines 58 unités

Z. 4 dizaines 66 unités

Les compteurs déréglés

1. [0|6|37]

2. [1|42|3]

3. [1|73|5]

4. [1|7|15]

5. [5|23|9]

6. [4|2|53]

7. [2|7|41]

8. [4|3|53]

9. [3|7|31]

Sommes qui s'écrivent avec 3 chiffres

Aéroport d'Edmonton
37 km
Leduc
66 km
Ponoka
49 km
Red Deer
57 km
Olds
76 km
Aéroport de Calgary
64 km
High River

Rouletabosse voyage d'Edmonton à Ponoka en avion. Combien parcourt-il de kilomètres?

Additionne les unités.
Regroupe les unités.
10 unités pour 1 dizaine.

$$\begin{array}{r} {\scriptstyle 1} \phantom{\text{ km}} \\ 37 \text{ km} \\ +\ 66 \text{ km} \\ \hline \mathbf{3} \phantom{\text{ km}} \end{array}$$

Additionne les dizaines.
Regroupe les dizaines.
10 dizaines pour 1 centaine.

$$\begin{array}{r} {\scriptstyle 1} \phantom{0 \text{ km}} \\ 37 \text{ km} \\ +\ 66 \text{ km} \\ \hline \mathbf{10}3 \text{ km} \end{array}$$

Rouletabosse parcourt 103 km en avion.

EXERCICES

Additionne.

1.	$\begin{array}{r} 57 \\ +\ 66 \\ \hline \end{array}$	**2.**	$\begin{array}{r} 86 \\ +\ 67 \\ \hline \end{array}$	**3.**	$\begin{array}{r} 72 \\ +\ 81 \\ \hline \end{array}$	**4.**	$\begin{array}{r} 77 \\ +\ 37 \\ \hline \end{array}$	**5.**	$\begin{array}{r} 22 \\ +\ 92 \\ \hline \end{array}$
6.	$\begin{array}{r} 86 \\ +\ 96 \\ \hline \end{array}$	**7.**	$\begin{array}{r} 81 \\ +\ 91 \\ \hline \end{array}$	**8.**	$\begin{array}{r} 85 \\ +\ 55 \\ \hline \end{array}$	**9.**	$\begin{array}{r} 25 \\ +\ 15 \\ \hline \end{array}$	**10.**	$\begin{array}{r} 88 \\ +\ 88 \\ \hline \end{array}$

Quelle distance y a-t-il:

11. de Leduc à Red Deer?

12. de Ponoka à Olds?

EXERCICES

Additionne.

A.	68 + 63	B.	56 + 74	C.	38 + 24	D.	77 + 97	E.	84 + 75
F.	57 + 42	G.	59 + 58	H.	77 + 76	I.	38 + 38	J.	33 + 67
K.	82 + 62	L.	79 + 26	M.	34 + 44	N.	82 + 89	O.	97 + 28
P.	43 + 75	Q.	47 + 55	R.	98 + 36	S.	46 + 67	T.	95 + 98

Quelle est la longueur totale du parcours (en km)?

U. 53 km à pied jusqu'à Red Deer, puis Red Deer—Olds en avion.

V. 68 km à la course jusqu'à High River, puis High River—Calgary en avion.

W. 72 km à bicyclette jusqu'à Leduc, puis Leduc—Edmonton en avion.

X. 99 km en voiture jusqu'à Calgary, puis Calgary—Olds en avion.

Y. 24 km en patins jusqu'à Ponoka, puis Ponoka—Leduc en avion.

Z. 98 km à cheval jusqu'à Olds, puis Olds—Red Deer en avion.

Message codé

Que signifie le message de Rouletabosse?

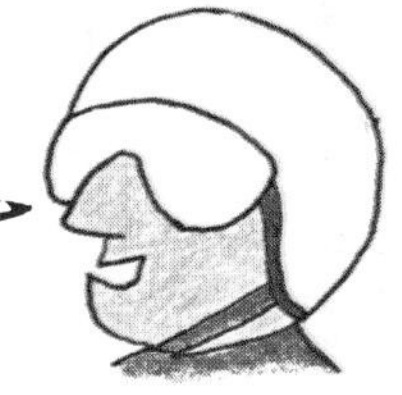

23 16 30   33 26 36 12 18 16 30

17 26 29 24 16 25 31   23 12   21 16 32 25 16 30 30 16

A	B	C	D	E	F	G	H	I	J	K	L	M	N	O	P	Q	R	S	T	U	V	W	X	Y	Z
90	91	92	93	94	95	96	97	98	99	100	101	102	103	104	105	106	107	108	109	110	111	112	113	114	115

Additions de 4 nombres

Rouletabosse prend le métro. Combien parcourt-il de kilomètres?

Finch → York Mills → Bloor → King → St. George

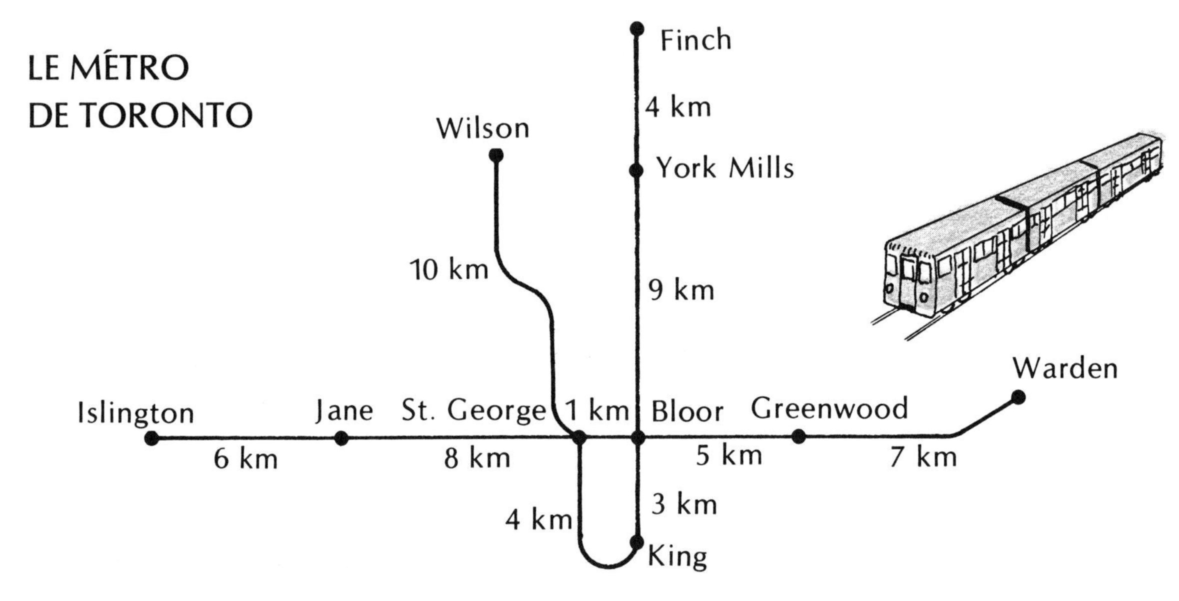

4	**4**	4	4
9	**9** (13)	9	9
3	3	**3** (16)	3
+ 4	+ 4	+ 4	+ **4**
			20

Rouletabosse parcourt **20 km**.

EXERCICES

Additionne.

1. $6 + 2$ $16 + 2$ **2.** $6 + 6$ $16 + 6$ **3.** $7 + 3$ $17 + 3$ **4.** $9 + 2$ $19 + 2$

5.	**6.**	**7.**	**8.**
4	4	4	4
3	9	9	9
9	3	4	6
+ 2	+ 6	+ 3	+ 8

EXERCICES

Additionne.

A.	B.	C.	D.	E.
3	7	8	7	6
3	7	8	7	3
6	3	6	7	9
+ 8	+ 9	+ 5	+ 7	+ 1

F.	G.	H.	I.	J.
6	3	5	9	3
6	2	5	9	9
5	3	5	1	9
+ 6	+ 4	+ 6	+ 9	+ 7

K.	L.	M.	N.	O.
70	30	80	50	90
30	80	40	30	90
40	70	30	60	60
+ 60	+ 30	+ 90	+ 80	+ 30

Combien parcourt-il de kilomètres en tout?

P. 3 km, 6 km, 1 km, 2 km

Q. 9 km, 4 km, 7 km, 9 km

R. 7 km, 4 km, 8 km, 5 km

S. 5 km, 7 km, 5 km, 4 km

T. Warden → Greenwood → Bloor → York Mills → Finch

U. King → Bloor → St. George → Jane → Islington

Le jeu du métro

Utilise un alphabet pour aller plus vite.

Ajoute les wagons et les lettres qui manquent.

Le périmètre du rectangle

Un **rectangle** a 4 côtés.

Les côtés opposés sont égaux.

Un **carré** est un rectangle particulier.

Ses quatre côtés sont égaux.

On trouve le périmètre d'un rectangle en additionnant les mesures des quatre côtés.

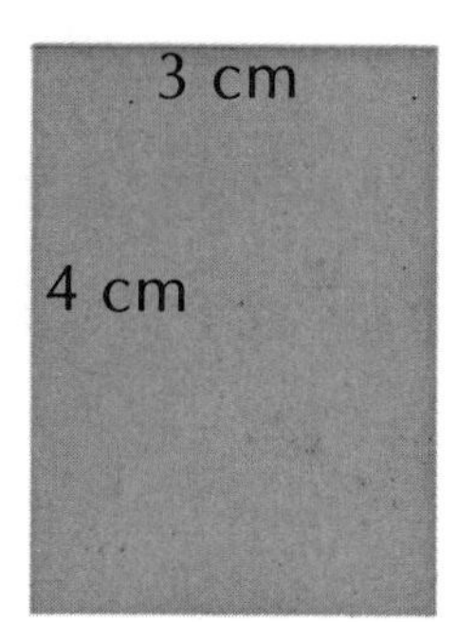

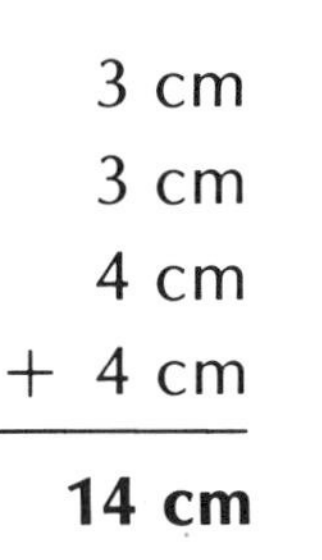

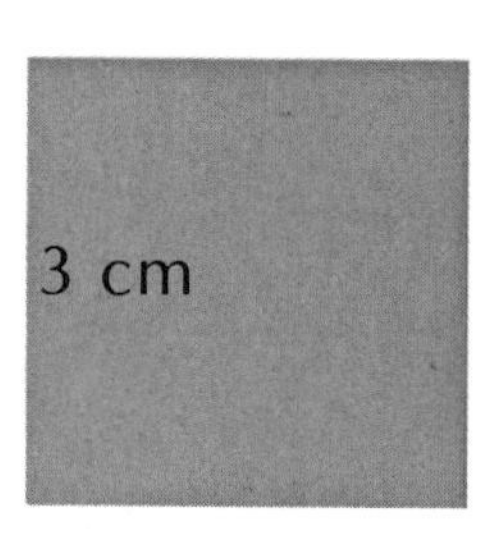

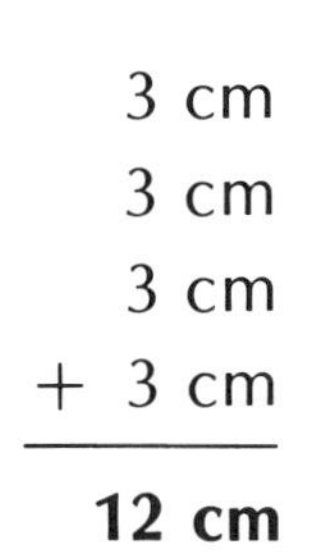

centimètres

mètres

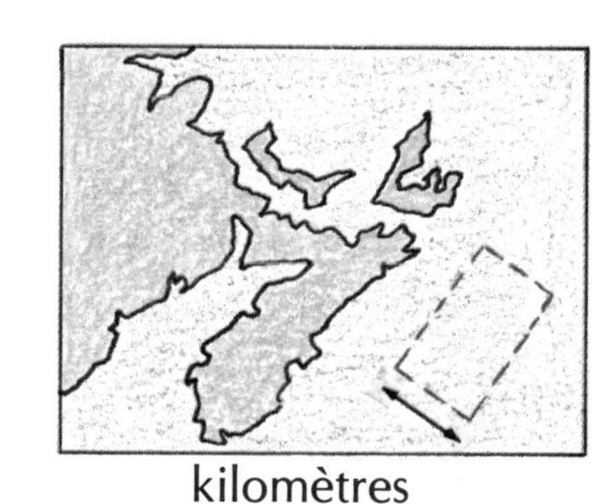

kilomètres

EXERCICES

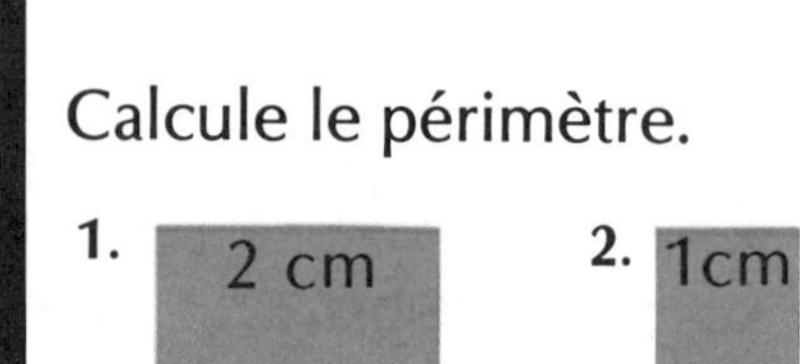

Calcule le périmètre.

1. 2 cm, 3 cm

2. 

3. 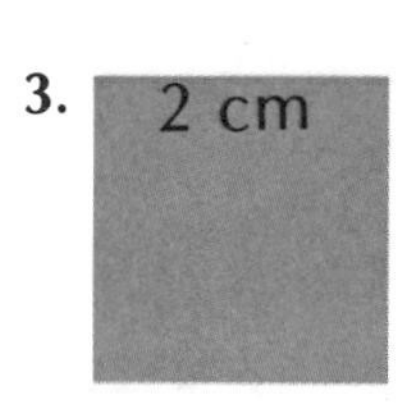

4. 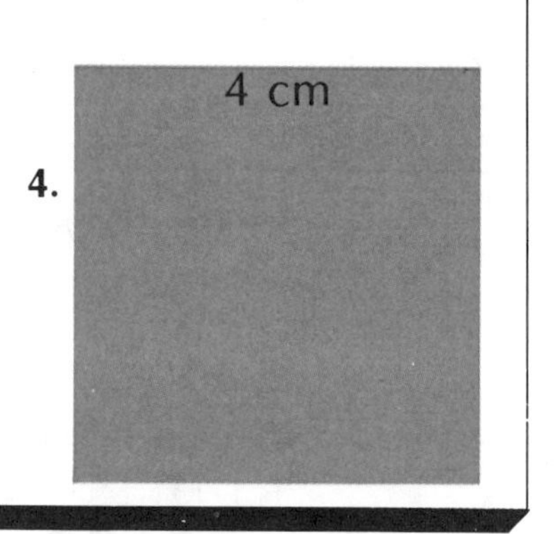

EXERCICES

Calcule le périmètre.

A.  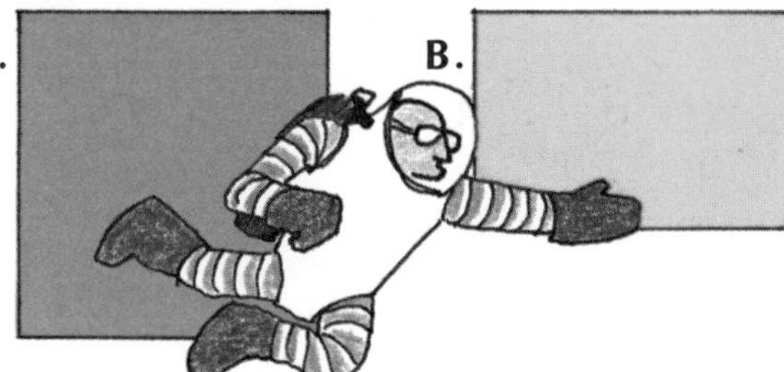

B.

C. 

D. Carré: 5 km de côté
E. Rectangle: 5 m de large, 3 m de long
F. Carré: 6 m de côté
G. Rectangle: 6 km de large, 5 km de long
H. Carré: 70 cm de côté
I. Rectangle: 90 m de large, 30 m de long

Avec quoi mesures-tu (km, m, cm):

J. un pupitre?
K. une salle?
L. un lac?
M. l'école?
N. une fenêtre?
O. un livre?
P. le gymnase?
Q. une ville?
R. une craie?

RÉVISION

Additionne.

1. 76 + 80
2. 45 + 83
3. 52 + 77
4. 16 + 90
5. 85 + 93

6. 76 + 45
7. 45 + 95
8. 52 + 89
9. 16 + 88
10. 75 + 57

11. 3, 6, 3, + 4
12. 7, 6, 3, + 8
13. 9, 5, 4, + 7
14. 30, 90, 60, + 50
15. 60, 30, 70, + 70

TEST CHAPITRE 4

Additionne.

1. $14 + 8$	2. $29 + 9$	3. $78 + 2$	4. $57 + 2$	5. $38 + 20$
6. $34 + 17$	7. $19 + 78$	8. $43 + 44$	9. $35 + 35$	10. $9 + 48$

Recopie et résous les équations.

11. 5 km = ■ m **12.** ■ km = 6000 m **13.** 2 km = ■ km

Additionne.

14. $62 + 64$	15. $80 + 37$	16. $84 + 84$	17. $52 + 47$	18. $98 + 19$
19. $58 + 58$	20. $94 + 57$	21. $99 + 6$	22. $25 + 75$	23. $32 + 88$
24. $5 + 6 + 3 + 3$	25. $6 + 6 + 6 + 6$	26. $9 + 6 + 5 + 7$	27. $10 + 30 + 20 + 80$	28. $90 + 80 + 10 + 90$

Mesure et additionne tes résultats afin de trouver chaque périmètre.

REPRISE — LES NOMBRES JUSQU'À 9999

Écris les nombres normalement.

1. 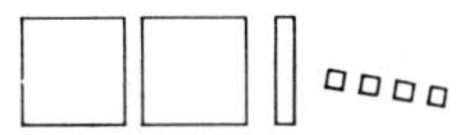

2. (illustration)

3. 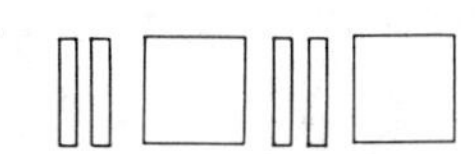

4. de 83 à 95
5. de 491 à 503
6. de 804 à 816
7. 300 + 20 + 4
8. 600 + 10 + 9
9. 2 + 300 + 50
10. 80 + 3 + 200
11. 700 + 20
12. 600 + 5
13. Compte de 432 à 542 par dix.
14. Compte de 93 à 993 par cent.

Recopie et résous chaque équation.

15. 2 dm = ■ cm
16. 2 dm + 3 cm = ■ cm
17. ■ dm + ■ cm = 32 cm
18. 3 m = ■ cm
19. 4 m + 6 dm + 2 cm = ■ cm
20. 6 m + 8 dm = ■ cm

Utilise $<$ ou $>$.

21. 45 ● 98
22. 432 ● 450
23. 747 ● 699
24. 934 ● 932
25. 256 ● 329
26. 245 ● 98

Écris les nombres normalement.

27. 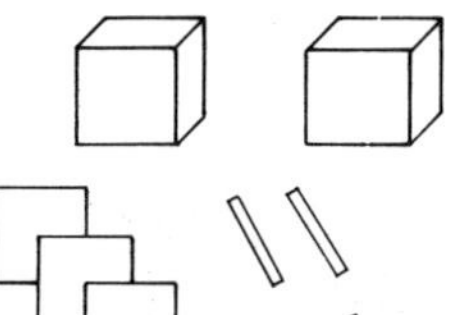

28. trois mille six cent deux
29. mille soixante-seize
30. de 2678 à 2695
31. de 3490 à 3510

CHAPITRE 5
LA SOUSTRACTION

Une piste jalonnée de soustractions

Essaie de la descendre sans tomber.

1. $2 - 1$	**2.** $10 - 1$	**3.** $5 - 1$	**4.** $10 - 5$	**5.** $8 - 2$
6. $12 - 6$	**7.** $10 - 6$	**8.** $18 - 9$	**9.** $10 - 2$	**10.** $15 - 5$

11. $12 - 3$	**12.** $15 - 9$	**13.** $12 - 10$	**14.** $14 - 7$	**15.** $11 - 3$
16. $13 - 9$	**17.** $16 - 8$	**18.** $14 - 10$	**19.** $17 - 9$	**20.** $15 - 8$

21. $13 - 3$	**22.** $13 - 6$	**23.** $13 - 7$	**24.** $14 - 5$	**25.** $11 - 4$
26. $13 - 7$	**27.** $17 - 8$	**28.** $13 - 5$	**29.** $12 - 5$	**30.** $15 - 7$

La soustraction des dizaines

Si tu sais comment soustraire les unités, tu peux aussi soustraire les dizaines.

$7 - 2 = 5$

7 unités − 2 unités = 5 unités

$70 - 20 = 50$

7 dizaines − 2 dizaines = 5 dizaines

La soustraction en ligne peut s'écrire en colonnes.

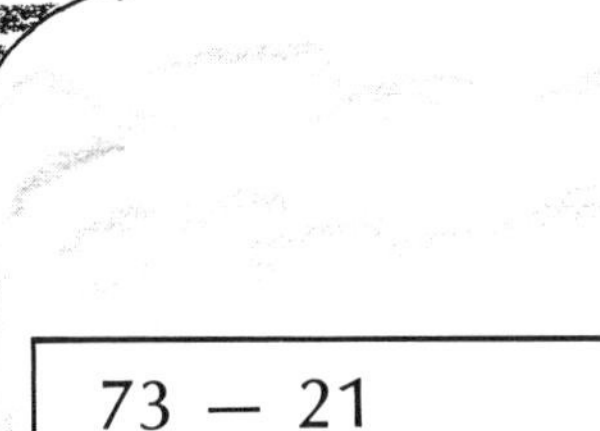

73 − 21 devient	$\begin{array}{r} 73 \\ -21 \\ \hline \end{array}$

Soustrais d'abord les unités.

$$\begin{array}{r} \mathbf{73} \\ \mathbf{-21} \\ \hline \mathbf{2} \end{array}$$

Soustrais ensuite les dizaines.

$$\begin{array}{r} \mathbf{73} \\ \mathbf{-21} \\ \hline \mathbf{52} \end{array}$$

EXERCICES

Écris en colonnes, puis fais la soustraction.

1. 30 − 10 **2.** 50 − 20 **3.** 90 − 30 **4.** 73 − 52

5. 73 − 41 **6.** 73 − 32 **7.** 86 − 34 **8.** 86 − 23

9. 86 − 51 **10.** 98 − 52 **11.** 98 − 36 **12.** 98 − 3

EXERCICES

Soustrais.

1. 82 − 61	**2.** 75 − 25	**3.** 74 − 13	**4.** 67 − 24	**5.** 69 − 63
6. 99 − 39	**7.** 89 − 20	**8.** 97 − 73	**9.** 86 − 5	**10.** 25 − 23
11. 45 − 30	**12.** 28 − 23	**13.** 78 − 4	**14.** 56 − 50	**15.** 63 − 22

Résous les problèmes en faisant une soustraction.

16. 83 flocons de neige 53 fondent. ■ ne fondent pas.

17. 73 fenêtres 32 sont ouvertes. ■ ne le sont pas.

18. 35 glaçons 5 se brisent. Il en reste ■.

19. Enlève 3 dizaines de 9 dizaines

20. Enlève 16 de 79

Réponses de la page 81

1 9 4 5 6 6 4 9
8 10 9 6 2 7 8 4 8 4 8
7 10 7 6 9 7 6 9 8 7 8

Flocons semblables

Relie chaque gros flocon au petit flocon qui lui *ressemble*.

1.

2.

3.

4.

A.

B.

C.

D.

E.

F.

G.

H.

Échange avant de soustraire

Essaie de soustraire les unités. S'il n'y en a pas assez, fais un échange, puis effectue la soustraction.

Pas assez d'unités.

Échange une dizaine contre 10 unités.
1 dizaine = 10 unités

Soustrais les unités.
Écris les dizaines.

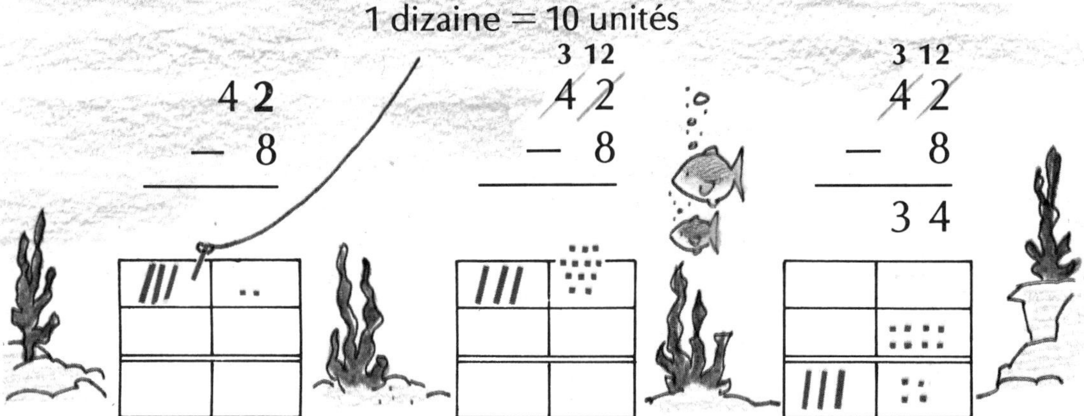

EXERCICES

Explique comment tu fais l'échange.

1. ■■ 52
2. ■■ 72
3. ■■ 38
4. ■■ 21
5. ■■ 97
6. ■■ 73
7. ■■ 40
8. ■■ 67
9. ■■ 12
10. ■■ 70

Finis la soustraction.

11. $\begin{array}{r} {\scriptstyle 4\ 13} \\ 53 \\ -\ 9 \\ \hline \end{array}$

12. $\begin{array}{r} {\scriptstyle 2\ 16} \\ 36 \\ -\ 8 \\ \hline \end{array}$

13. $\begin{array}{r} {\scriptstyle 3\ 12} \\ 42 \\ -\ 4 \\ \hline \end{array}$

14. $\begin{array}{r} {\scriptstyle 8\ 10} \\ 90 \\ -\ 6 \\ \hline \end{array}$

15. $\begin{array}{r} {\scriptstyle 7\ 15} \\ 85 \\ -\ 7 \\ \hline \end{array}$

EXERCICES

Fais un échange si c'est nécessaire, puis effectue la soustraction.

1. 52 − 4	**2.** 72 − 6	**3.** 21 − 9	**4.** 35 − 2	**5.** 73 − 6
6. 64 − 7	**7.** 38 − 9	**8.** 40 − 2	**9.** 94 − 8	**10.** 55 − 4
11. 68 − 9	**12.** 73 − 7	**13.** 29 − 2	**14.** 65 − 7	**15.** 70 − 6
16. 68 − 4	**17.** 90 − 1	**18.** 12 − 6	**19.** 97 − 9	**20.** 41 − 8

POISSON D'ORIGAMI

Prends un morceau de papier carré.
Plie-le en suivant la ligne pointillée.

1.

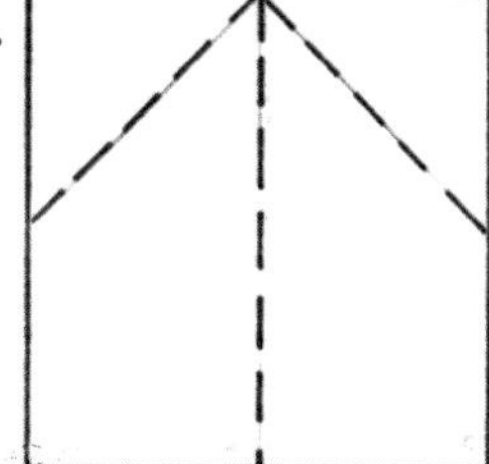

2.

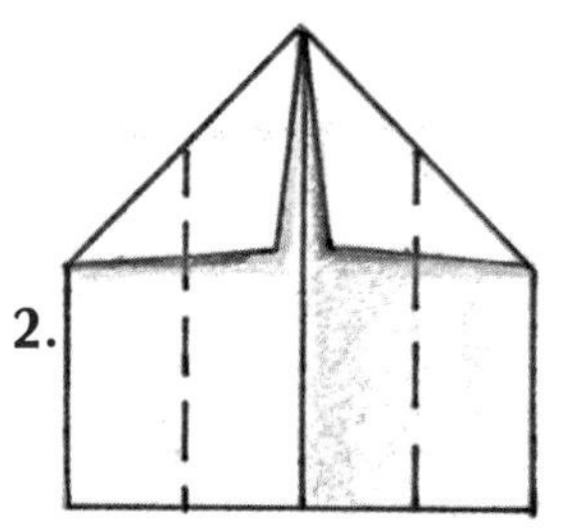

3.

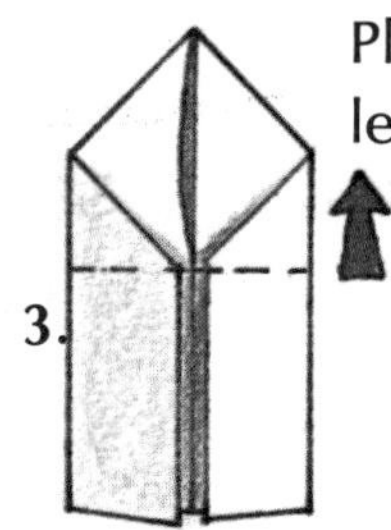

Plie vers le haut.

4.

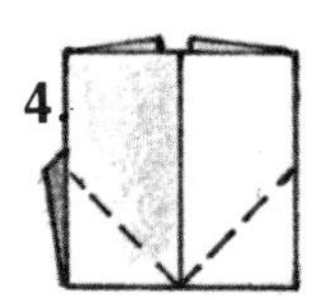

Plie et pousse les triangles entre l'avant et l'arrière.

5.

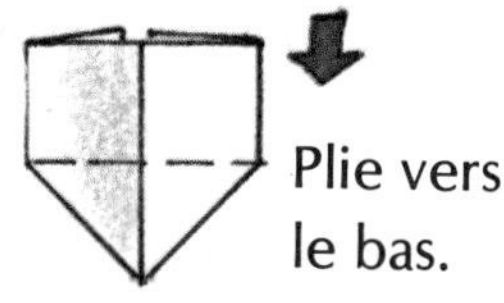

Plie vers le bas.

6.

Plie les triangles vers le centre.

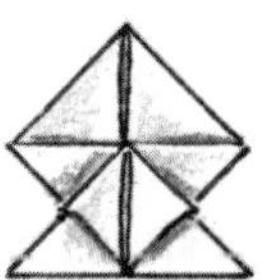

7. Décore - le.

La soustraction de nombres de 2 chiffres

Compare les unités. Fais un échange seulement s'il est nécessaire.

Pas assez d'unités

$$\begin{array}{r} 63 \\ -\ 27 \\ \hline \end{array}$$

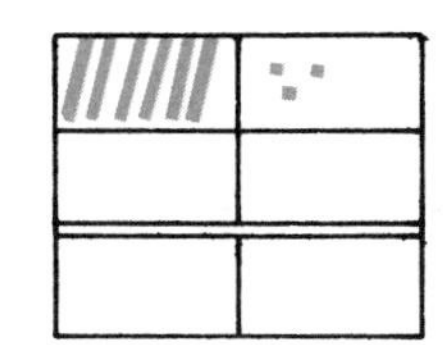

Échange 1 dizaine.
1 dizaine = 10 unités.

$$\begin{array}{r} {\scriptstyle 5\ 13} \\ \not{6}\not{3} \\ -\ 27 \\ \hline \end{array}$$

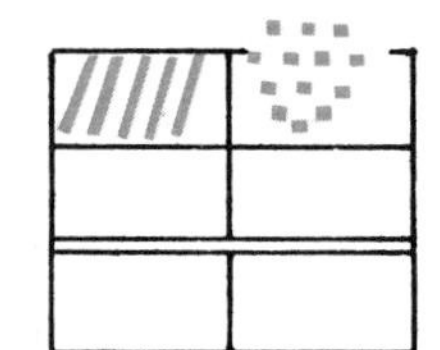

Soustrais les unités.
Soustrais les dizaines.

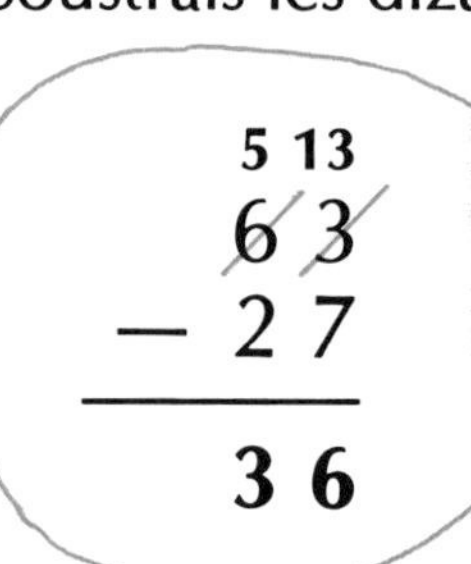

$$\begin{array}{r} {\scriptstyle 5\ 13} \\ \not{6}\not{3} \\ -\ 27 \\ \hline 36 \end{array}$$

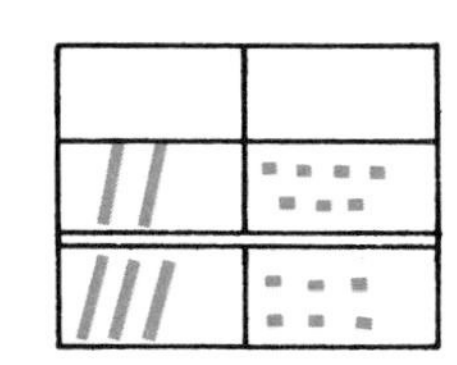

EXERCICES

Écris **échange** ou **pas d'échange**.

1. $\begin{array}{r} 53 \\ -17 \\ \hline \end{array}$ **2.** $\begin{array}{r} 57 \\ -13 \\ \hline \end{array}$ **3.** $\begin{array}{r} 68 \\ -35 \\ \hline \end{array}$ **4.** $\begin{array}{r} 65 \\ -38 \\ \hline \end{array}$ **5.** $\begin{array}{r} 55 \\ -35 \\ \hline \end{array}$

Entraîne-toi à faire des échanges.

6. $\not{3}\not{5}$ **7.** 27 **8.** 63 **9.** 42 **10.** 55

11. 78 **12.** 31 **13.** 50 **14.** 83 **15.** 90

EXERCICES

Soustrais.

1. $\begin{array}{r} 52 \\ -24 \\ \hline \end{array}$	2. $\begin{array}{r} 72 \\ -46 \\ \hline \end{array}$	3. $\begin{array}{r} 21 \\ -19 \\ \hline \end{array}$	4. $\begin{array}{r} 35 \\ -12 \\ \hline \end{array}$	5. $\begin{array}{r} 73 \\ -56 \\ \hline \end{array}$
6. $\begin{array}{r} 64 \\ -27 \\ \hline \end{array}$	7. $\begin{array}{r} 38 \\ -19 \\ \hline \end{array}$	8. $\begin{array}{r} 40 \\ -29 \\ \hline \end{array}$	9. $\begin{array}{r} 94 \\ -78 \\ \hline \end{array}$	10. $\begin{array}{r} 55 \\ -20 \\ \hline \end{array}$
11. $\begin{array}{r} 68 \\ -59 \\ \hline \end{array}$	12. $\begin{array}{r} 73 \\ -37 \\ \hline \end{array}$	13. $\begin{array}{r} 29 \\ -22 \\ \hline \end{array}$	14. $\begin{array}{r} 65 \\ -37 \\ \hline \end{array}$	15. $\begin{array}{r} 70 \\ -56 \\ \hline \end{array}$
16. $\begin{array}{r} 65 \\ -32 \\ \hline \end{array}$	17. $\begin{array}{r} 53 \\ -28 \\ \hline \end{array}$	18. $\begin{array}{r} 29 \\ -17 \\ \hline \end{array}$	19. $\begin{array}{r} 54 \\ -27 \\ \hline \end{array}$	20. $\begin{array}{r} 28 \\ -9 \\ \hline \end{array}$
21. $\begin{array}{r} 56 \\ -37 \\ \hline \end{array}$	22. $\begin{array}{r} 99 \\ -56 \\ \hline \end{array}$	23. $\begin{array}{r} 27 \\ -19 \\ \hline \end{array}$	24. $\begin{array}{r} 85 \\ -67 \\ \hline \end{array}$	25. $\begin{array}{r} 40 \\ -11 \\ \hline \end{array}$

Écris en colonnes, puis soustrais.

26. 68 − 24	27. 90 − 61	28. 32 − 16
29. 97 − 79	30. 41 − 28	31. 87 − 27
32. 60 − 12	33. 86 − 59	34. 61 − 17

Peux-tu faire ceux-ci?

Soustrais horizontalement.

Soustrais verticalement.

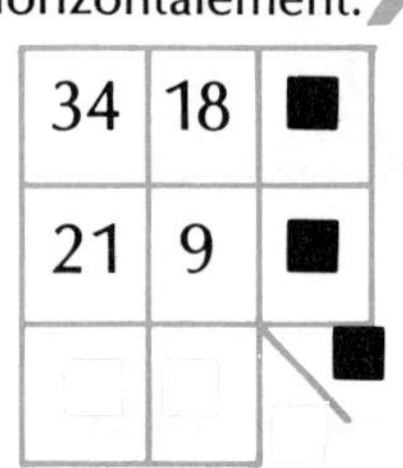

82	28	■
37	18	■
		■

90	65	■
54	29	■
		■

Figures planes

Chacune de ces figures est fermée.

Ces figures ne sont pas fermées.

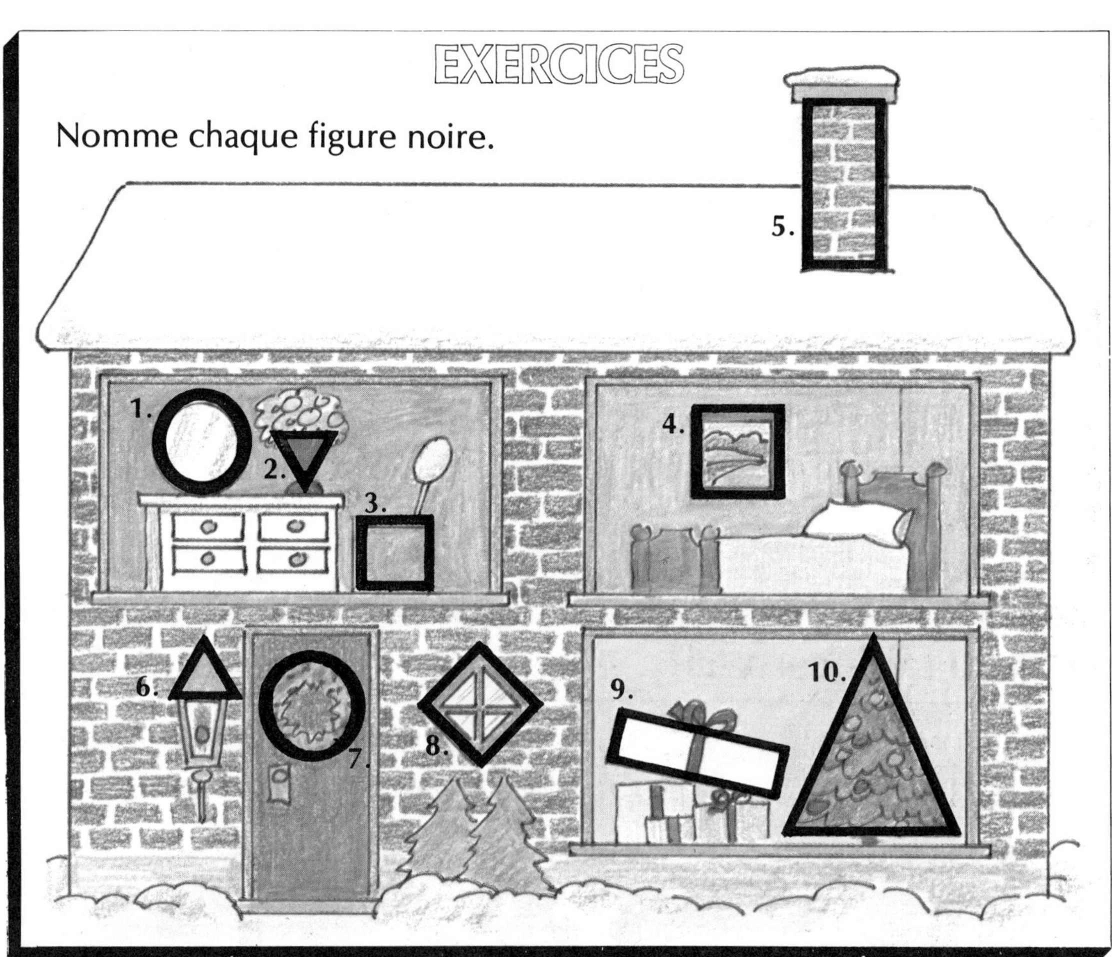

EXERCICES

Choisis les figures.

A. 

B.

C. 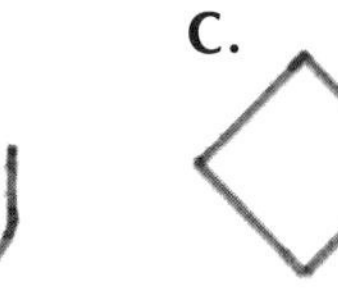

D. 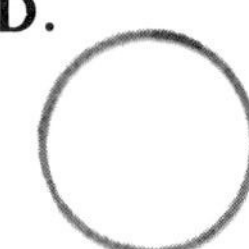

E. 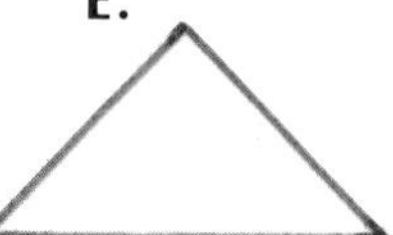

1. Lesquelles sont fermées?
2. Lesquelles ont des lignes courbes?
3. Lesquelles ont des côtés droits?
4. Lesquelles ont des sommets?
5. Lesquelles ont des sommets en forme de L?

Laquelle de ces figures est:

6. un triangle?
7. un carré?
8. un cercle?
9. un rectangle?

10. Recopie et complète le tableau.

	cercle	triangle	carré	rectangle
nombre de sommets				
nombre de côtés				

RÉVISION

Soustrais

1. 36 − 13	**2.** 59 − 43	**3.** 84 − 14	**4.** 93 − 91	**5.** 75 − 20
6. 33 − 6	**7.** 53 − 9	**8.** 64 − 4	**9.** 91 − 3	**10.** 70 − 5
11. 76 − 18	**12.** 31 − 23	**13.** 90 − 32	**14.** 84 − 65	**15.** 43 − 19

Soustractions de dizaines (suite)

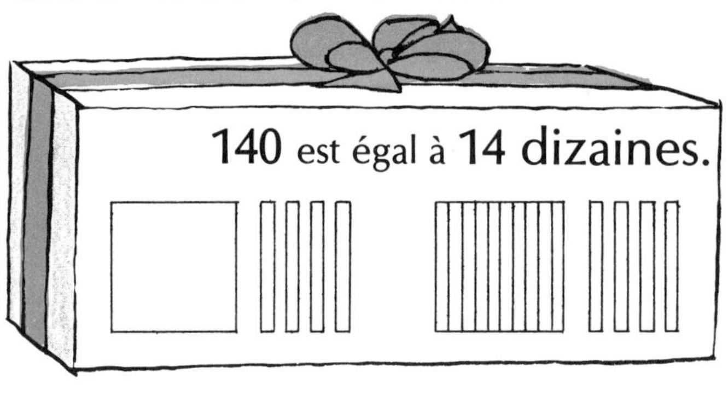

Observe attentivement chaque paquet de soustractions.

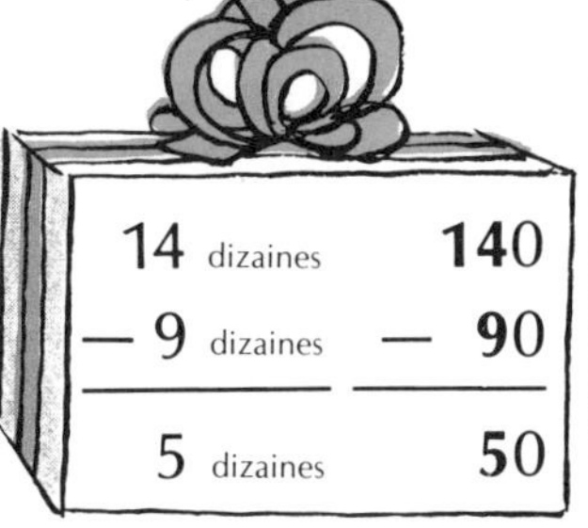

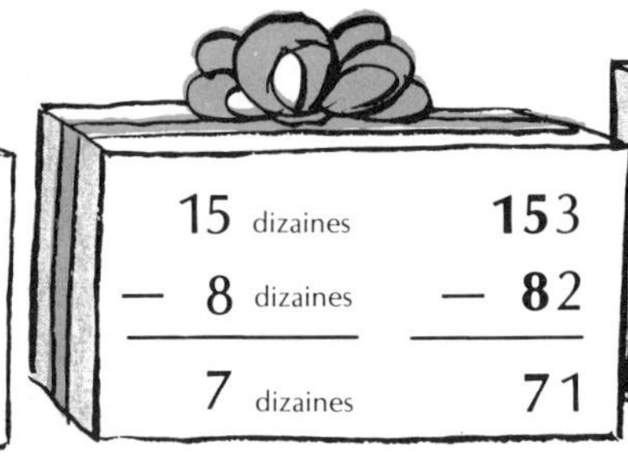

12 dizaines	2 15 1 ~~3~~ ~~5~~
− 8 dizaines	− 8 6
4 dizaines	4 9

EXERCICES

Finis chaque problème.

1. 12 dizaines − 3 dizaines; 120 − 30

2. 120 − 60

3. 140 − 70

4. 130 − 80

5. 11 dizaines − 8 dizaines; 116 − 84

6. 135 − 92

7. 157 − 91

8. 144 − 60

9. 13 dizaines − 4 dizaines; 1 ~~4~~ ~~2~~ (3 12) − 4 8

10. 151 − 76

11. 178 − 89

12. 163 − 65

EXERCICES

Soustrais.

1. 150 − 90	**2.** 163 − 82	**3.** 125 − 33	**4.** 136 − 99	**5.** 146 − 76
6. 124 − 60	**7.** 142 − 88	**8.** 131 − 75	**9.** 140 − 58	**10.** 161 − 79
11. 151 − 83	**12.** 113 − 38	**13.** 120 − 76	**14.** 155 − 87	**15.** 127 − 56
16. 149 − 64	**17.** 142 − 67	**18.** 115 − 22	**19.** 117 − 88	**20.** 140 − 75
21. 183 − 93	**22.** 138 − 57	**23.** 124 − 83	**24.** 132 − 36	**25.** 196 − 98

Pars en vacances!

J'aurai peut-être besoin d'y aller deux fois!

1. Compte les rectangles ci-dessous.

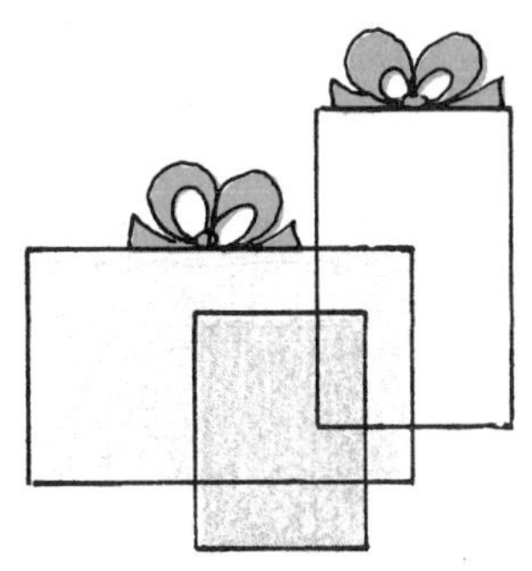

2. Compte les carrés.

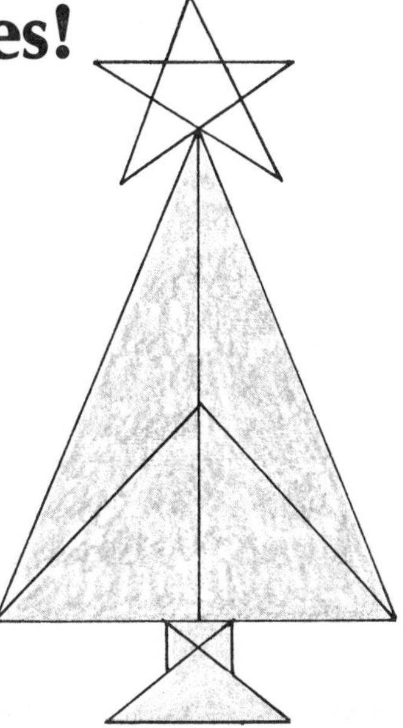

3. Compte les triangles de l'étoile.

4. Compte les triangles de l'arbre.

Différences

Compare deux nombres.

Soustrais le plus petit nombre du plus grand et trouve la **différence**.

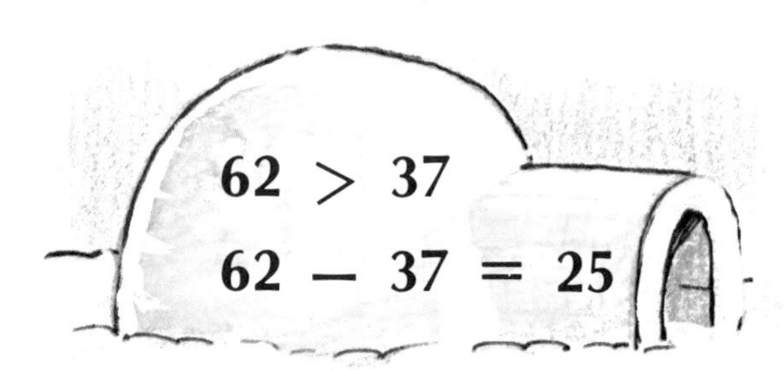

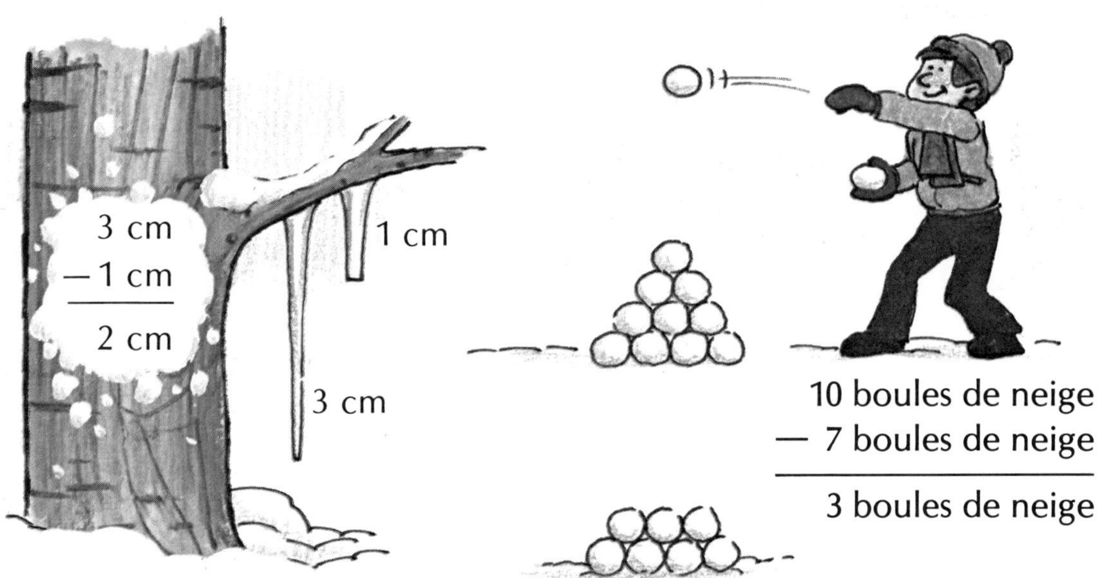

le plus grand nombre − le plus petit nombre = la différence

EXERCICES

Lequel est le plus grand?

1. 26 ou 37? **2.** 42 ou 29? **3.** 181 or 90 **4.** 76 ou 154?

Quelle est la différence entre les 2 nombres?

5. 37 et 26 **6.** 29 et 42 **7.** 90 et 181 **8.** 76 et 154

Recopie et complète.

9.	**10.**	**11.**	**12.**
	9 16	■■	■■
106	1~~06~~	10~~3~~	10~~5~~
− 83	− 87	− 25	− 39

EXERCICES

Calcule la différence entre les deux nombres.

1. 56 et 78	**2.** 78 et 92	**3.** 92 et 102
4. 102 et 95	**5.** 95 et 164	**6.** 164 et 80
7. 80 et 131	**8.** 131 et 76	**9.** 76 et 104
10. 104 et 88	**11.** 88 et 106	**12.** 106 et 70
13. 70 et 95	**14.** 95 et 121	**15.** 121 et 50
16. 50 et 103	**17.** 103 et 98	**18.** 98 et 19
19. 19 et 53	**20.** 53 et 49	**21.** 49 et 132

Résous ces problèmes.

22. 74 blocs pour un igloo
Frank utilise 36 blocs.
Combien en reste-t-il?

23. Il te reste 78 cubes de glace.
Tu en avais 100 au départ.
Combien en as-tu utilisé?

24. 93 petits flocons
26 gros flocons
Combien y a-t-il de gros flocons en moins?

25. 78 cuillères
167 chocolats chauds
Combien y a-t-il de verres sans cuillère?

... encore des échanges de dizaines

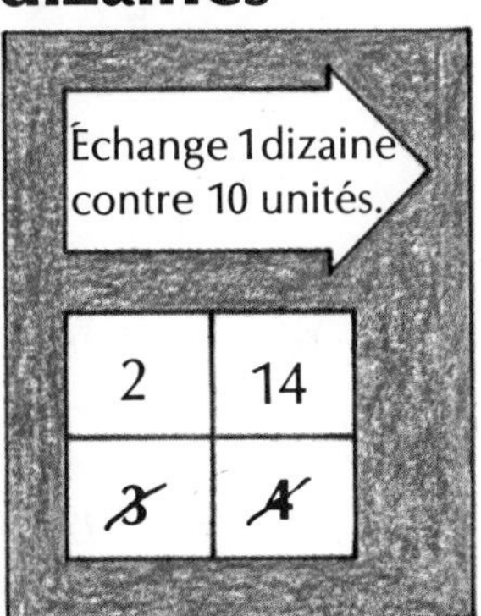

1.

	■	■
1	2	7

2.

	■	■
1	1	8

3.

	■	■
1	6	6

4.

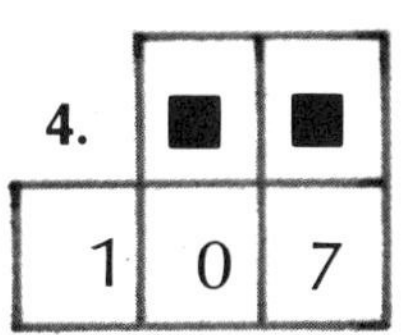

5.

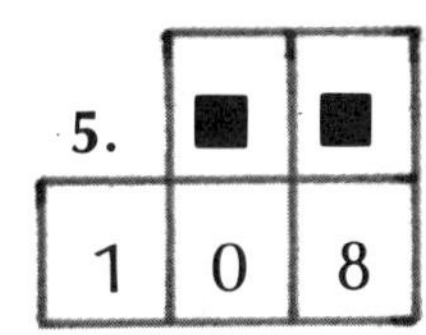

6.

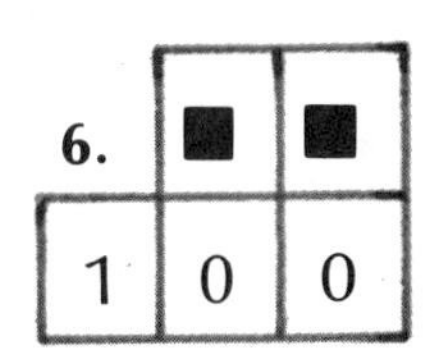

7.

■	■	■
2	0	8

8.

■	■	■
3	0	6

9.

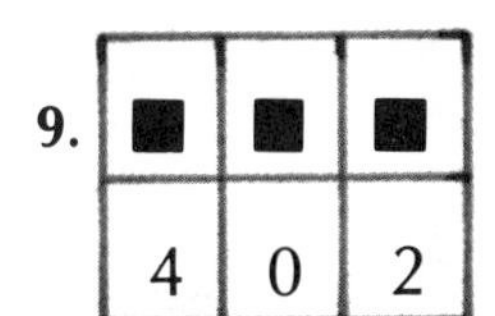

Vérifie ton calcul

L'addition défait le travail de la soustraction.

La soustraction défait le travail de l'addition.

1. $\begin{array}{r} 24 \\ +\ 12 \\ \hline 36 \end{array}$ $\quad$ $\begin{array}{r} 36 \\ -\ 12 \\ \hline 24 \end{array}$ ✓

2. $\begin{array}{r} {}^{1} \\ 26 \\ +\ 38 \\ \hline 54 \end{array}$ $\quad$ $\begin{array}{r} {}^{4\ 14} \\ \not{5}\,\not{4} \\ -\ 3\ 8 \\ \hline 1\ 6 \end{array}$

3. $\begin{array}{r} 53 \\ -\ 17 \\ \hline 44 \end{array}$ $\quad$ $\begin{array}{r} {}^{1} \\ 44 \\ +\ 17 \\ \hline 61 \end{array}$

4. $\begin{array}{r} {}^{6\ 12} \\ \not{7}\,\not{2} \\ -\ 1\ 8 \\ \hline 5\ 4 \end{array}$ $\quad$ $\begin{array}{r} {}^{1} \\ 54 \\ +\ 18 \\ \hline 72 \end{array}$ ✓

EXERCICES

Défais le travail des additions.

1. $\begin{array}{r} 50 \\ +\ 30 \\ \hline 80 \end{array}$ $\quad$ **2.** $\begin{array}{r} 56 \\ +\ 31 \\ \hline 87 \end{array}$ $\quad$ **3.** $\begin{array}{r} 35 \\ +\ 45 \\ \hline 80 \end{array}$ $\quad$ **4.** $\begin{array}{r} 89 \\ +\ 34 \\ \hline 123 \end{array}$ $\quad$ **5.** $\begin{array}{r} 47 \\ +\ 54 \\ \hline 101 \end{array}$

Défais le travail des soustractions.

6. $\begin{array}{r} 90 \\ -\ 40 \\ \hline 50 \end{array}$ $\quad$ **7.** $\begin{array}{r} 93 \\ -\ 46 \\ \hline 47 \end{array}$ $\quad$ **8.** $\begin{array}{r} 106 \\ -\ 19 \\ \hline 87 \end{array}$ $\quad$ **9.** $\begin{array}{r} 145 \\ -\ 92 \\ \hline 53 \end{array}$ $\quad$ **10.** $\begin{array}{r} 165 \\ -\ 87 \\ \hline 78 \end{array}$

EXERCICES

Fais l'opération inverse. Corrige les erreurs.

1. $46 + 31 = 87$

2. $63 - 28 = 35$

3. $42 - 19 = 37$

4. $35 + 25 = 50$

5. $80 - 17 = 63$

Effectue les opérations. Vérifie le résultat en faisant l'opération inverse.

6. $64 + 27$

7. $38 + 42$

8. $46 + 32$

9. $82 - 17$

10. $56 - 32$

11. $87 - 18$

12. $63 - 38$

13. $90 - 27$

14. $50 - 19$

15. $67 - 9$

16. 56 + 37 **17.** 56 − 37 **18.** 72 + 18

19. 72 − 18 **20.** 67 − 15 **21.** 67 + 15

22. 115 − 18 **23.** 45 + 55 **24.** 56 + 82

Tableau incomplet

Recopie ce tableau.
Essaie de le compléter.

+		3		4			7
6			15			14	
	13		17	12	14		
5	10				11		
	14	12				17	
			16		13		14

Problèmes variés avec + et –

57 chatons 37 chiens	1. Combien y a-t-il de chatons en plus? 2. Combien y a-t-il d'animaux?
28 chaussettes sèches 58 chaussettes mouillées	3. Quel est le total? 4. Quelle est la différence?
39 bottes 126 bateaux	5. Quel est le total? 6. Quelle est la différence?
112 boules de neige atteignent leur but. 47 manquent leur but.	7. Combien y en a-t-il en tout? 8. Quelle est la différence?
37 tasses de cacao 19 sont chaudes.	9. Combien ne sont pas chaudes? 10. Combien y a-t-il de tasses en tout?
72 enfants lancent des boules de neige. 18 enfants reçoivent des boules de neige.	11. Quelle est la différence? 12. Combien y a-t-il d'enfants en tout?

Il faut reculer pour mieux sauter!

Pour chaque étape, écris le problème.

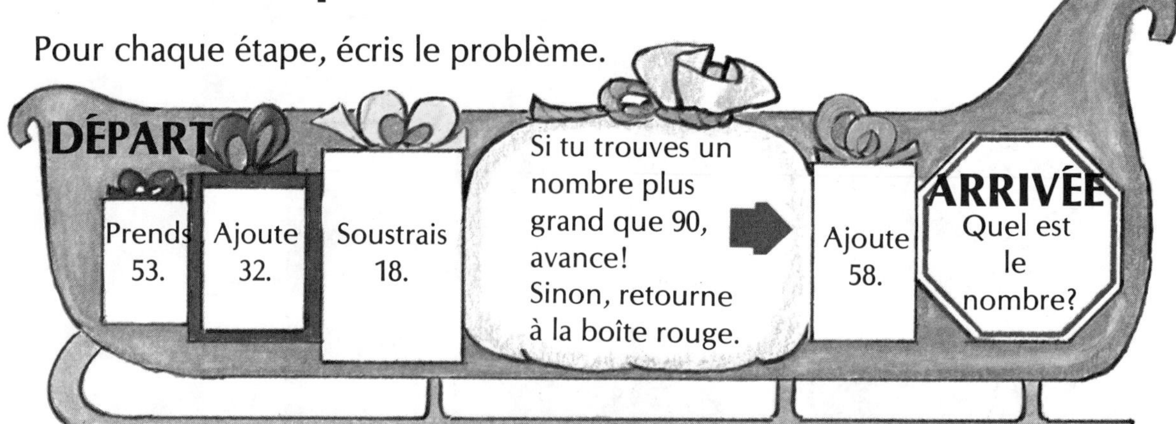

Pistes d'animaux

Jeanne suit des pistes d'animaux dans la neige. Dimanche, elle en a vu 58 en 19 minutes.
Lundi elle en a trouvé 82 en 37 minutes. Une piste de lapin mesurait 42 mètres jusqu'au sommet de la colline et 16 mètres de l'autre côté.

1. Jeanne a marché pendant ■ minutes en tout.
2. La marche de lundi a duré ■ minutes de plus que celle de dimanche.
3. Quelle est la longueur totale de la piste de lapin?
4. Combien de pistes a-t-elle découvert en tout?
5. Combien y en avait-il de moins le dimanche?
6. Quelle est la différence entre les deux parties de la piste du lapin?

RÉVISION

Soustrais.

1.	2.	3.	4.	5.
126	111	130	174	143
− 78	− 23	− 32	− 85	− 49

Trouve la différence entre:

6. 26 et 58
7. 62 et 108
8. 137 et 53

Vérifie ta réponse en faisant l'opération réciproque.

9.	10.	11.	12.	13.
35	72	63	105	181
+ 52	+ 59	− 21	− 29	− 92

TEST CHAPITRE 5

Soustrais.

1. 56 − 23	**2.** 82 − 32	**3.** 75 − 50	**4.** 64 − 61	**5.** 39 − 5
6. 65 − 7	**7.** 72 − 3	**8.** 48 − 9	**9.** 53 − 1	**10.** 61 − 6
11. 43 − 18	**12.** 82 − 39	**13.** 97 − 63	**14.** 32 − 29	**15.** 71 − 35
16. 120 − 40	**17.** 132 − 71	**18.** 139 − 89	**19.** 145 − 78	**20.** 122 − 38
21. 150 − 96	**22.** 106 − 34	**23.** 102 − 16	**24.** 105 − 95	**25.** 100 − 37

Trouve la différence entre:

26. 35 et 62 **27.** 183 et 95 **28.** 35 et 102

Effectue l'opération. Vérifie la réponse.

29. 43 + 15 **30.** 27 + 75 **31.** 83 − 52 **32.** 135 − 78

33 bonbons
48 biscuits

33. Combien y a-t-il de biscuits en plus?

34. Combien y a-t-il de friandises en tout?

REPRISE — L'ADDITION

Additionne.

1.	2.	3.	4.	5.
5	3	9	8	9
+7	+8	+7	+6	+0

6.	7.	8.	9.	10.
60	10	35	73	65
+ 2	+ 7	+ 8	+ 9	+ 4

11.	12.	13.	14.	15.
38	62	88	36	27
+47	+28	+ 9	+53	+66

16.	17.	18.	19.	20.
74	96	38	74	76
+74	+63	+61	+50	+43

21.	22.	23.	24.	25.
48	86	35	94	97
+59	+96	+85	+ 9	+97

26.	27.	28.	29.	30.
4	7	70	6	40
8	7	50	5	50
+3	+7	+80	7	20
			+9	+90

Trouve le périmètre de chaque rectangle.

CHAPITRE 6
LA MESURE

Le zoo métrique

La soeur de Donna a fait un collage avec des morceaux de papier. Sers-toi de ta règle graduée en centimètres pour mesurer les plantes et les animaux.

Mesure la **hauteur**.

1. du panda
2. de l'aigle
3. du buisson
4. de l'arbre
5. de l'hippopotame
6. de la girafe

Mesure la **largeur**.

7. du buisson
8. de la piscine
9. de l'hippopotame
10. du tronc de l'arbre
11. de l'aigle
12. du rectangle mauve.

Mesure la **longueur**.

13. du serpent
14. de la queue du singe
15. du rectangle mauve.

Mesure le **périmètre**.

16. du perchoir de l'aigle
17. de la piscine
18. du rectangle mauve

Résous chaque équation.

19. 5 km = ■ m
20. ■ km = 7000 m
21. 8 m = ■ cm
22. ■ m = 300 cm
23. 2 m = ■ cm
24. ■ m = 900 cm
25. 4m + 3dm + 8cm = ■ cm
26. 9m + 6dm + 0cm = ■ cm
27. 2m + 7dm + 0cm = ■ cm
28. 7m + 0dm + 6cm = ■ cm
29. 7m + 2cm = ■ cm
30. 1m + 3cm = ■ cm

ATTENTION!
Max va dévorer tes erreurs.

Choisis l'unité

Le **gramme** et le **kilogramme** sont des **unités** de **masse**.

Mille grammes égalent un kilogramme.

$$1000 \textbf{ g} = 1 \textbf{ kg}$$

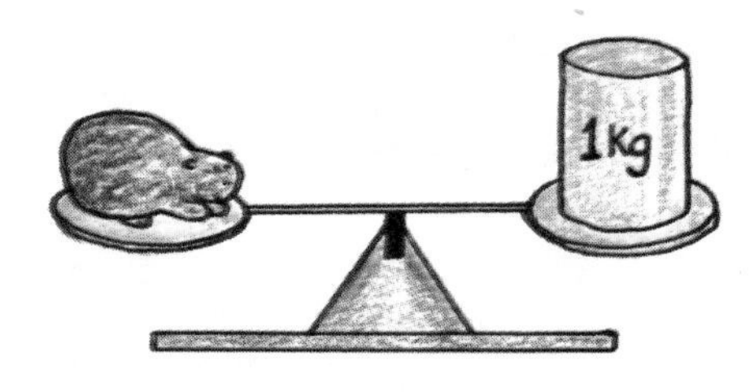

Le hamster et un poids de 1 kg réalisent **l'équilibre**.
Le hamster **a une masse** de 1 kg.

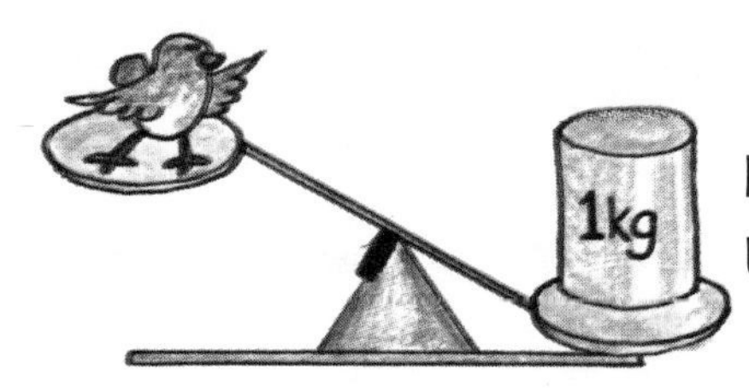

Le moineau est plus **léger** que le poids de 1 kg.
Un kilogramme est plus **lourd** qu'un moineau.

Chacun a une masse d'environ 1 g.

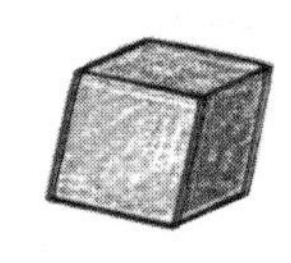

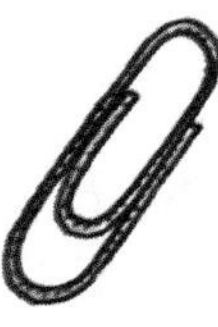

Chacun a une masse d'environ 5 g.

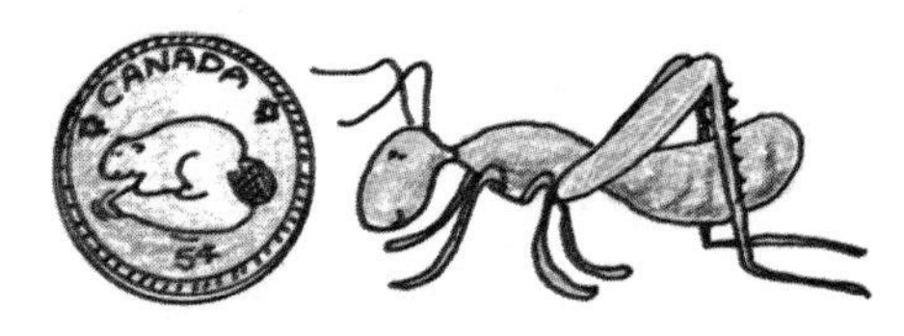

EXERCICES

Choisis la meilleure réponse.

1. Un petit lapin — 1 g ou 1 kg
2. Une punaise — 1 g ou 1 kg
3. Un ver — 7 g ou 7 kg
4. Un chat — 3 g ou 3 kg
5. Dix cents — 2 g ou 2 kg

EXERCICES

Résous les équations.

1. $1 \text{ kg} = ■ \text{ g}$
2. $6 \text{ kg} = ■ \text{ g}$
3. $■ \text{ kg} = 3000 \text{ g}$
4. $■ \text{ kg} = 8000 \text{ g}$

Choisis la masse et la longueur qui te semblent justes.

	Masse	Longueur
un chien	5. 20 g ou 20 kg	6. 1 cm ou 1 m
une couleuvre	7. 1 g ou 1 kg	8. 1 cm ou 1 m
une araignée	9. 4 g ou 4 kg	10. 5 cm ou 5 m
une courge	11. 1 g ou 1 kg	12. 20 km ou 20 cm
un tricycle	13. 10 g ou 10 kg	14. 1 km ou 1 m
une gomme	15. 10 g ou 10 kg	16. 5 cm ou 5 dm
un téléphone	17. 3 g ou 3 kg	18. 2 dm ou 2 km
des fils de téléphone	19. 1 kg ou 1000 kg	20. 5 dm ou 5 km

Messages de masse.

Compose deux phrases pour décrire chaque dessin.

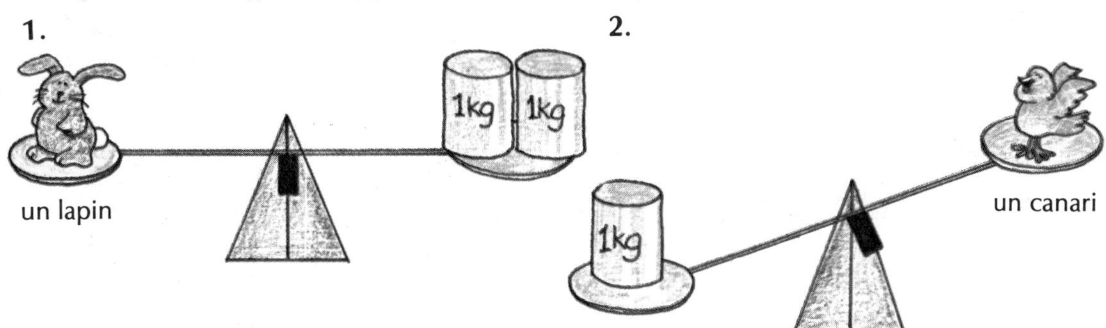

La mesure de la masse

On peut se servir de ces masses avec une balance à plateaux.

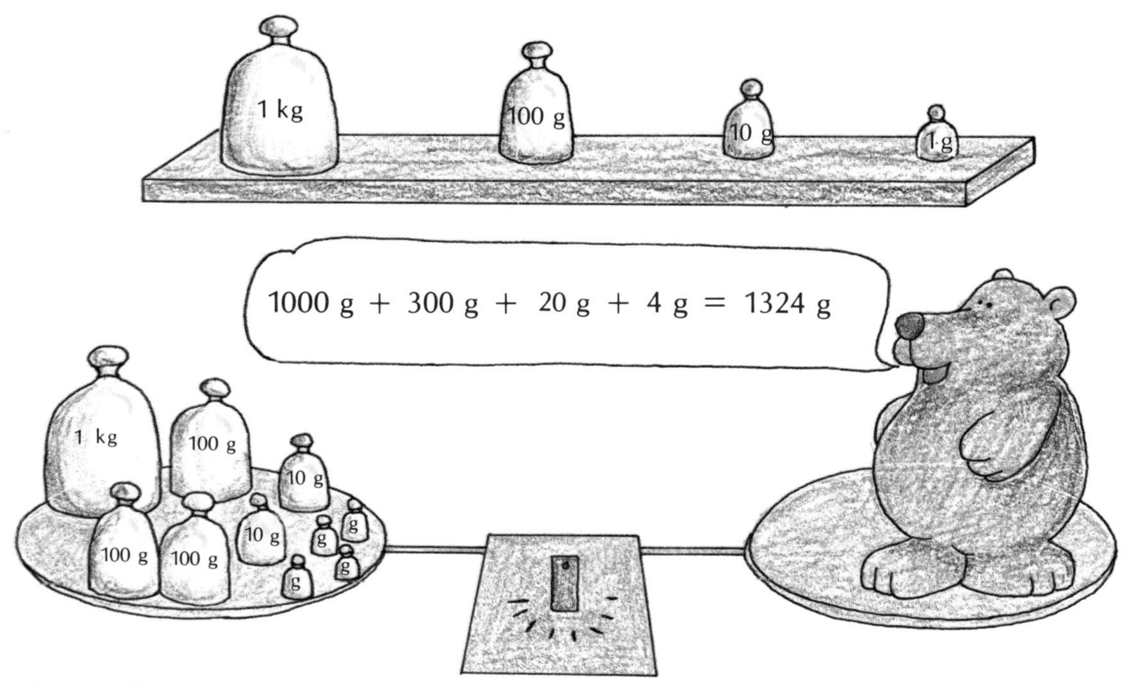

L'ours d'argile a une masse de 1324 g.

EXERCICES

Calcule la masse totale.

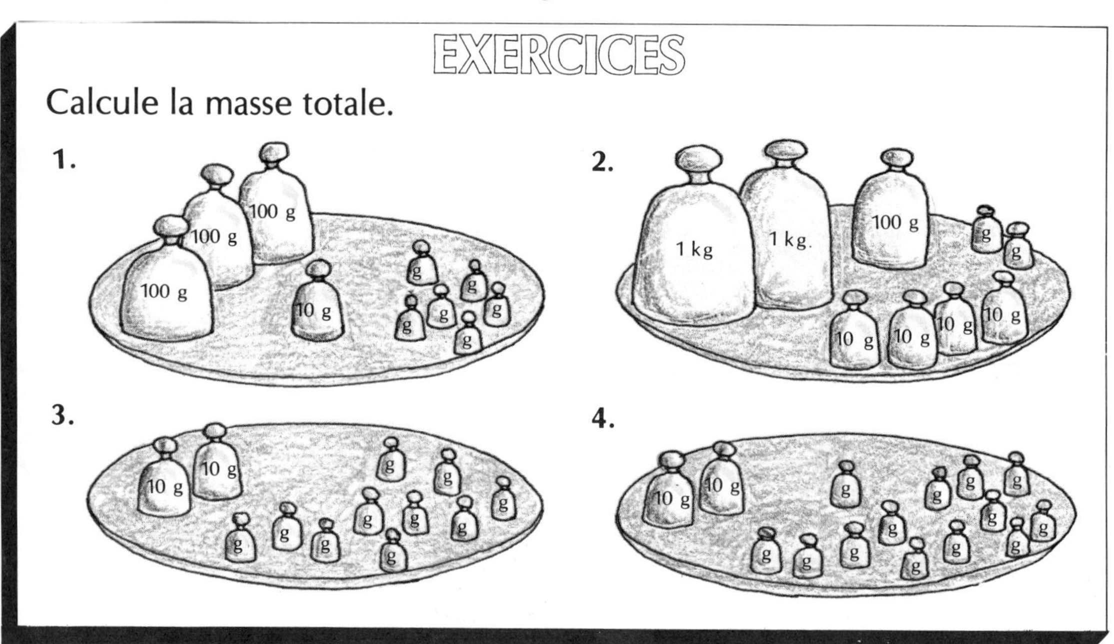

EXERCICES

Calcule la masse totale.

1. 3 [1 kg], 5 [100 g], 3 [10 g], 8 [g]
2. 5 [1 kg], 8 [100 g], 0 [10 g], 2 [g]
3. 1 [10 g], 2 [100 g], 0 [g], 4 [1 kg]
4. 2 [1 kg], 1 [g], 4 [10 g], 6 [100 g]
5. 3 [100 g], 5 [1 kg], 9 [g], 7 [10 g]
6. 2 [g], 0 [100 g], 3 [1 kg], 5 [10 g]
7. 6 [1 kg], 2 [10 g], 7 [g]
8. 6 [100 g], 4 [g], 2 [1 kg]
9. 1 [100 g], 2 [10 g], 15 [g]
10. 2 [100 g], 10 [10 g], 0 [g]

11. Recopie et complète le tableau. Sers-toi d'une balance à plateaux.

	estimation	1 kg	100 g	10 g	g	TOTAL (g)
une chaussure	■ kg					
un pot	■ kg					
une pierre	■ g					
une balle	■ g					

Autres méthodes

Inscris chaque masse.

pèse-personnes
kilogrammes

peson à ressort
grammes

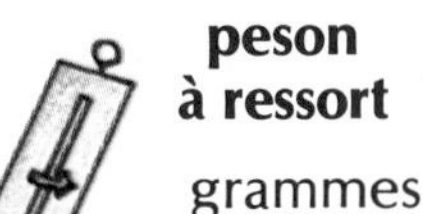

1.

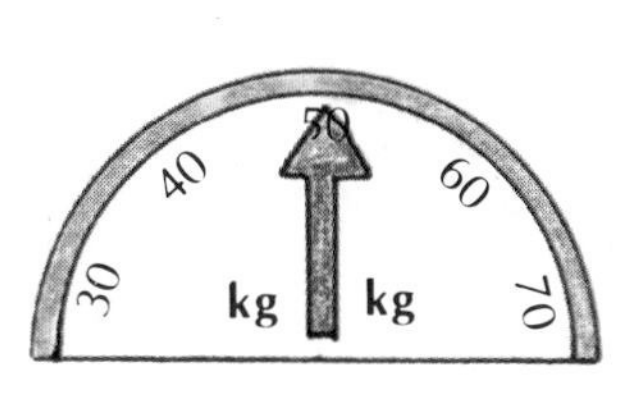

2.

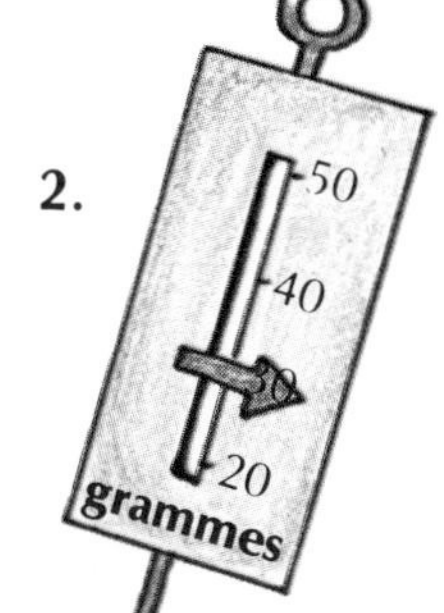

3.

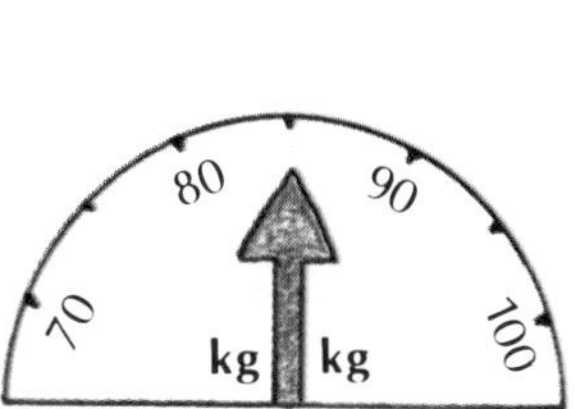

4.

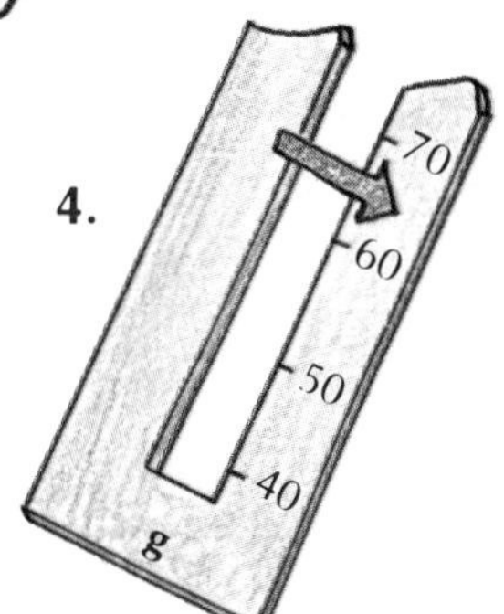

Des graphiques de classe

La classe de Wilma a fait un **graphique**.
Wilma a écrit ce qu'elle a vu.

GRAPHIQUE DES COULEURS DE CHEVEUX

bruns noirs blonds roux

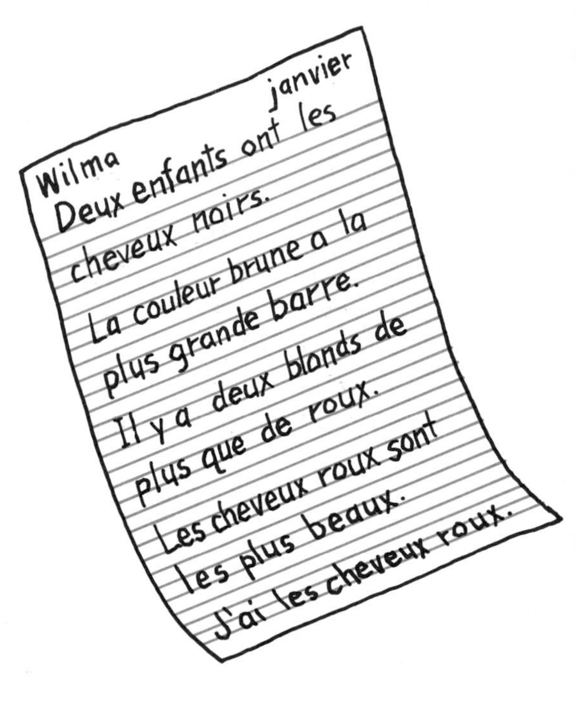

Wilma janvier
Deux enfants ont les
cheveux noirs.
La couleur brune a la
plus grande barre.
Il y a deux blonds de
plus que de roux.
Les cheveux roux sont
les plus beaux.
J'ai les cheveux roux.

EXERCICES

Réponds par une phrase.

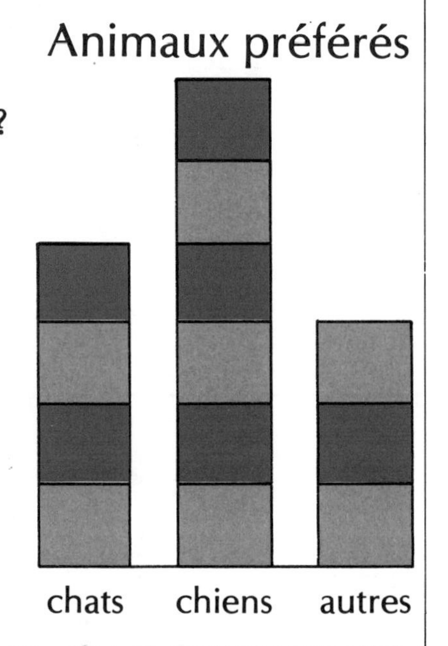

1. Combien d'enfants préfèrent les chiens?
2. En tout, combien d'enfants préfèrent les chats ou les chiens?
3. Les enfants qui préfèrent les chiens sont plus nombreux que ceux qui préfèrent les chats. De combien?
4. Quel est le nombre total d'enfants représentés sur le graphique?
5. Quels peuvent-être les autres animaux? En es-tu certain?

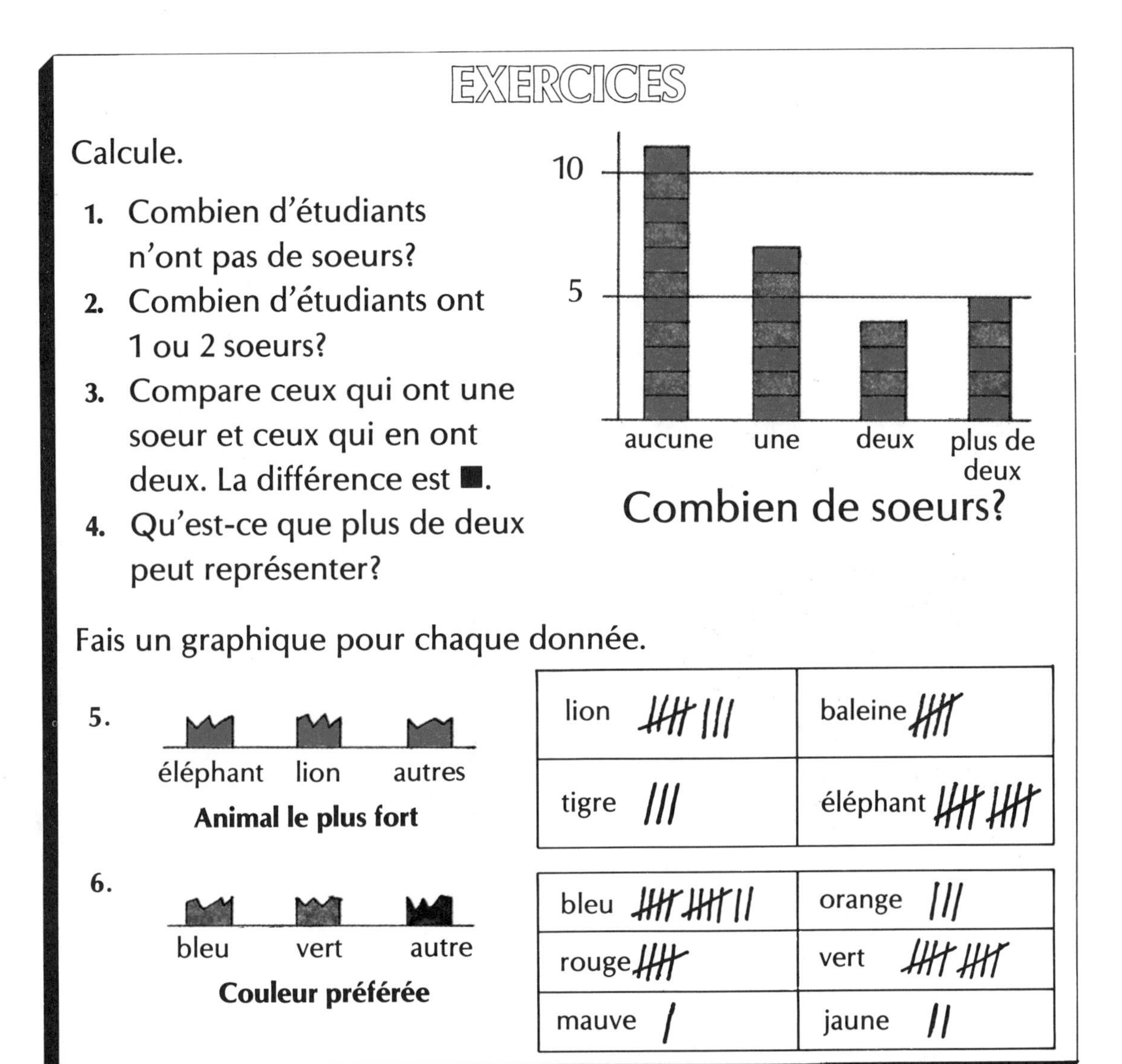

EXERCICES

Calcule.

1. Combien d'étudiants n'ont pas de soeurs?
2. Combien d'étudiants ont 1 ou 2 soeurs?
3. Compare ceux qui ont une soeur et ceux qui en ont deux. La différence est ■.
4. Qu'est-ce que plus de deux peut représenter?

Combien de soeurs?

Fais un graphique pour chaque donnée.

5.

Animal le plus fort

lion 𝍸 |||	baleine 𝍸
tigre |||	éléphant 𝍸 𝍸

6.

Couleur préférée

bleu 𝍸 𝍸 ||	orange |||
rouge 𝍸	vert 𝍸 𝍸
mauve		jaune ||

Graphique de mesures métriques

Mesure la taille de chaque élève.
Complète le graphique.

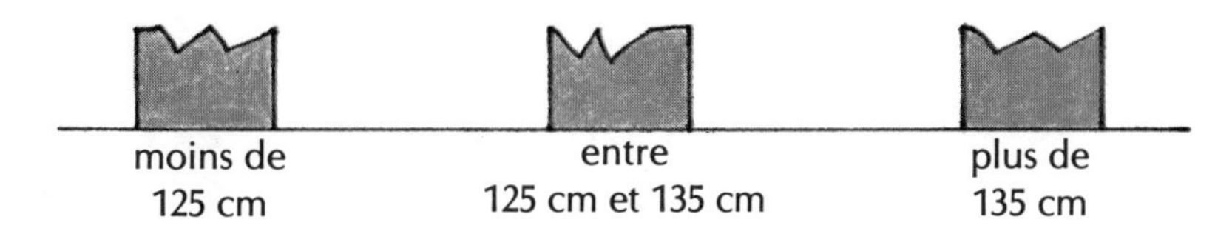

Taille des élèves

La température

Le thermomètre indique 17 degrés Celsius.
On écrit généralement 17°C.

La plupart des températures extérieures sont comprises entre les flèches.

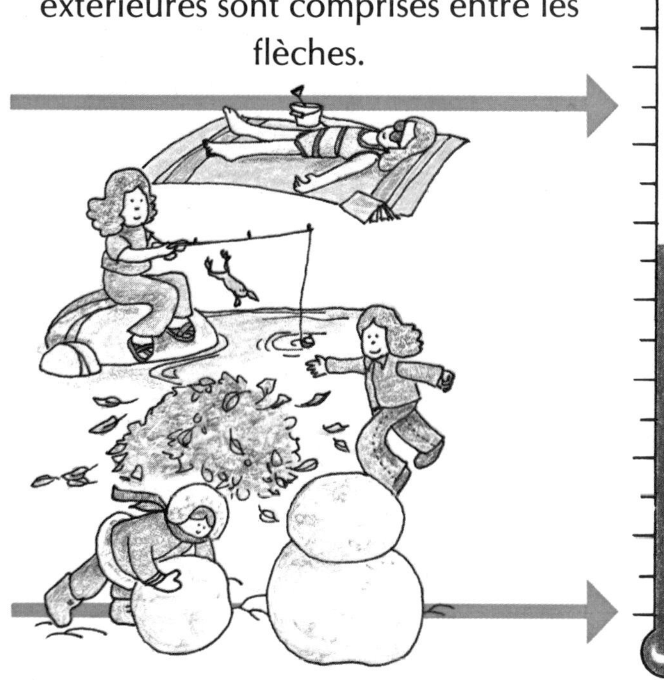

40°C
30°C
20°C
10°C
0°C

La température du corps humain est d'environ 37°C.

21°C est une témpérature agréable dans une maison.

L'eau gèle à 0°C. Quand la température est inférieure à zéro, il fait très froid.

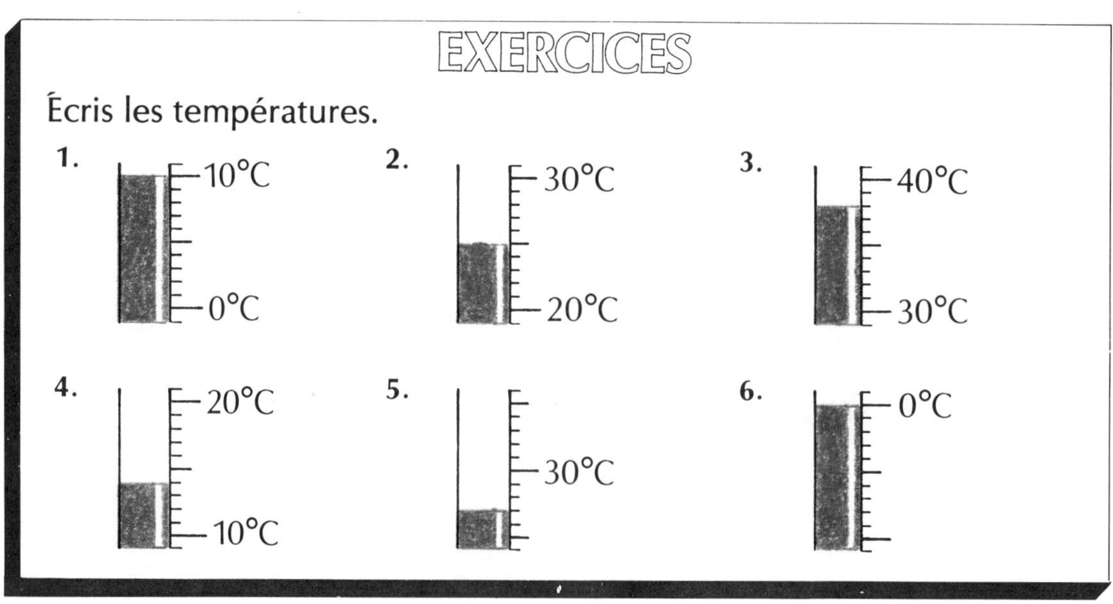

EXERCICES

Écris les températures.

EXERCICES

Quelle est la température?

1. à Ottawa? **2.** à Surrey?

3. à Inuvik? **4.** à Calgary?

5. Où la température est-elle supérieure à 10°C?

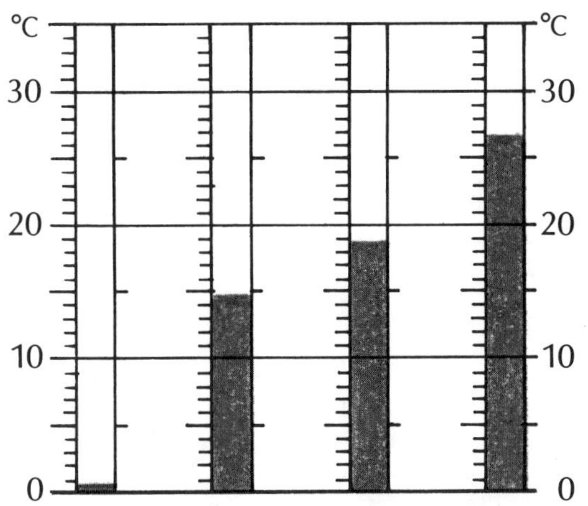

La température au Canada

Dans quelle ville peut-on voir cela?

6.

7.

Quelle est la différence?

8. entre Surrey et Ottawa?

9. entre Calgary et Surrey?

RÉVISION

Quelles mesures correspondent à celles d'un enfant?

1. 38 g ou 38 kg **2.** 120 cm ou 120 m

Calcule la masse totale.

3. 3 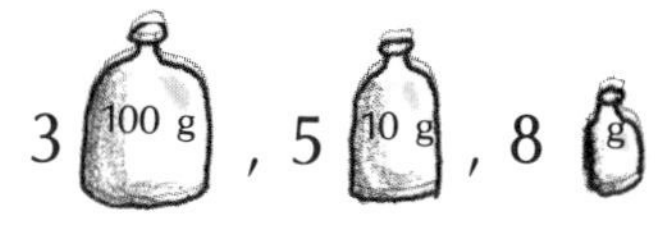

, 5 

, 8 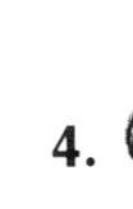

4. 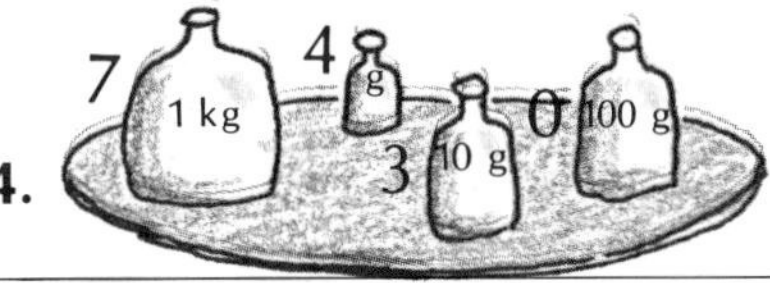

Calcule.

5. Combien préfèrent le déjeuner?

6. Compare ceux qui préfèrent la **gymnastique** et ceux qui préfèrent les **mathématiques**. La différence est ■.

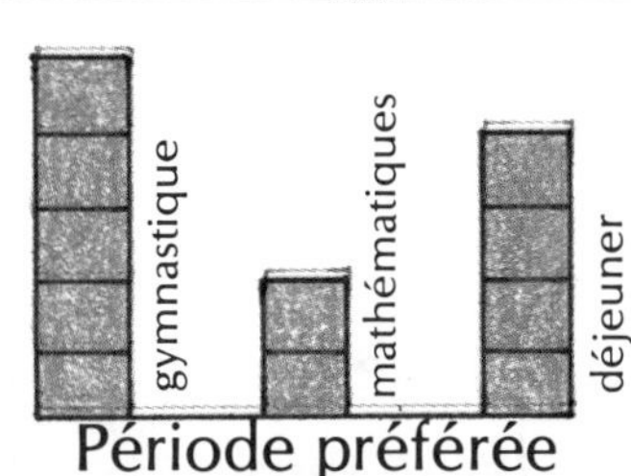

Période préférée

Le cadran

Il y a 12 heures dans une demi-journée.
L'aiguille des heures indique qu'il est plus de trois heures sur le cadran des heures.
Il y a 60 minutes dans une heure.
L'aiguille des minutes indique 40 minutes sur le cadran des minutes.

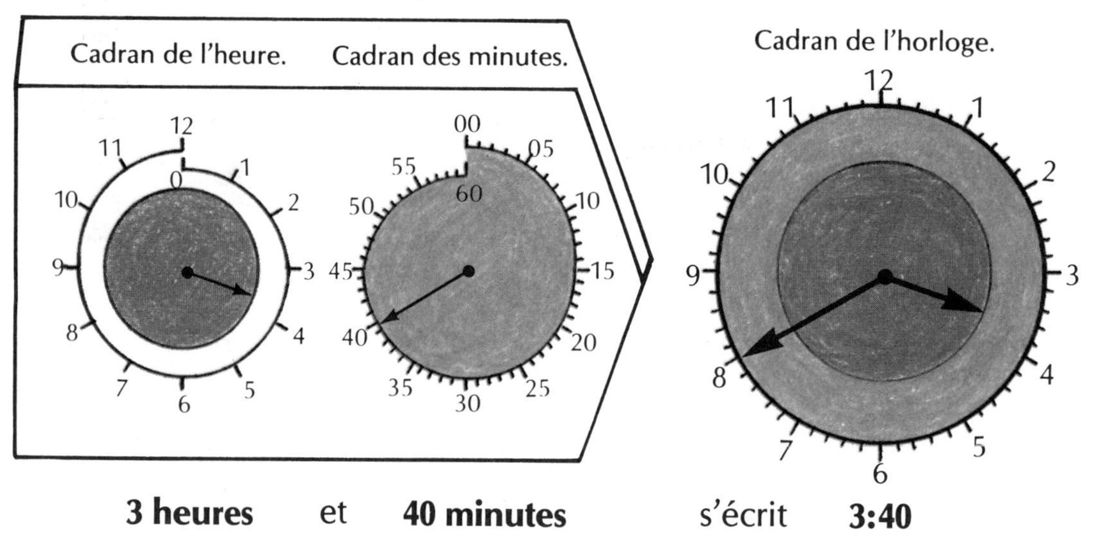

3 heures et **40 minutes** s'écrit **3:40**

EXERCICES

1. Compte par 5 de 0 à 55.

Écris le nombre d'heures. Écris le nombre de minutes.

2. 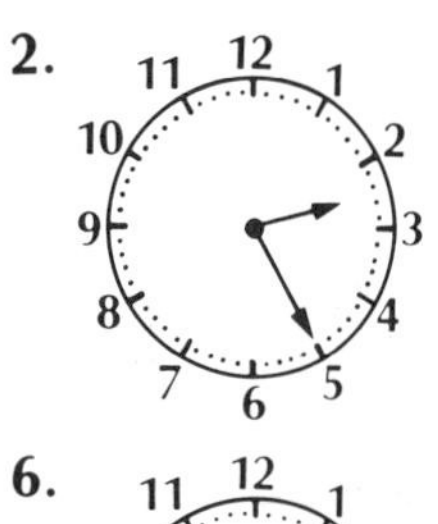
3. 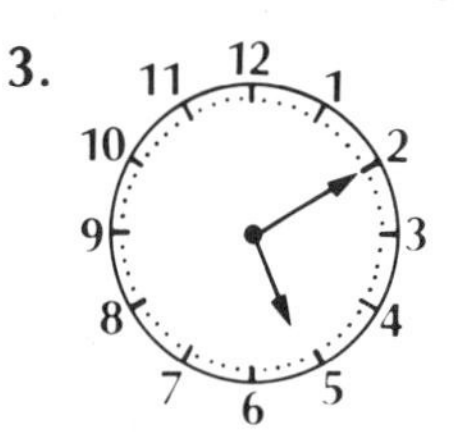
4. 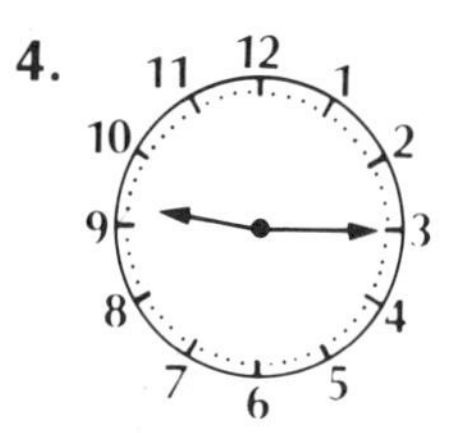
5. 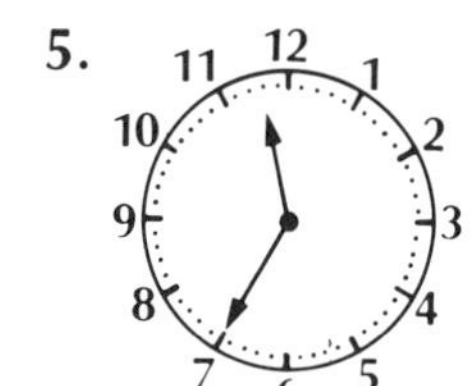
6. 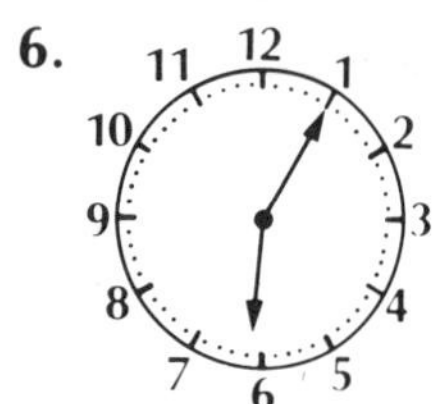
7. 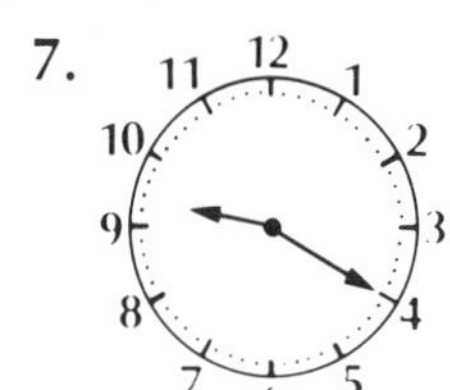
8. 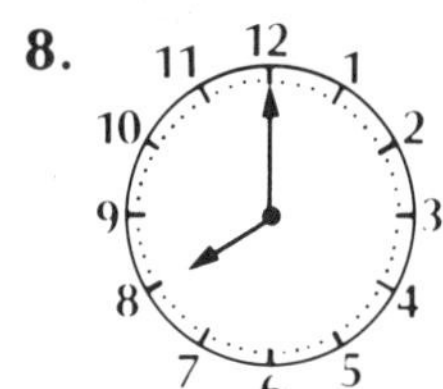
9. 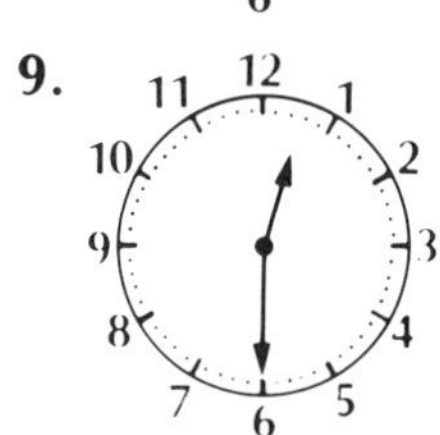
10. Quelle est la plus longue aiguille? Celle des heures ou celle des minutes?

EXERCICES

Écris l'heure. 9:20

1. 7 heures et 15 minutes
2. 3 heures et 20 minutes
3. 2 heures et 45 minutes
4. 1 heure et 50 minutes
5. 8 heures et 0 minute
6. 12 heures et 5 minutes

7. 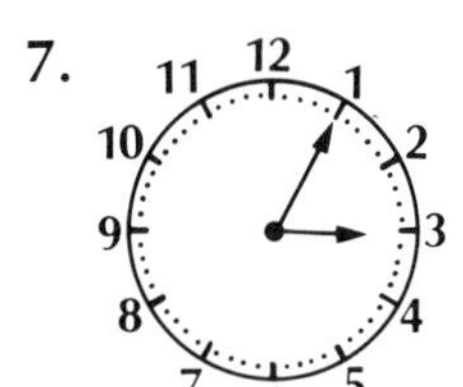

8. 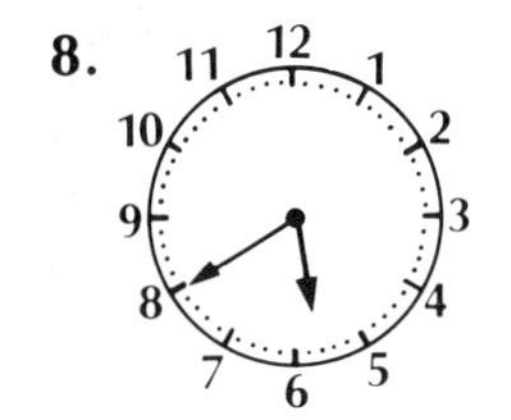

9. 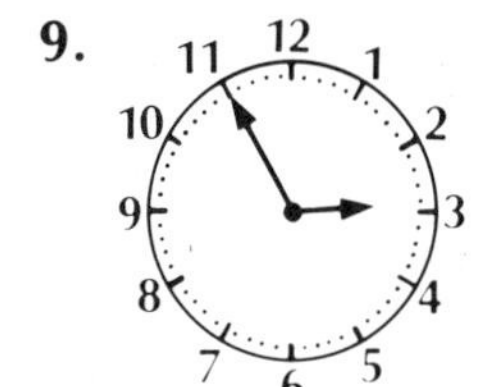

10. 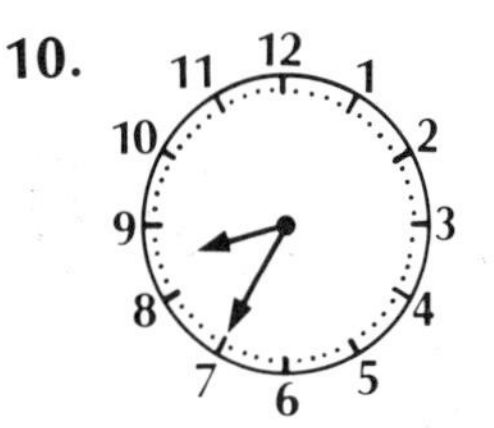

11. 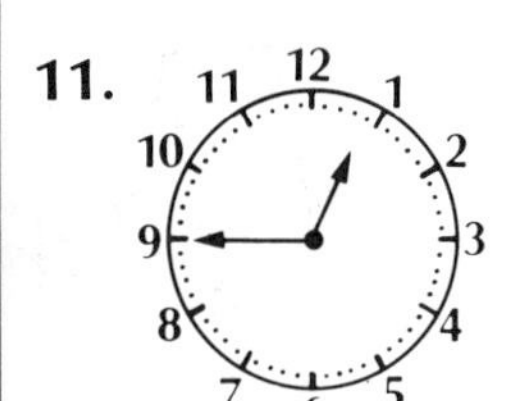

12. 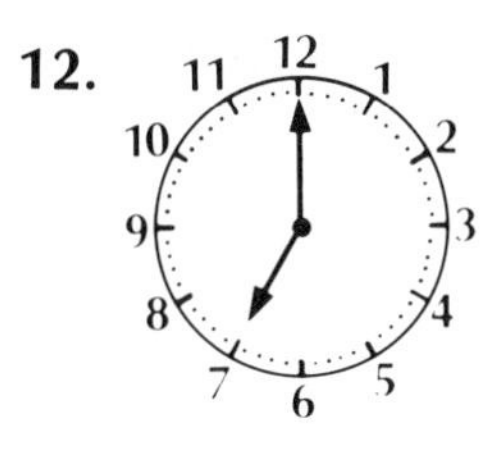

13. 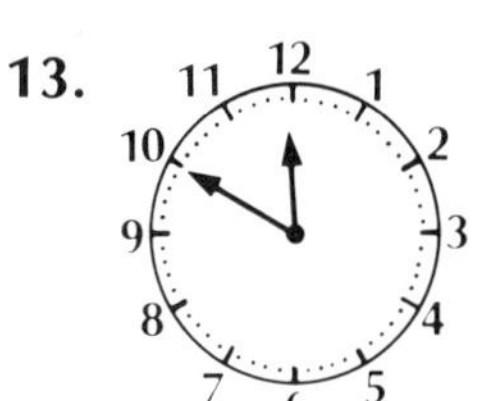

14. 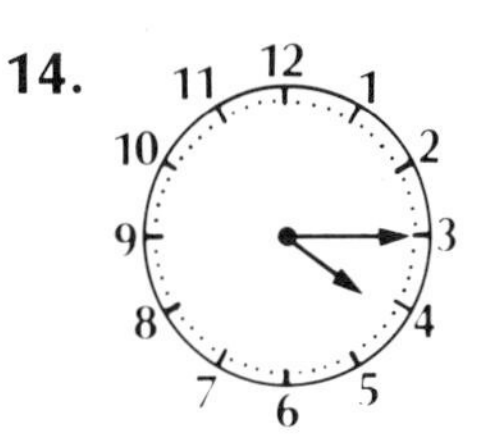

Dessine l'horloge de la page 110 et indique les heures.

15. 6:30
16. 8:00
17. 3:45
18. 9:15
19. 1:50
20. 4:05
21. 2:35
22. 12:25

C'est l'heure!

Choisis la durée qui te semble juste.

1. Je déjeune en: 15 secondes **ou** 15 minutes
2. Je dors pendant environ: 9 heures **ou** 9 minutes
3. Mes paupières clignent toutes les: 30 secondes **ou** 30 minutes
4. Mon coeur bat une fois par: minute **ou** seconde
5. Une journée de classe dure: 6 heures **ou** 6 minutes
6. Je respire toutes les: 12 secondes **ou** 12 minutes
7. Chaque jour a exactement: 24 minutes **ou** 24 heures

Lire l'heure à la minute près

Les deux horloges indiquent la même heure.

Voici un cadran à affichage numérique.

Voici un cadran à aiguilles.

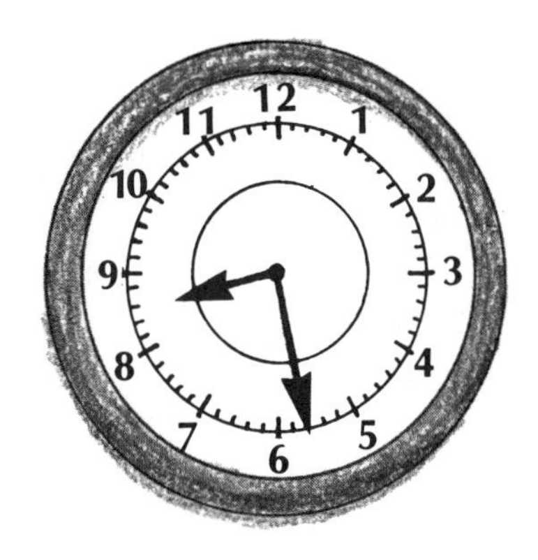

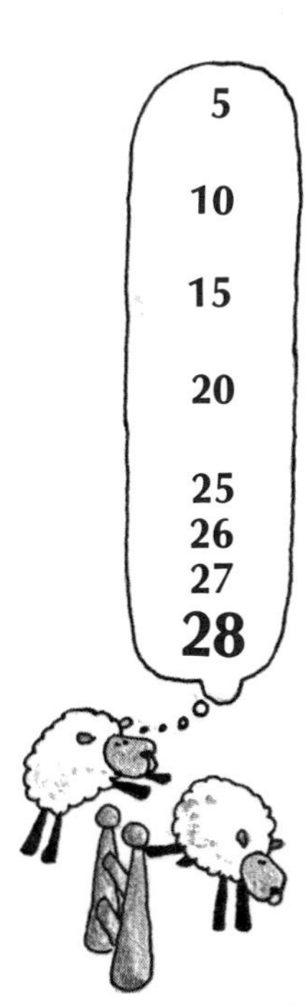

On dit huit heures vingt-huit.

EXERCICES

Compte par 5 puis par 1.

1. jusqu'à 18 **2.** jusqu'à 38 **3.** jusqu'à 43 **4.** jusqu'à 54

Écris l'heure comme sur un cadran à affichage numérique.

5.

6.

7.

8.

9.

10.

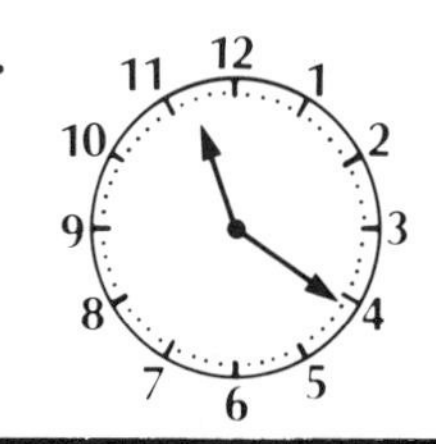

EXERCICES

Écris l'heure sur un cadran différent.

1. 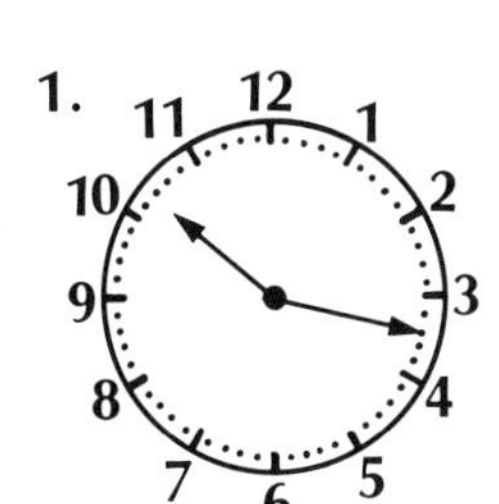

2.

3.

4.

5. 11:12

6. 1:49

7. 3:39

8. 6:41

Écris l'heure de deux façons différentes.

9. 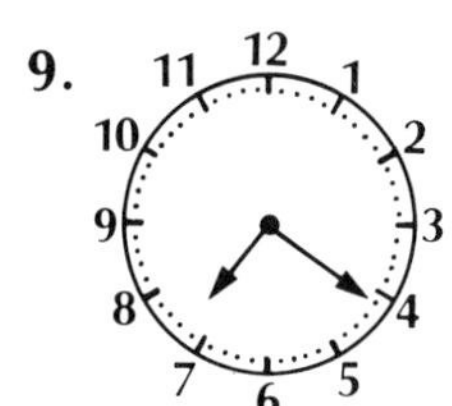

10.

11. 1:27

12. 2:11

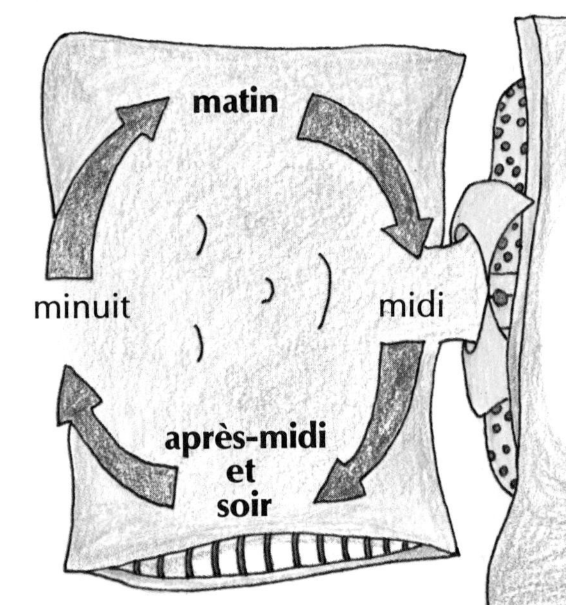

À quelle heure est-ce que tu ...

te couches? À 20:30

1. te lèves?
2. déjeunes?
3. dînes?
4. sors de l'école?
5. pars pour l'école?
6. vas au gymnase?
7. étudie les mathématiques?
8. vas en récréation?

Comparaisons

L'heure: Quelle heure est la plus tardive?

1. 3:35 ou 2:58
2. 7:31 ou 6:29
3. 1:49 ou 1:52
4. 6:19 ou 6:35
5. midi ou 11:00
6. midi ou 15:00
7. minuit ou 1:00
8. minuit ou 20:30

La longueur: Lequel est le plus long?

9. ton bras ou 1 m
10. ton nez ou 9 cm
11. ton pied ou 1 dm
12. ton pouce ou 3 cm
13. 103 cm ou 1 m
14. 698 cm ou 7 m
15. 2000 m ou 1 km
16. 3900 m ou 4 km

La masse: Lequel est le plus lourd?

17. ton soulier ou 20 kg
18. ta chaise ou 20 g
19. ton crayon ou 1 g
20. ton pupitre ou 1 kg
21. 2000 g ou 3 kg
22. 3000 g ou 2 kg
23. 1042 g ou 1 kg
24. 7100 g ou 8 kg

Encore! Lequel est le plus long?

25. 93 cm et 58 cm **ou** 142 cm
26. 65 cm et 75 cm **ou** 142 cm
27. 1 heure et 43 minutes **ou** 99 minutes
28. 1 heure et 90 minutes **ou** 140 minutes
29. 2 heures et 10 minutes **ou** 180 minutes
30. 3 heures et 20 minutes **ou** 250 minutes

Des modèles S.V.P.

Un modèle t'aide à résoudre des problèmes.
Sers-toi d'un modèle d'horloge pour trouver les réponses.

1. Ben a commencé à 14:30.
   Il a travaillé 20 minutes.
   À quelle heure a-t-il fini?

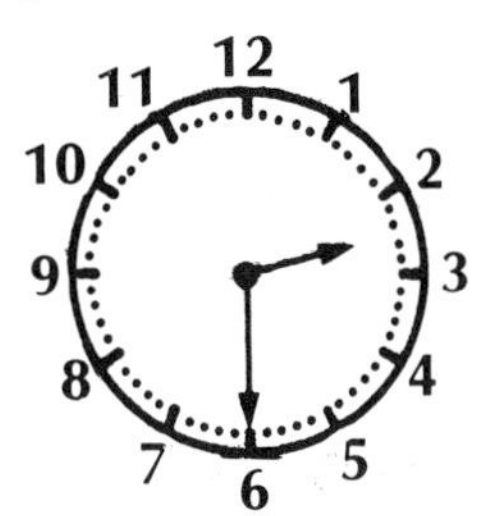

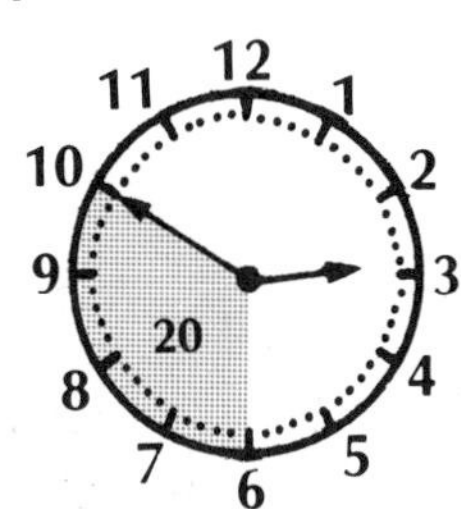

2. Jeanne est arrivée à 18:15.
   Elle est repartie 30 minutes plus tard.
   À quelle heure est-elle repartie?

3. Le chat est sorti à 6:13.
   Il est resté dehors 28 minutes.
   Quand est-il rentré?

4. Le lion a commencé à rugir à 10:55.
   Il l'a fait pendant quinze minutes?
   À quelle heure s'est-il arrêté?

5. L'ours s'est réveillé à 7:15.
   Il a mangé pendant 34 minutes.
   À quelle heure s'est-il arrêté?

6. Le chien est venu à 9:30.
   Il est parti 2 heures plus tard.
   À quelle heure est-il parti?

7. Le singe est arrivé à 4:27.
   Il est resté une heure et 8 minutes.
   Quand est-il parti?

Quelle sera l'heure dans 35 minutes?
Il est maintenant:

8. 4:20 **9.** 6:15 **10.** 3:50 **11.** 10:43

Quelle sera l'heure dans 3 heures et 15 minutes?
Il est maintenant:

12. 4:15 **13.** 8:30 **14.** 4:55 **15.** 10:45

La date: année, mois, jour

Les 12 mois sont dans le même ordre chaque année. Comme les saisons, ils forment une suite infinie.

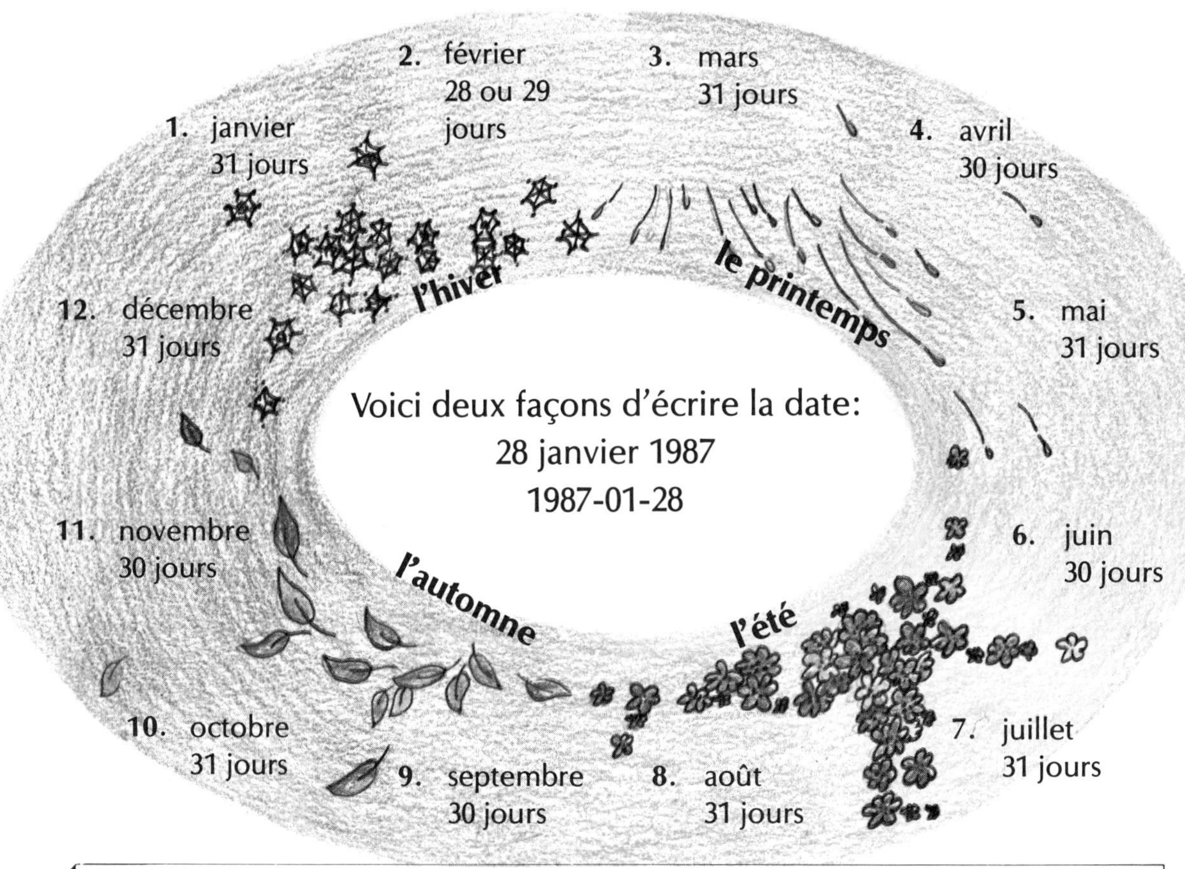

EXERCICES

Lequel est le plus long?

1. un mois **ou** une journée
2. un mois **ou** une année
2. janvier **ou** le 28e jour
4. janvier **ou** 1987

Écris la date d'une autre façon.

Exemple: 13 mars 1954 ⟶ 1954-03-13

5. 25 décembre 1930
6. 7 avril 1999
7. 19 septembre 1984
8. 31 août 1986

EXERCICES

Écris la date d'une autre façon.

1. 17 mai 1979
2. 2 juin 1985
3. 15 avril 1976
4. 8 mars 1986
5. 31 juillet 1984
6. 24 août 1987
7. 1988-12-25
8. 1978-10-03
9. 1994-09-06
10. 1986-02-17
11. 1987-11-04
12. 1984-08-31

Écris les noms des mois.

13. qui ont 31 jours
14. du printemps
15. de l'hiver
16. qui ont 30 jours
17. de l'été
18. de l'automne
19. Recopie le tableau. Écris les dates qui manquent.

hier	aujourd'hui	demain
	3 juin 1985	
	31 mai 1987	
	1989-02-20	
	1995-11-01	

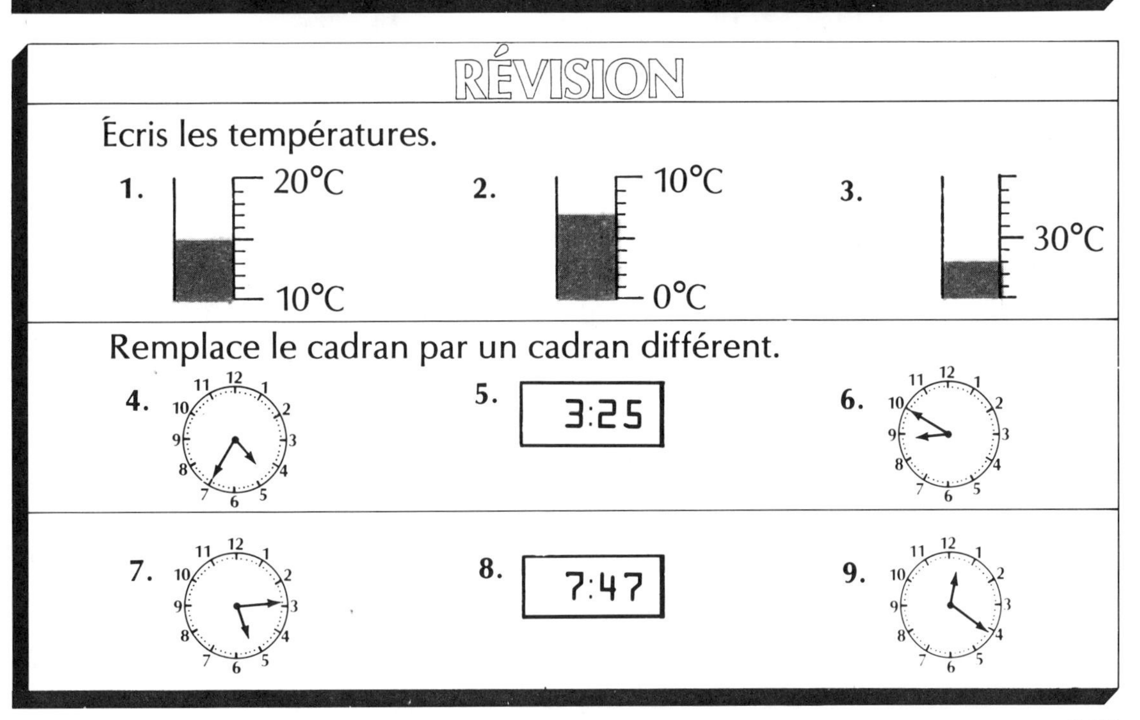

TEST CHAPITRE 6

Choisis la masse ou la longueur qui te semble juste.

1. 35 cm ou 35 m   2. 4 g ou 4 kg

3. 7 m ou 7 cm   4. 30 g ou 30 kg

Calcule la masse totale.

5.

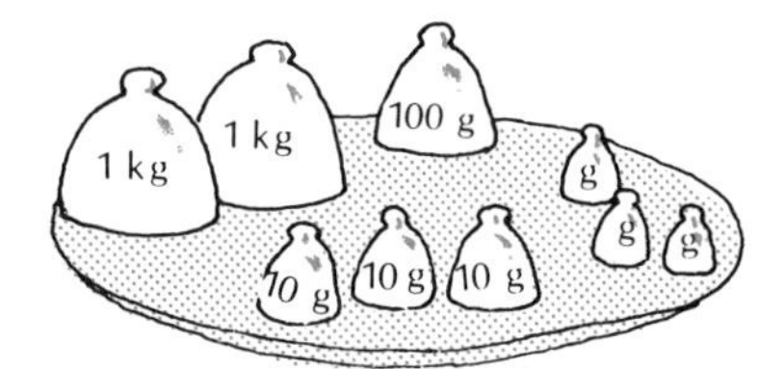

6.

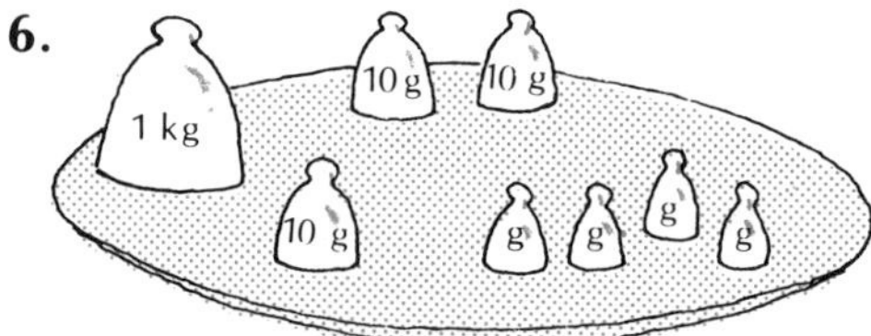

7.

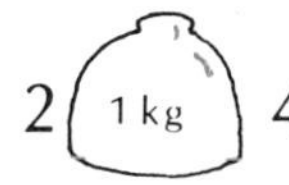

8.

Écris la température.

9.

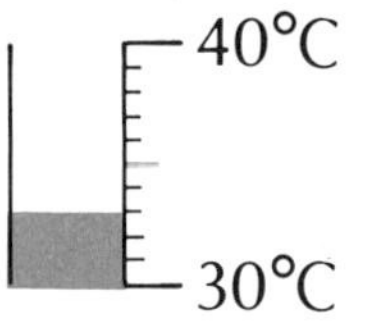

10.

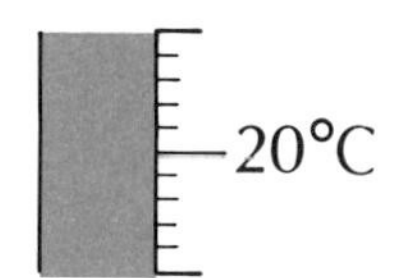

11.

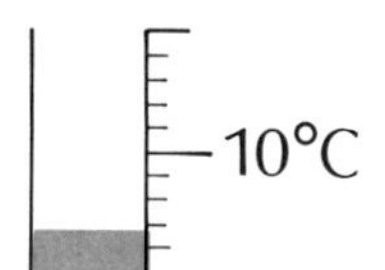

Écris l'heure ou la date d'une autre façon.

12.

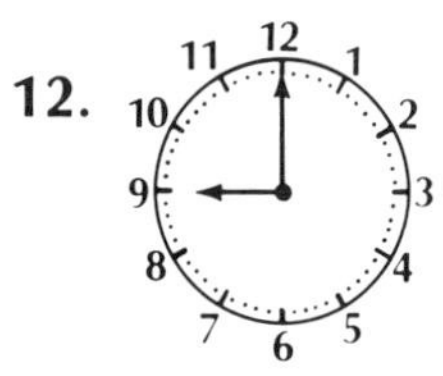

13.

14.

15.

16.

17.

18. 15 mai 1987   19. 14 juin 1947   20. 1986-02-04

REPRISE LA SOUSTRACTION

Soustrais.

1. $59 - 32$ **2.** $91 - 70$ **3.** $88 - 7$ **4.** $35 - 15$ **5.** $46 - 41$

6. $17 - 9$ **7.** $35 - 7$ **8.** $52 - 6$ **9.** $60 - 8$ **10.** $92 - 3$

11. $83 - 17$ **12.** $42 - 28$ **13.** $78 - 69$ **14.** $61 - 23$ **15.** $30 - 17$

16. $130 - 80$ **17.** $142 - 71$ **18.** $146 - 96$ **19.** $127 - 50$ **20.** $124 - 92$

21. $120 - 43$ **22.** $102 - 78$ **23.** $100 - 17$ **24.** $106 - 48$ **25.** $105 - 98$

Trouve la différence entre:

26. 92 et 47 **27.** 23 et 110

Effectue l'opération. Vérifie en faisant l'opération réciproque.

28. $56 + 22$ **29.** $93 + 48$ **30.** $65 - 27$ **31.** $162 - 77$

Résous le problème.

35 cm **32.** La longueur totale est ■.

97 cm **33.** La différence est ■.

CHAPITRE 7
LA MULTIPLICATION

Perce le secret du code

Additionne.

1. 6 + 6 = 12 (T) | 15 + 15 | 1 + 1 + 1 | 4 + 4 | 2 + 2 + 2 | 6 + 6 + 12

2. 3 + 3 + 3 | 8 + 8

3. 0 + 0 + 0 | 5 + 5 + 6 | 7 + 7 + 7 | 8 + 8 + 8

4. 0 + 0 | 10 + 10 + 10 | 2 + 1 | 4 + 2 + 2

5. 5 + 5 + 5 + 5 | 20 + 10 | 9 + 9 + 9 | 2 + 2 + 2 + 2

6. 20 + 20 + 20 | 6 + 6 + 6 + 6

7. 12 + 1 + 2 | 1 + 2 | 10 + 10 + 7

8. 10 + 10 + 4 | 9 + 9 | 3 + 3 + 3 + 3

9. 6 + 6 + 6 + 6 | 3 + 2 + 1

10. 10 + 5 + 5 | 20 + 4 | 2 + 2 + 2 | 6 + 3 + 3 | 10 + 10 + 4

Nombre	Lettre
0	P
3	U
6	N
8	R
9	L
12	T
15	Q
16	A

Nombre	Lettre
18	S
20	V
21	G
24	E
27	I
30	O
60	C

À saute-mouton

Combien de cartes de base-ball peux-tu acheter avec 7¢? Compte par trois.

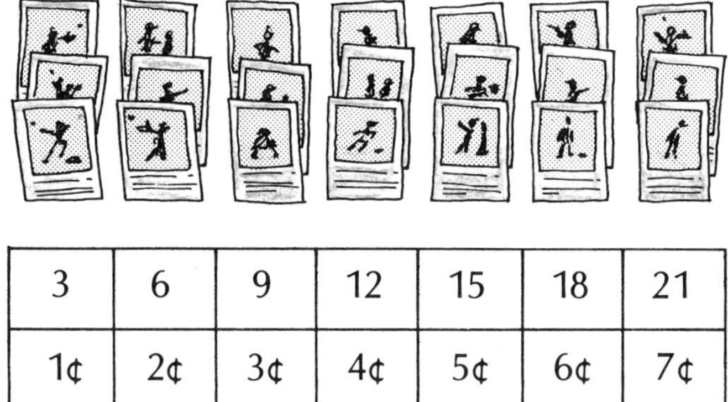

3	6	9	12	15	18	21
1¢	2¢	3¢	4¢	5¢	6¢	7¢

Avec 7¢, tu peux acheter 21 cartes.

EXERCICES

Recopie et complète les tableaux.

1.

10					
1¢	2¢	3¢	4¢	5¢	6¢

2.

2					
1¢	2¢	3¢	4¢	5¢	6¢

Additionne.

3. 4 + 4 **4.** 8 + 4 **5.** 12 + 4 **6.** 16 + 4

7. 3 + 3 **8.** 6 + 3 **9.** 9 + 3 **10.** 12 + 3

Recopie et complète les tableaux.

11.

	1	2	3	4	5	6
roues	4					

12.

	1	2	3	4	5	6
pieds	3					

13.

	1	2	3	4	5	6
oreilles	2					

14.

	1	2	3	4	5	6
doigts	5					

EXERCICES

Recopie ce tableau.

1	2	3	4	5	6	7	8	9	10
11	12	13	14	15	16	17	18	19	20
21	22	23	24	25	26	27	28	29	30
31	32	33	34	35	36	37	38	39	40
41	42	43	44	45	46	47	48	49	50

1. Compte par deux. Identifie les cases d'un trait rouge. Combien en as-tu?

2. Compte par quatre. Identifie les cases d'un trait bleu. Combien en as-tu?

3. Compte par trois. Identifie les cases d'un trait vert. Combien en as-tu?

Complète. Sers-toi du tableau.

4. 2, 4, ■, ■, ■, 12, ■
5. ■, 50, 60, ■, ■, ■, 100
6. 11, 12, ■, ■, ■, ■
7. 5, ■, ■, 20, ■, ■, 35
8. ■, 6, 9, 12, ■, ■, ■
9. 4, ■, 12, 16, ■, ■, ■,

10. Indique les cases qui ont trois traits. Il y en a quatre.

Qui suis-je?

Je ne suis pas bien grand,
Un peu plus grand que 53.
Compte par cinq,
Mon nom tu trouveras.
Qui suis-je?

Compte par six,
Ne dépasse pas 22,
Je suis plus grand que 16.
Qui suis-je?

L'addition et la multiplication

Compte les biscuits.

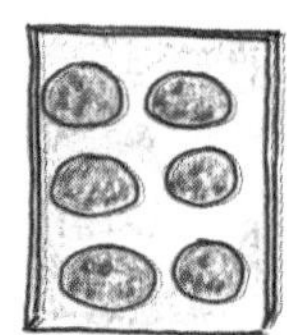 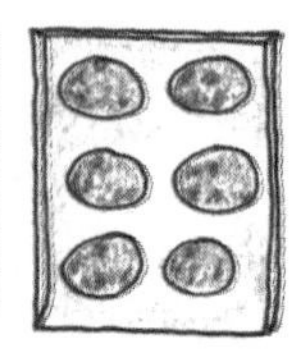 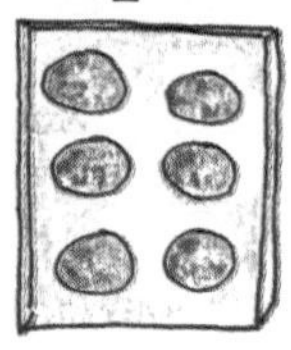

Il y a: 3 groupes de 6 biscuits
Tu peux **additionner:** $6 + 6 + 6 = 18$
Ou: 3 groupes de six = 18
Tu peux **multiplier:** $3 \times 6 = 18$
Tu lis: **Trois fois six égalent dix-huit**.
Il y a 18 biscuits.

EXERCICES

Recopie et résous chaque équation.

1.  

4 groupes de 3 barres
$3 + 3 + 3 + 3 =$ ■
4 groupes de trois unités = ■
$4 \times 3 =$ ■

2. 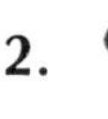  

2 groupes de 5 gâteaux
$5 + 5 =$
2 groupes de cinq unités =
$2 \times 5 =$

3. 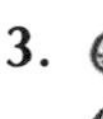 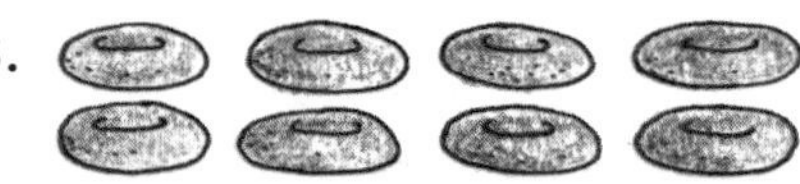

$2 + 2 + 2 + 2 =$ ■
4 groupes de deux unités = ■
$4 \times 2 =$ ■

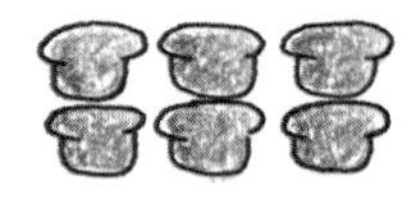 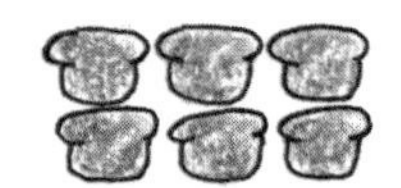

$6 + 6 =$
2 groupes de six unités =
$2 \times 6 =$

5.  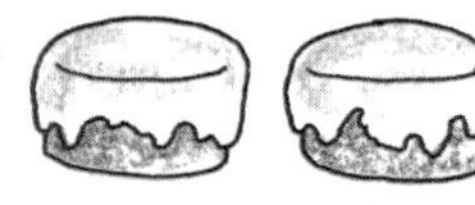 

$1 + 1 + 1 =$ ■
3 groupes d'une unité = ■
$3 \times 1 =$ ■

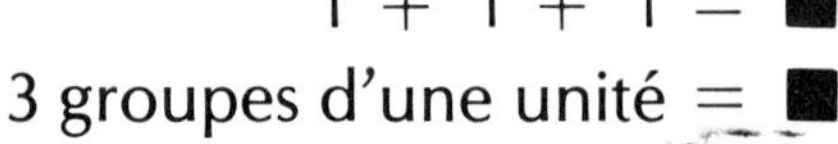

6. 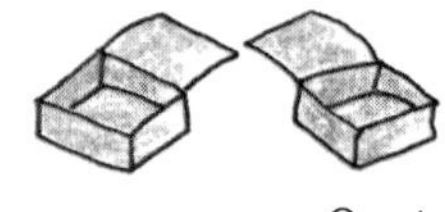 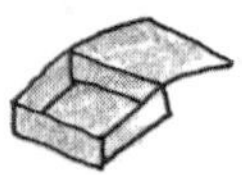

$0 + 0 + 0 =$
3 groupes de zéro unité =
$3 \times 0 =$

EXERCICES

Copie et complète.

1. 5 groupes de 2
$2 + 2 + 2 + 2 + 2 = \blacksquare$
$5 \times 2 = \blacksquare$

2. 4 groupes de 4
$\blacksquare + \blacksquare + \blacksquare + \blacksquare = 16$
$\blacksquare \times 4 = 16$

3. 3 groupes de 5
$5 + 5 + 5 = \blacksquare$
$3 \times \blacksquare = 15$

4. 6 groupes de trois
$3 + 3 + 3 + 3 + 3 + 3 = \blacksquare$
$6 \times 3 = \blacksquare$

5. 4 groupes de trois
$\blacksquare + \blacksquare + \blacksquare + \blacksquare = 12$
$\blacksquare \times 3 = 12$

6. 5 groupes d'une unité
$1 + 1 + 1 + 1 + 1 = \blacksquare$
$\blacksquare \times \blacksquare = 5$

7. $0 + 0 + 0 = \blacksquare$
$\blacksquare \times 0 = \blacksquare$

8. $5 + 5 = \blacksquare$
$2 \times \blacksquare = 10$

9. $3 + 3 + 3 = \blacksquare$
$\blacksquare \times \blacksquare = 9$

10. 9 groupes de deux $= \blacksquare$
$\blacksquare \times \blacksquare = 18$

11. 3 groupes de quatre $= \blacksquare$
$\blacksquare \times \blacksquare = 12$

12. 2 groupes de sept $= \blacksquare$
$\blacksquare \times \blacksquare = 14$

Multiplie.

13. 2×9 **14.** 3×2 **15.** 3×4

16. 4×5 **17.** 2×5 **18.** 4×4

Résous les problèmes.

19. 6 enfants ont 3 chacun. Combien ont-ils de en tout?

20. 4 assiettes avec 5 sur chacune. Combien y a-t-il de en tout?

Prends la balle au bond!

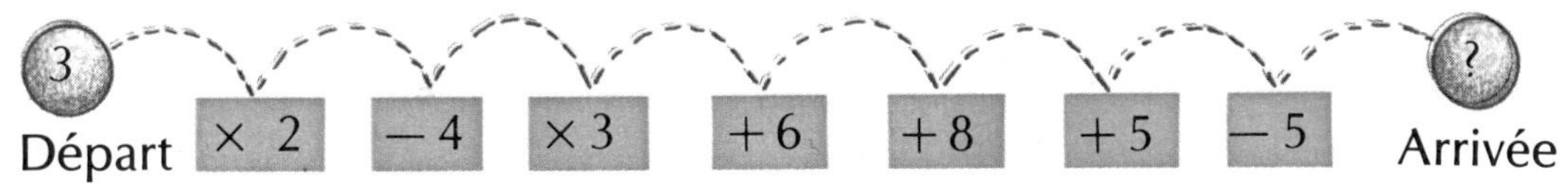

L'ordre dans la multiplication

Tu peux exprimer 8 de deux façons.

2 groupes de 4
$2 \times 4 = 8$
facteur facteur produit

ou

4 groupes de 2
$4 \times 2 = 8$
facteur facteur produit

Le **produit** ne change pas.
L'ordre des facteurs ne change pas le produit.

EXERCICES

Recopie et résous chaque équation.

1. 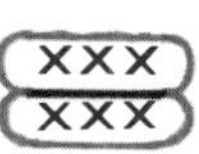

$2 \times 3 = ■$

2. 

$3 \times 2 = ■$

3. 

$3 \times ■ = 15$

4. 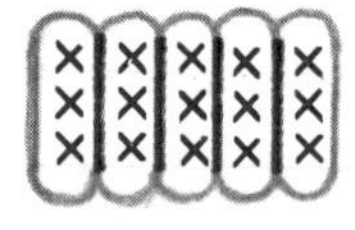

$5 \times ■ = 15$

5. 

$3 \times ■ = 12$

6. 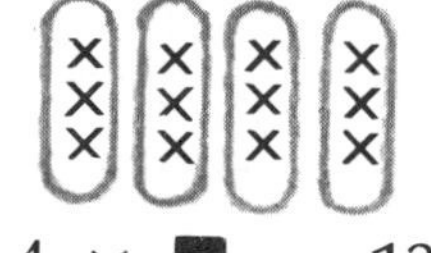

$4 \times ■ = 12$

7. 2 groupes de trois = ■ groupes de deux

8. 3 groupes de cinq = ■ groupes de trois

9. $1 \times 4 = 4 \times ■$

10. $3 \times ■ = 4 \times 3$

EXERCICES

Écris chaque question, puis complète avec le nombre manquant.

1. $2 \times 9 = 9 \times$ ■
2. $7 \times 2 =$ ■ $\times 7$
3. $2 \times 10 =$ ■ $\times 2$
4. $2 \times 0 = 0 \times$ ■
5. $1 \times 4 =$ ■ $\times 1$
6. $4 \times 3 = 3 \times$ ■
7. 2 groupes de cinq = ■
8. 5 groupes de deux = ■
9. 6 groupes d'une unité = ■
10. 1 groupe de six = ■
11. 7 groupes de zéro unité = ■
12. 0 groupe de sept = ■

Multiplie.

13. 2×6
14. 6×2
15. 3×4
16. 4×3
17. 2×2
18. 4×5
19. 5×4
20. 3×3
21. 2×5
22. 5×2
23. 4×4
24. 1×1

Résous les problèmes.

25. 4 rangées
2 livres dans chaque rangée
Combien y a-t-il de livres
en tout?
Fais un dessin.

26. 2 boîtes
4 journaux dans chaque boîte
Combien y a-t-il de journaux
en tout?
Fais un dessin.

JEU

Fabrique des cartes comme celles-ci.

Arrange-les de deux façons
pour illustrer la multiplication.

4 =

Résolution de problèmes

+ addition — soustraction × multiplication

Choisis **l'opération**, puis trouve la réponse.

1. 15 poupées à vendre. 7 ont des chapeaux. Combien n'en ont pas?
   a. $15 + 7$ b. $15 - 7$ c. 15×7

2. 5 boîtes. 4 jouets par boîte. Combien y a-t-il de jouets en tout?
   a. $5 + 4$ b. $5 - 4$ c. 5×4

3. 3 ours dans chaque sac. 2 sacs. Combien y a-t-il d'ours en tout?
   a. $3 + 2$ b. $3 - 2$ c. 2×3

4. 6 crayons courts. 2 crayons longs. Combien y en a-t-il en tout?
   a. $6 + 2$ b. $6 - 2$ c. 2×6

5. 9 cartons. 2 bouteilles par carton.
   Combien y en a-t-il en tout?
   a. addition b. soustraction c. multiplication

6. 62 billes dans un bocal. 54 billes dans un sac.
   Combien y a-t-il de billes en tout?
   a. addition b. soustraction c. multiplication

7. 8 tables. 2 sont occupées. Combien en reste-t-il?
   a. addition b. soustraction c. multiplication

8. Des biscuits sont disposés en 5 rangées et en 3 colonnes.
   Combien y a-t-il de biscuits en tout?
   a. addition b. soustraction c. multiplication

RÉSOLUTION DE PROBLÈMES

Fais un dessin, puis écris l'équation.

2 assiettes de biscuits
3 bonbons sur chaque biscuit
4 biscuits sur chaque assiette

1. Combien y a-t-il de biscuits en tout?

6 tranches dans chaque pain
3 pains en tout
4 noix dans chaque tranche

2. Combien y a-t-il de tranches en tout?

7 billes dans chaque sac
3 sacs dans chaque boîte
2 boîtes en tout

3. Combien y a-t-il de billes dans chaque boîte?

Chaque enfant dépense 5¢.
Il y a 6 groupes d'enfants.
Il y a 4 enfants par groupe.

4. Combien y a-t-il d'enfants en tout?

RÉVISION

Recopie et complète.

1. 3, 6, 9, ■, ■
2. 2, 4, 6, ■, ■
3. 4, 8, 12, ■, ■
4. 5, 10, 15, ■, ■
5. 10, 20, 30, ■, ■
6. 10, 12, 14, ■, ■

Écris les réponses.

7. $3 + 3 + 3$
8. 3×3
9. $4 + 4$
10. 2×4
11. 2 threes
12. 2×3
13. 4 groupes de cinq
14. 2 groupes de trois
15. 5 zéros

Multiplie.

16. 3×4
17. 4×3
18. 5×5
19. 3×5
20. 5×3
21. 4×1

Deux

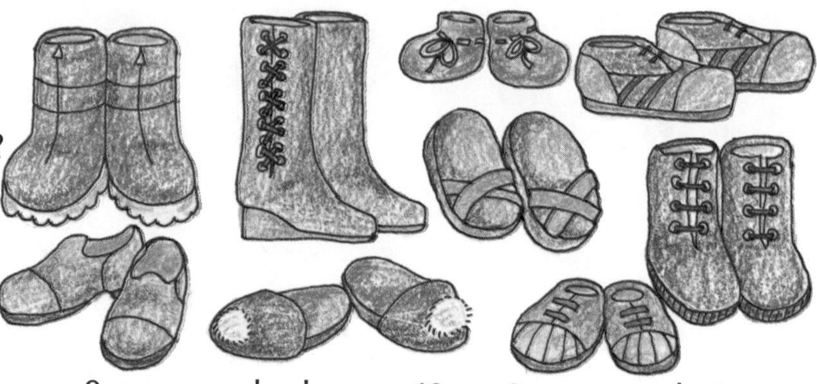

Combien y en a-t-il?

Tu peux penser à: 9 groupes de deux = 18 **ou** 2 groupes de 9 = 18

Tu peux additionner: $2+2+2+2+2+2+2+2+2=18$ **ou** $9+9=18$

Tu peux multiplier: $9 \times 2 = 18$ **ou** $2 \times 9 = 18$

Il y en a 18 en tout.

EXERCICES

Écris une équation.

1.	$0 + 0$	**2.**	2 groupes de 0	**3.**	2×0
4.	$1 + 1$	**5.**	2 groupes de 1	**6.**	2×1
7.	$2 + 2$	**8.**	2 groupes de 2	**9.**	2×2
10.	$2 + 2 + 2$	**11.**	3 groupes de 2	**12.**	3×2
13.	$3 + 3$	**14.**	2 groupes de 3	**15.**	2×3
16.	$2 + 2 + 2 + 2$	**17.**	4 groupes de 2	**18.**	4×2
19.	$4 + 4$	**20.**	2 groupes de 4	**21.**	2×4
22.	$2 + 2 + 2 + 2 + 2$	**23.**	5 groupes de 2	**24.**	5×2
25.	$5 + 5$	**26.**	2 groupes de 5	**27.**	2×5
28.	$2 + 2 + 2 + 2 + 2 + 2$	**29.**	6 groupes de 2	**30.**	6×2
31.	$6 + 6$	**32.**	2 groupes de 6	**33.**	2×6

EXERCICES

Écris une équation.

1. 5 + 5	**2.** 2 × 5	**3.** 6 + 6	**4.** 2 × 6
5. 7 + 7	**6.** 2 × 7	**7.** 8 + 8	**8.** 2 × 8
9. 9 + 9	**10.** 2 × 9	**11.** 10 + 10	**12.** 2 × 10
13. 2 × 7	**14.** 7 × 2	**15.** 2 × 1	**16.** 1 × 2
17. 2 × 3	**18.** 3 × 2	**19.** 2 × 8	**20.** 8 × 2
21. 2 × 0	**22.** 0 × 2	**23.** 2 × 9	**24.** 9 × 2
25. 2 × 5	**26.** 5 × 2	**27.** 2 × 4	**28.** 4 × 2

Résous les problèmes.

29. 2 

Il y a ■ orteils.

30. 5 

Il y a ■ aiguilles.

31. 2 

Il y a ■ cornets.

32. 8 

Il y a ■ ailes.

33. 2 

Il y a ■ pétales.

34. 9 

Il y a ■ oreilles.

Pêle-mêle

Retrouve des mots se rapportant à la multiplication.

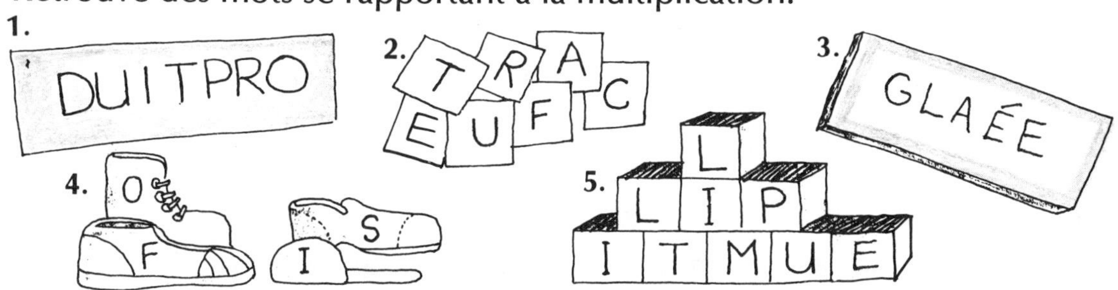

Cinq

Combien de doigts y a-t-il en tout?

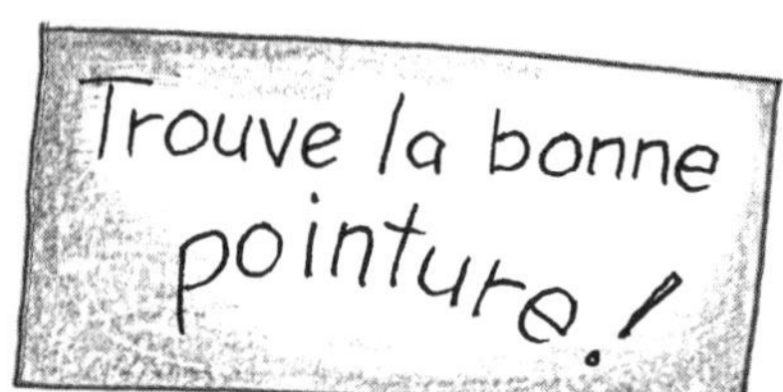

Pour trouver la réponse, compte par cinq.

1	2	3	4	5	6	7	8	9	10
11	12	13	14	15	16	17	18	19	20
21	22	23	24	25	26	27	28	29	30
31	32	33	34	35	36	37	38	39	40
41	42	43	44	45	46	47	48	49	50

9 groupes de 5 = 45 $\quad$ $9 \times 5 = 45$

Il y a 45 doigts dans 9 gants.

EXERCICES

Écris chaque produit.

1. 1 groupe de 5 **2.** 1×5 **3.** 2 groupes de 5 **4.** 2×5

5. 3 groupes de 5 **6.** 3×5 **7.** 4 groupes de 5 **8.** 4×5

9. 5 groupes de 5 **10.** 5×5 **11.** 6 groupes de 5 **12.** 6×5

13. 7 groupes de 5 **14.** 7×5 **15.** 8 groupes de 5 **16.** 8×5

17. 9 groupes de 5 **18.** 9×5 **19.** 0 groupe de 5 **20.** 0×5

EXERCICES

Écris une équation avec les facteurs et le produit.

1. 0 × 5 **2.** 5 × 0 **3.** 1 × 5 **4.** 5 × 1

5. 2 × 5 **6.** 5 × 2 **7.** 3 × 5 **8.** 5 × 3

9. 4 × 5 **10.** 5 × 4 **11.** 5 × 5 **12.** 6 × 5

13. 5 × 6 **14.** 7 × 5 **15.** 8 × 5 **16.** 5 × 8

17. 9 × 5 **18.** 5 × 9 **19.** 5 × 3 **20.** 5 × 7

21. 5 × 9 **22.** 4 × 5 **23.** 8 × 5 **24.** 5 × 6

25. 5 × 1 **26.** 5 × 2 **27.** 5 × 5 **28.** 5 × 1

Résous les problèmes.

29.

Combien coûtent 7 cornets?

30.

Combien coûtent 5 sucettes?

31.

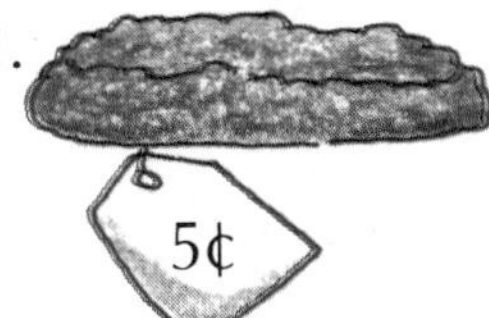

Combien coûtent 8 barres de chocolat?

La course contre la montre

1 × 5 = ■

2 × 5 = ■

3 × 5 = ■

11 × 5 = ■

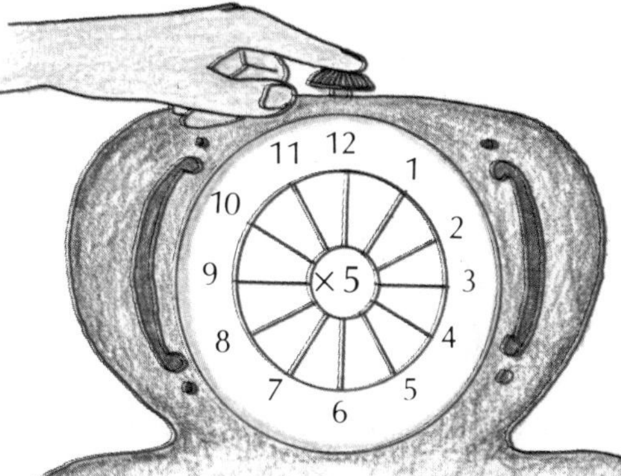

1. Complète l'exercice.

2. Essaie d'annoncer les résultats en 30 secondes.

Trois

Combien de pieds y a-t-il en tout?

Compte par trois.

1	2	**3**	4	5	**6**	7	8	**9**	10
11	**12**	13	14	**15**	16	17	**18**	19	20
21	22	23	**24**	25	26	**27**	28	29	**30**

9 groupes de 3 = 27 $\quad$ $9 \times 3 = 27$

Il y a 27 pieds.

EXERCICES

Écris chaque produit.

1. 1 groupe de 3 **2.** 1×3 **3.** 2 groupes de 3 **4.** 2×3

5. 3 groupes de 3 **6.** 3×3 **7.** 4 groupes de 3 **8.** 4×3

9. 5 groupes de 3 **10.** 5×3 **11.** 6 groupes de 3 **12.** 6×3

13. 7 groupes de 3 **14.** 7×3 **15.** 8 groupes de 3 **16.** 8×3

17. 9 groupes de 3 **18.** 9×3 **19.** 0 groupe de 3 **20.** 0×3

EXERCICES

Écris sous forme d'équation et donne le produit.

1. 0×3	**2.** 3×0	**3.** 1×3	**4.** 3×1
5. 2×3	**6.** 3×2	**7.** 3×3	**8.** 4×3
9. 3×4	**10.** 5×3	**11.** 3×5	**12.** 6×3
13. 3×6	**14.** 7×3	**15.** 3×7	**16.** 8×3
17. 3×8	**18.** 9×3	**19.** 3×9	**20.** 7×2
21. 7×3	**22.** 7×5	**23.** 4×3	**24.** 3×9
25. 6×2	**26.** 6×3	**27.** 6×5	**28.** 3×1

Résous les problèmes.

29. 7 

Nombre de pieds?

30. 3 

Nombre de pieds?

31. 3 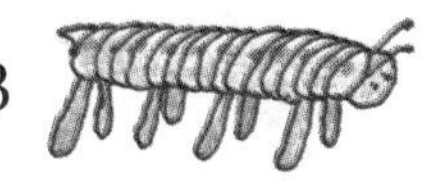

Nombre de pattes?

Qui suis-je?

1. 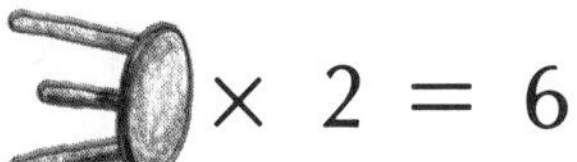 $\times 2 = 6$ 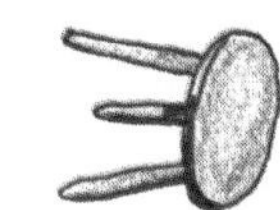 $\times 4 = 12$

2. Multiplie-moi par n'importe quel nombre. Le produit est toujours 0. Qui suis-je?

■ $\times 5 = 0$

■ $\times 3 = 0$

■ $\times 2 = 0$

■ $\times 1 = 0$

■ $\times 0 = 0$

3. Multiplie n'importe quel nombre par moi-même. Le produit est toujours l'autre nombre. Qui suis-je?

■ $\times 5 = 5$

■ $\times 3 = 3$

■ $\times 2 = 2$

■ $\times 1 = 1$

■ $\times 0 = 0$

Quatre

2 groupes de 7
2 groupes de 7
4 groupes de 7

2 groupes de 7 + 2 groupes de 7 = 4 groupes de 7

$14 + 14 = 28$

Donc $4 \times 7 = 28$

Il y a 28 disques en tout.

EXERCICES

Recopie et résous les équations.

1.
2 groupes de 4 = 8
2 groupes de 4 = 8
4 groupes de 4 = ■
$4 \times 4 =$ ■

2.
2 groupes de 5 = □
2 groupes de 5 = □
4 groupes de 5 = □
$4 \times 5 =$ □

3.
2 groupes de 6 = ■
2 groupes de 6 = ■
4 groupes de 6 = ■
$4 \times 6 =$ ■

4.
2 groupes de 7 = □
2 groupes de 7 = □
4 groupes de 7 = □
$4 \times 7 =$ □

5.
2 groupes de 8 = ■
2 groupes de 8 = ■
4 groupes de 8 = ■
$4 \times 8 =$ ■

6.
2 groupes de 9 = □
2 groupes de 9 = □
4 groupes de 9 = □
$4 \times 9 =$ □

EXERCICES

Multiplie.

1.	4 × 0	**2.**	4 × 1	**3.**	4 × 2	**4.**	4 × 3
5.	4 × 4	**6.**	4 × 5	**7.**	4 × 6	**8.**	4 × 7
9.	4 × 8	**10.**	4 × 9	**11.**	0 × 4	**12.**	1 × 4
13.	2 × 4	**14.**	3 × 4	**15.**	4 × 4	**16.**	5 × 4
17.	6 × 4	**18.**	7 × 4	**19.**	8 × 4	**20.**	9 × 4
21.	0 × 0	**22.**	1 × 1	**23.**	2 × 2	**24.**	3 × 3
25.	4 × 4	**26.**	5 × 5	**27.**	7 × 4	**28.**	7 × 5

Résous les problèmes.

29. Il y a 5  dans une boîte. Combien y a-t-il de  dans 4 boîtes?

30. Il y a 4  dans une pile. Combien y a-t-il de  dans 6 piles?

RÉVISION

Multiplie.

1.	2 × 5	**2.**	2 × 6	**3.**	2 × 7	**4.**	2 × 8
5.	2 × 9	**6.**	2 × 4	**7.**	2 × 3	**8.**	2 × 2
9.	9 × 5	**10.**	8 × 5	**11.**	7 × 5	**12.**	6 × 5
13.	5 × 5	**14.**	4 × 5	**15.**	3 × 5	**16.**	2 × 5
17.	6 × 3	**18.**	7 × 3	**19.**	8 × 3	**20.**	9 × 3
21.	0 × 3	**22.**	1 × 3	**23.**	2 × 3	**24.**	3 × 3
25.	4 × 6	**26.**	4 × 7	**27.**	4 × 8	**28.**	4 × 9
29.	4 × 5	**30.**	4 × 4	**31.**	4 × 3	**32.**	4 × 1

TEST CHAPITRE 7

Additionne.

1. $3 + 3$ **2.** $6 + 3$ **3.** $9 + 3$ **4.** $12 + 3$

Complète.

5. 20, 25, ■, ■, 40

6. ■, 4, 6, 8, ■

7. 3, 6, 9, 12, ■, ■

8. 4, 8, ■, 16, ■

Recopie et résous les équations.

9. $5 + 5 =$ ■

10. $2 \times 5 =$ ■

11. $2 + 2 + 2 + 2 =$ ■

12. $4 \times 2 =$ ■

13. $4 + 4 + 4 =$ ■

14. ■ $\times 4 = 12$

15. $6 \times 2 = 2 \times$ ■

16. $4 \times 5 =$ ■ $\times 4$

17. $6 \times 3 = 3 \times$ ■

Multiplie.

18. 2×7 **19.** 7×2 **20.** 5×1 **21.** 1×5

22. 2×8 **23.** 2×5 **24.** 2×6 **25.** 2×4

26. 9×2 **27.** 1×2 **28.** 7×2 **29.** 2×2

30. 3×5 **31.** 6×5 **32.** 9×5 **33.** 1×5

34. 5×8 **35.** 5×4 **36.** 5×7 **37.** 5×5

38. 2×3 **39.** 6×3 **40.** 0×3 **41.** 9×3

42. 3×7 **43.** 3×4 **44.** 3×3 **45.** 3×8

46. 2×4 **47.** 4×4 **48.** 6×4 **49.** 4×8

50. 4×7 **51.** 4×3 **52.** 4×9 **53.** 4×0

REPRISE

LA MESURE

Choisis la **longueur** et la **masse** qui te semblent justes.

voiture miniature

1. 10 cm ou 10 m **2.** 50 g ou 50 kg

petit garçon

3. 1 cm ou 1 m **4.** 20 g ou 20 kg

Résous chaque équation.

5. ■ cm = 1 dm **6.** ■ cm = 1 m **7.** ■ m = 1 km

8. ■ dm = 30 cm **9.** ■ m = 600 cm **10.** ■ km = 3000 m

Sers-toi d'une règle graduée en centimètres pour mesurer les longueurs.

11.

12. le périmètre

13. le périmètre

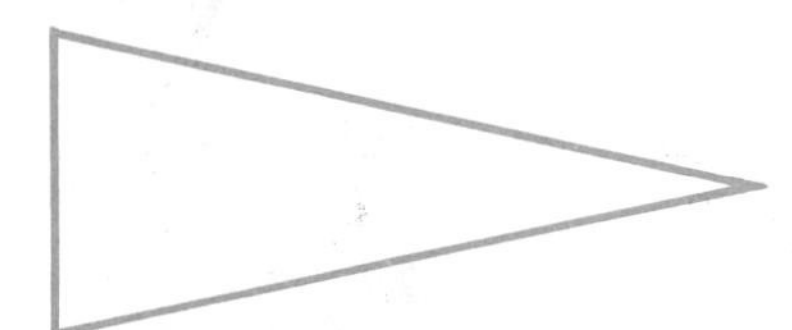

Quelle est la masse?

14.

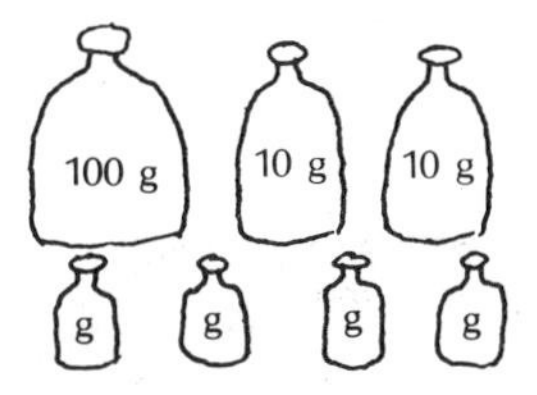

15.

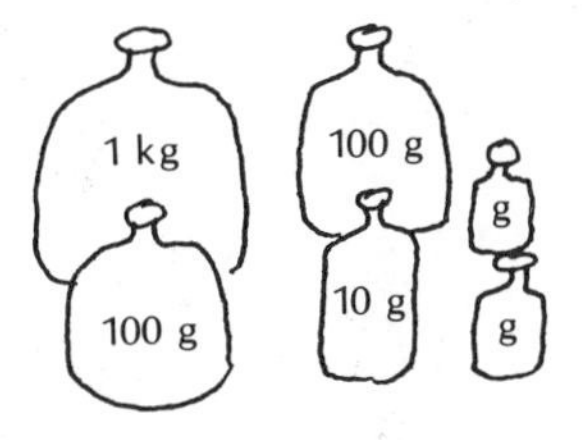

Quelle est la température?

16.

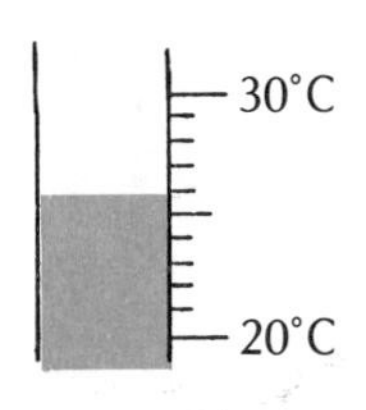

Écris l'heure et la date d'une autre façon.

17.

18.

19. 14 juin 1991

20. 1989-03-29

CHAPITRE 8
LA DIVISION

Les roues bavardes

Qu'est-ce que les roues disent au moteur?

Effectue les opérations, puis décode le message.

E	6 + 6	**U**	15 − 5	**B**	6 + 7
H	7 + 4	**E**	4 × 3	**O**	2 × 2
O	13 − 9	**A**	30 − 10	**U**	2 × 5
A	4 × 5	**T**	6 + 3	**E**	9 + 3
N	5 × 8	**O**	4 + 0	**S**	16 − 9
E	2 × 6	**T**	12 − 3	**C**	5 × 3
D	4 × 7	**I**	12 + 12	**R**	3 × 6
T	1 × 9	**R**	9 + 9	**U**	5 + 5

Le sens de la division

Combien y a-t-il de groupes de 4 dans 12?

Il y a 3 groupes de 4 dans 12.

Tu peux démontrer ceci en effectuant la **division**:

$$12 \div 4 = 3$$

Tu dis alors que: Douze **divisé par** quatre égalent trois.

EXERCICES

Effectue le calcul. Résous les équations.

1.

Il y a ■ roues.
Il y a ■ groupes de 2.
$6 \div 2 = ■$

2.

Il y a ■ roues.
Il y a ■ groupes de 3.
$9 \div 3 = ■$

3.

Il y a ■ roues.
Il y a ■ groupes de 4.
$20 \div 4 = ■$

4.

Il y a ■ roues.
Il y a ■ groupes de 3.
$12 \div 3 = ■$

EXERCICES

Effectue le calcul. Résous les équations.

1.

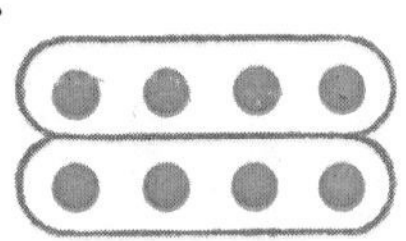

Il y a ■ points.
Il y a ■ groupes de 4.

$8 \div 4 = ■$

2.

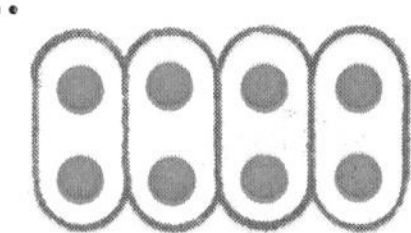

Il y a ■ points.
Il y a ■ groupes de 2.

$8 \div 2 = ■$

3.

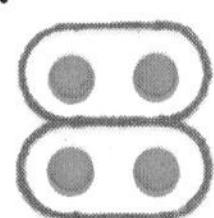

Il y a ■ points.
Il y a ■ groupes de 2.

$4 \div 2 = ■$

4.

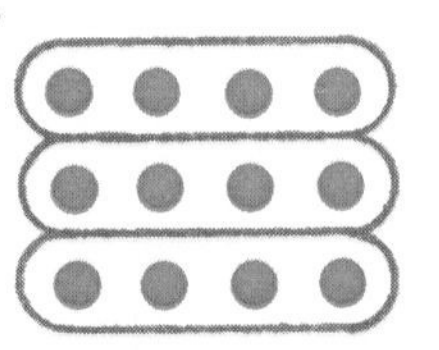

Il y a ■ points.
Il y a ■ groupes de 4.

$12 \div 4 = ■$

5.

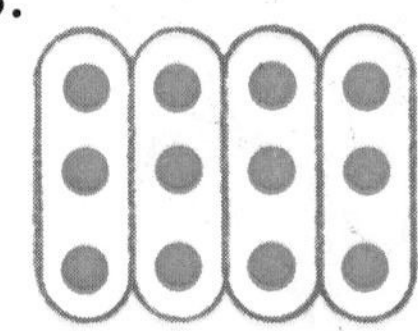

Il y a ■ points.
Il y a ■ groupes de 3.

$12 \div 3 = ■$

6.

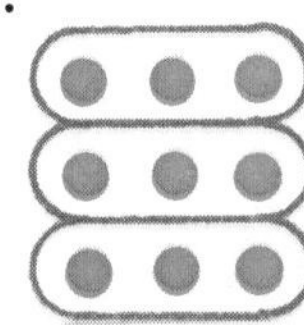

Il y a ■ points.
Il y a ■ groupes de 3.

$9 \div 3 = ■$

Divise. Fais un dessin pour que ce soit plus facile.

7. $10 \div 5 = ■$ **8.** $10 \div 2 = ■$ **9.** $16 \div 4 = ■$

10. $14 \div 7 = ■$ **11.** $14 \div 2 = ■$ **12.** $6 \div 3 = ■$

13. 16 roues
2 par bicyclette
Il y a ■ bicyclettes.

14. 15 balles
3 par chariot
Il y a ■ chariots.

Des hommes de poids

Charles est moins lourd que Jean mais plus lourd que Jacques. Qui est le moins lourd? Qui est le plus lourd?

La multiplication et la division

Tu peux penser à la multiplication pour t'aider à diviser.

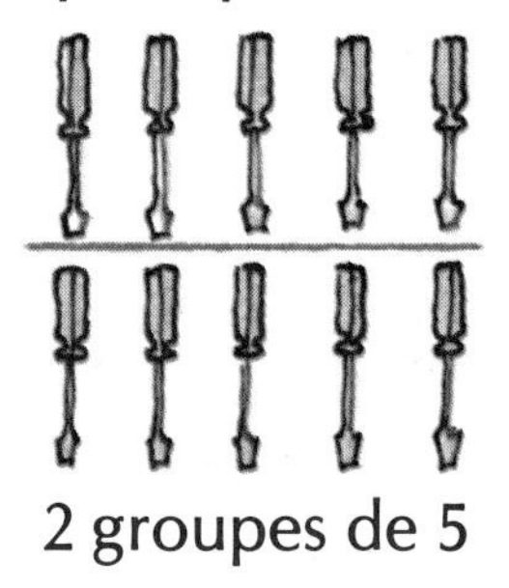

2 groupes de 5

$\mathbf{2} \times 5 = 10$

$10 \div 5 = \mathbf{2}$

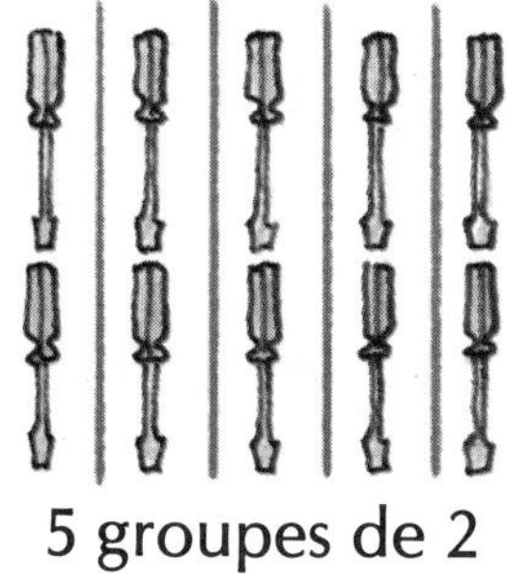

5 groupes de 2

$\mathbf{5} \times 2 = 10$

$10 \div 2 = \mathbf{5}$

Le résultat d'une division s'appelle le **quotient**.

EXERCICES

Recopie et résous les équations.

1. $3 \times 4 = 12$
$12 \div 4 = ■$

2. $4 \times 3 = 12$
$12 \div 3 = ■$

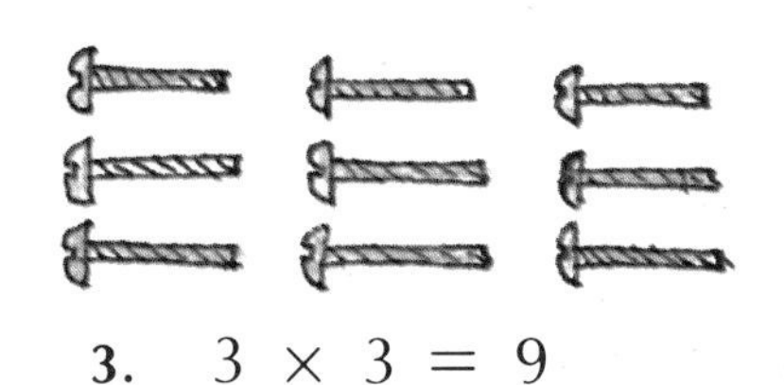

3. $3 \times 3 = 9$
$9 \div 3 = ■$

4. $■ \times 4 = 8$
$8 \div 4 = ■$

5. $■ \times 2 = 8$
$8 \div 2 = ■$

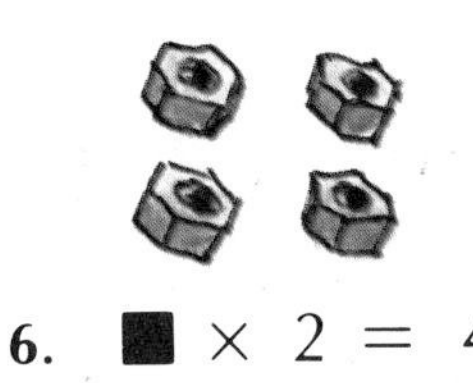

6. $■ \times 2 = 4$
$4 \div 2 = ■$

EXERCICES

Recopie et résous les équations.

1. $3 \times 5 = \blacksquare$
   $15 \div 5 = \blacksquare$
2. $5 \times 3 = \blacksquare$
   $15 \div 3 = \blacksquare$
3. $4 \times 4 = \blacksquare$
   $16 \div 4 = \blacksquare$
4. $2 \times 6 = \blacksquare$
   $12 \div 6 = \blacksquare$
5. $6 \times 2 = \blacksquare$
   $12 \div 2 = \blacksquare$
6. $7 \times 3 = \blacksquare$
   $21 \div 3 = \blacksquare$
7. $\blacksquare \times 3 = 6$
   $6 \div 3 = \blacksquare$
8. $\blacksquare \times 2 = 6$
   $6 \div 2 = \blacksquare$
9. $\blacksquare \times 4 = 20$
   $20 \div 4 = \blacksquare$
10. $\blacksquare \times 5 = 20$
    $20 \div 5 = \blacksquare$
11. $\blacksquare \times 2 = 10$
    $10 \div 2 = \blacksquare$
12. $\blacksquare \times 3 = 9$
    $9 \div 3 = \blacksquare$

Résous les problèmes.

13. 5 rangées
    3 voitures par rangée
    Il y a ■ voitures.
14. 15 passagers
    5 passagers par voiture
    Il y a ■ voitures.
15. 16 pédales
    2 par bicyclette
    Il y a ■ bicyclettes.
16. 18 roues
    3 par tricycle
    Il y a ■ tricycles.

Un parcours éprouvant

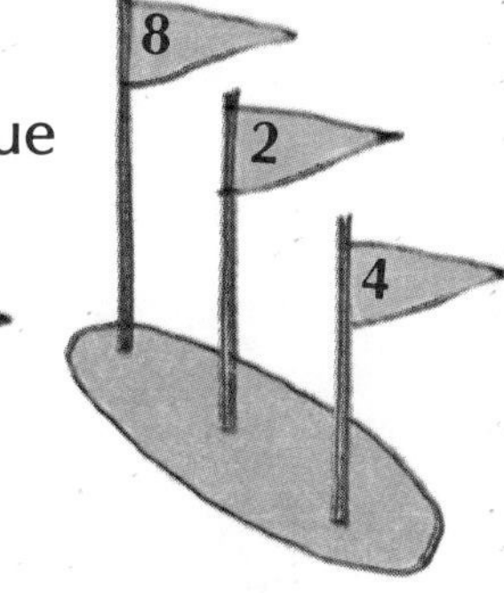

Écris deux multiplications et deux divisions pour chaque groupe de drapeaux.

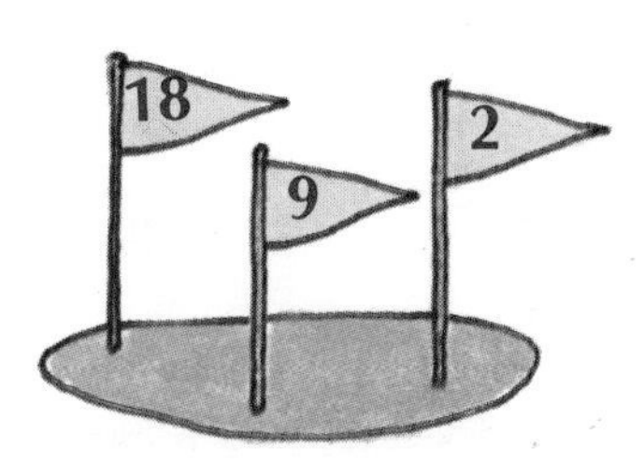

Deux

8 roues en tout
2 roues par motocyclette
Combien y a-t-il de motocyclettes?
Réfléchis! Combien y a-t-il de groupes de 2 dans 8?

facteur **facteur** **produit**

$$■ \times 2 = 8$$

$$8 \div 2 = \mathbf{4}$$

quotient

Il y a 4 motocyclettes en tout.

EXERCICES

Recopie et résous les équations.

1. Combien y a-t-il de groupes de 2 dans 2?

$■ \times 2 = 2$

$2 \div 2 = ■$

2. Combien y a-t-il de groupes de 2 dans 4?

$■ \times 2 = 4$

$4 \div 2 = ■$

3. Combien y a-t-il groupes de 2 dans 6?

$■ \times 2 = 6$

$6 \div 2 = ■$

4. $■ \times 2 = 8$
$8 \div 2 = ■$

5. $■ \times 2 = 10$
$10 \div 2 = ■$

6. $■ \times 2 = 12$
$12 \div 2 = ■$

7. $■ \times 2 = 14$
$14 \div 2 = ■$

8. $■ \times 2 = 16$
$16 \div 2 = ■$

9. $■ \times 2 = 18$
$18 \div 2 = ■$

EXERCICES

Divise.

1.	18 ÷ 2	**2.**	16 ÷ 2	**3.**	14 ÷ 2	**4.**	12 ÷ 2
5.	10 ÷ 2	**6.**	8 ÷ 2	**7.**	6 ÷ 2	**8.**	4 ÷ 2
9.	2 ÷ 2	**10.**	18 ÷ 2	**11.**	16 ÷ 2	**12.**	10 ÷ 2

Résous les problèmes.

13. 10 
2 par bicyclette.
Il y a ■ bicyclettes.

14. 16 
2  par charette.
Il y a ■ charettes.

15. 14
2  par bicyclette.
Il y a ■ bicyclettes.

16. 2 
2  par voiture.
Il y a ■ voitures.

Une course de motocyclettes

Trouve le nombre qui permet de terminer la course.

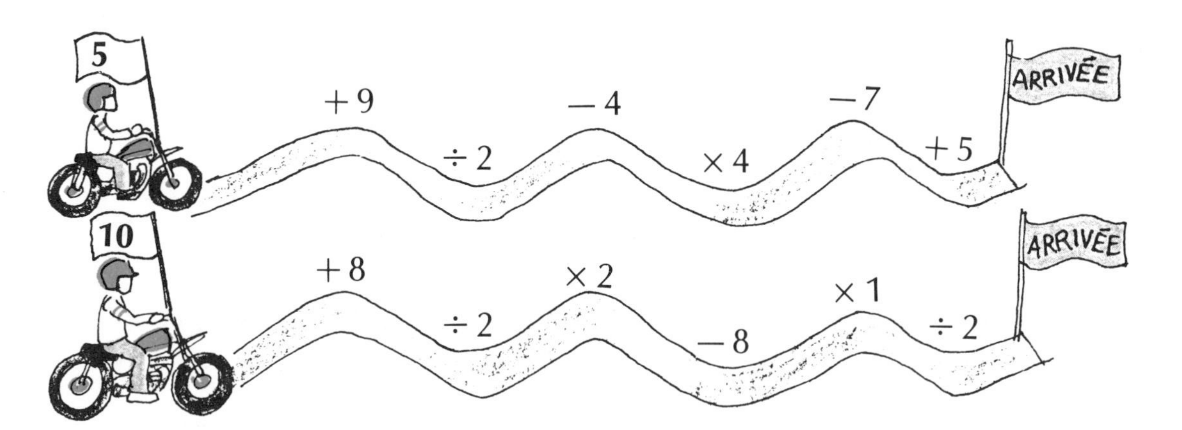

Cinq

45 pneus
5 pneus dans chaque tas
Combien y a-t-il de tas?

Réfléchis! Combien y a-t-il de groupes de 5 dans 45?

$$\blacksquare \times 5 = 45$$
$$45 \div 5 = \mathbf{9}$$

Il y a 9 tas de 5 pneus chacun dans 45.

EXERCICES

Sers-toi de l'illustration pour résoudre les équations.

1. Combien y a-t-il de groupes de 5 dans 5?
$\blacksquare \times 5 = 5$
$5 \div 5 = \blacksquare$

2. Combien y a-t-il de groupes de 5 dans 10?
$\blacksquare \times 5 = 10$
$10 \div 5 = \blacksquare$

3. Combien y a-t-il de groupes de 5 dans 15?
$\blacksquare \times 5 = 15$
$15 \div 5 = \blacksquare$

4. $\blacksquare \times 5 = 20$
$20 \div 5 = \blacksquare$

5. $\blacksquare \times 5 = 25$
$25 \div 5 = \blacksquare$

6. $\blacksquare \times 5 = 30$
$30 \div 5 = \blacksquare$

7. $\blacksquare \times 5 = 35$
$35 \div 5 = \blacksquare$

8. $\blacksquare \times 5 = 40$
$40 \div 5 = \blacksquare$

9. $\blacksquare \times 5 = 45$
$45 \div 5 = \blacksquare$

EXERCICES

Divise.

1. 15 ÷ 5	**2.** 10 ÷ 5	**3.** 45 ÷ 5	**4.** 30 ÷ 5
5. 40 ÷ 5	**6.** 5 ÷ 5	**7.** 35 ÷ 5	**8.** 25 ÷ 5
9. 20 ÷ 5	**10.** 10 ÷ 2	**11.** 10 ÷ 5	**12.** 40 ÷ 5

Résous les problèmes.

13. 30 en tout
5 par rangée
Il y a ■ rangées.

14. 20  en tout
5 par voiture
Il y a ■ voitures.

15. 25  en tout
5  par voiture
Il y a ■ voitures.

RÉVISION

Recopie et résous les équations.

1. 
12 ÷ 4 = ■

2. 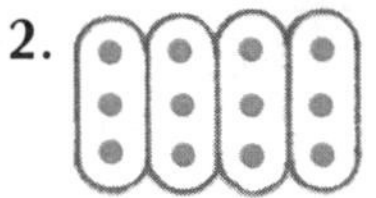
12 ÷ 3 = ■

3. 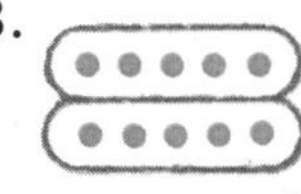
10 ÷ 5 = ■

4. 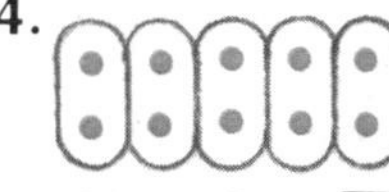
10 ÷ 2 = ■

5. 3 × 2 = ■	**6.** 2 × 3 = ■	**7.** 6 × 3 = ■	**8.** 3 × 6 = ■
6 ÷ 2 = ■	6 ÷ 3 = ■	18 ÷ 3 = ■	18 ÷ 6 = ■

Divise.

9. 4 ÷ 2	**10.** 14 ÷ 2	**11.** 18 ÷ 2	**12.** 2 ÷ 2
13. 8 ÷ 2	**14.** 16 ÷ 2	**15.** 12 ÷ 2	**16.** 10 ÷ 2
17. 40 ÷ 5	**18.** 20 ÷ 5	**19.** 45 ÷ 5	**20.** 25 ÷ 5
21. 15 ÷ 5	**22.** 30 ÷ 5	**23.** 10 ÷ 5	**24.** 35 ÷ 5

Trois

18 roues
3 roues par avion
Combien y a-t-il d'avions?
Réfléchis!
Combien y a-t-il de groupes de 3 dans 18?

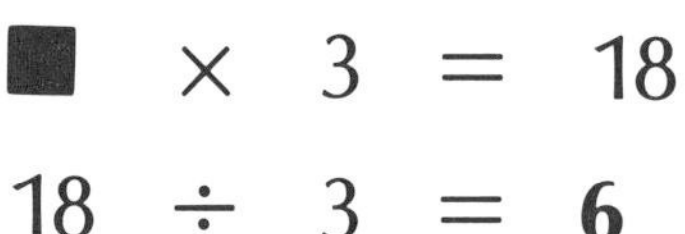

$$\blacksquare \times 3 = 18$$

$$18 \div 3 = \mathbf{6}$$

Il y a 6 avions en tout.

> Souviens-toi: diviser, c'est trouver le **facteur qui manque**.

EXERCICES

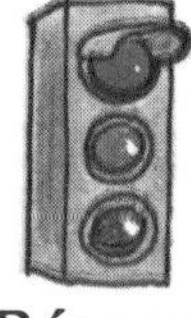 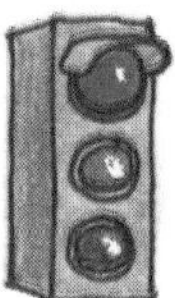 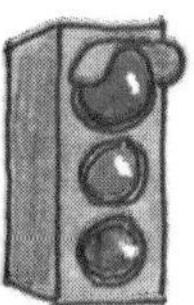 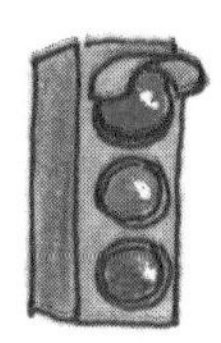     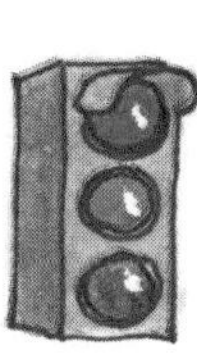

Résous les équations.

1. Combien y a-t-il de groupes de 3 dans 3?
$\blacksquare \times 3 = 3$
$3 \div 3 = \blacksquare$

2. Combien y a-t-il de groupes de 3 dans 6?
$\blacksquare \times 3 = 6$
$6 \div 3 = \blacksquare$

3. Combien y a-t-il de groupes de 3 dans 9?
$\blacksquare \times 3 = 9$
$9 \div 3 = \blacksquare$

4. $\blacksquare \times 3 = 12$
$12 \div 3 = \blacksquare$

5. $\blacksquare \times 3 = 15$
$15 \div 3 = \blacksquare$

6. $\blacksquare \times 3 = 18$
$18 \div 3 = \blacksquare$

7. $\blacksquare \times 3 = 21$
$21 \div 3 = \blacksquare$

8. $\blacksquare \times 3 = 24$
$24 \div 3 = \blacksquare$

9. $\blacksquare \times 3 = 27$
$27 \div 3 = \blacksquare$

EXERCICES

Divise.

1.	15 ÷ 3	**2.**	12 ÷ 3	**3.**	3 ÷ 3	**4.**	9 ÷ 3
5.	21 ÷ 3	**6.**	18 ÷ 3	**7.**	27 ÷ 3	**8.**	24 ÷ 3
9.	6 ÷ 3	**10.**	6 ÷ 2	**11.**	15 ÷ 3	**12.**	15 ÷ 5

Résous les problèmes.

13. 24 en tout

3  par tricycle

Il y a ■ tricycles.

14. 18  en tout

3  par avion

Il y a ■ avions.

15. 15  en tout

3 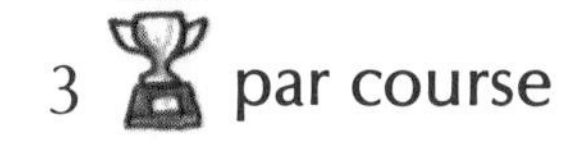 par course

Il y a ■ courses.

16. 6  en tout

2  par pneu

Il y a ■ pneus.

17. 27  en tout

3 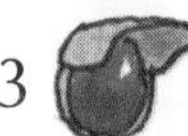 par carrefour

Il y a ■ carrefours.

18. 15  en tout

5 par voiture

Il y a ■ voitures.

Attention au décollage!

Effectue les divisions.

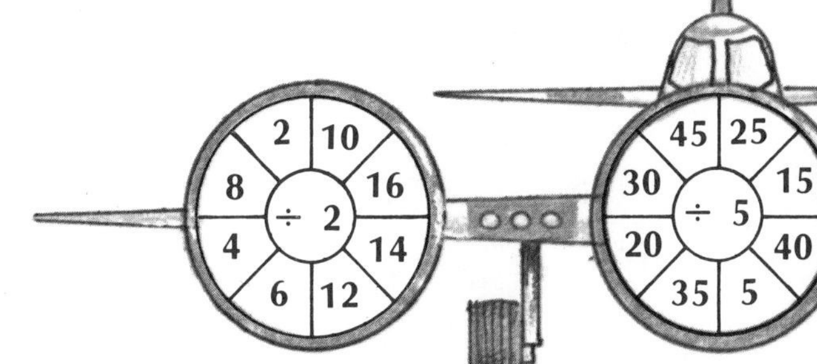

Quatre

24 voitures de course
4 par rangée
Combien y a-t-il de rangées?

Réfléchis! Combien y a-t-il de groupes de 4 dans 24?

$$\blacksquare \times 4 = 24$$
$$24 \div 4 = \mathbf{6}$$

Il y a 6 rangées de voitures de course.

EXERCICES

Résous les équations.

1. Combien y a-t-il de groupes de 4 dans 4?
$\blacksquare \times 4 = 4$
$4 \div 4 = \blacksquare$

2. Combien y a-t-il de groupes de 4 dans 8?
$\blacksquare \times 4 = 8$
$8 \div 4 = \blacksquare$

3. Combien y a-t-il de groupes de 4 dans 12?
$\blacksquare \times 4 = 12$
$12 \div 4 = \blacksquare$

4. $\blacksquare \times 4 = 16$
$16 \div 4 = \blacksquare$

5. $\blacksquare \times 4 = 20$
$20 \div 4 = \blacksquare$

6. $\blacksquare \times 4 = 24$
$24 \div 4 = \blacksquare$

7. $\blacksquare \times 4 = 28$
$28 \div 4 = \blacksquare$

8. $\blacksquare \times 4 = 32$
$32 \div 4 = \blacksquare$

9. $\blacksquare \times 4 = 36$
$36 \div 4 = \blacksquare$

EXERCICES

Divise.

1. 24 ÷ 4	**2.** 32 ÷ 4	**3.** 4 ÷ 4	**4.** 16 ÷ 4
5. 28 ÷ 4	**6.** 36 ÷ 4	**7.** 8 ÷ 4	**8.** 12 ÷ 4
9. 20 ÷ 4	**10.** 20 ÷ 5	**11.** 12 ÷ 4	**12.** 12 ÷ 3
13. 8 ÷ 4	**14.** 8 ÷ 2	**15.** 32 ÷ 4	**16.** 28 ÷ 4

Résous les problèmes.

17. 36  en tout

4  par voiture

Il y a ■ voitures.

18. 28 en tout

4  par voiture

Il y a ■ voitures.

19. 24  en tout

4  par boîte

Il y a ■ boîtes.

20. 20  en tout

4 par rangée

Il y a ■ rangées.

Embouteillage

Aide Jean à garer 24 voitures en rangées égales.

Utilise des diagrammes pour représenter chaque solution.

Zéro et un

4 roues
1 roue par monocycle
Combien peut-on fabriquer de monocycles?

Rappelle-toi que la multiplication
peut t'aider.

$$\mathbf{4} \times 1 = 4$$

$$4 \div 1 = \mathbf{4}$$

On peut fabriquer
4 monocycles.

Il ne reste aucune roue.
Combien peut-on fabriquer de tricycles?

$$\mathbf{0} \times 3 = 0$$

$$0 \div 3 = \mathbf{0}$$

On ne peut fabriquer aucun tricycle.

EXERCICES

Recopie et résous les équations.

1. $\blacksquare \times 1 = 6$
$6 \div 1 = \blacksquare$

2. $\blacksquare \times 9 = 0$
$0 \div 9 = \blacksquare$

3. $\blacksquare \times 3 = 3$
$3 \div 3 = \blacksquare$

4. $\blacksquare \times 1 = 0$
$0 \div 1 = \blacksquare$

5. $\blacksquare \times 1 = 1$
$1 \div 1 = \blacksquare$

6. $\blacksquare \times 1 = 2$
$2 \div 1 = \blacksquare$

7. $0 \div 8 = \blacksquare$

8. $0 \div 10 = \blacksquare$

9. $0 \div 23 = \blacksquare$

10. $8 \div 1 = \blacksquare$

11. $10 \div 1 = \blacksquare$

12. $23 \div 1 = \blacksquare$

EXERCICES

Divise.

1. 4 ÷ 1	**2.** 9 ÷ 1	**3.** 2 ÷ 1	**4.** 5 ÷ 1
5. 0 ÷ 2	**6.** 0 ÷ 8	**7.** 0 ÷ 5	**8.** 0 ÷ 9
9. 6 ÷ 6	**10.** 8 ÷ 1	**11.** 1 ÷ 1	**12.** 0 ÷ 1

Résous les problèmes.

13. 5 oiseaux
1 par cage
Il y a ■ cages.

14. Deux enfants veulent partager un paquet de biscuits, mais il n'en reste plus. Combien y a-t-il de biscuits pour chaque enfant?

Des roues à divisions

Dessine-les et effectue les divisions.

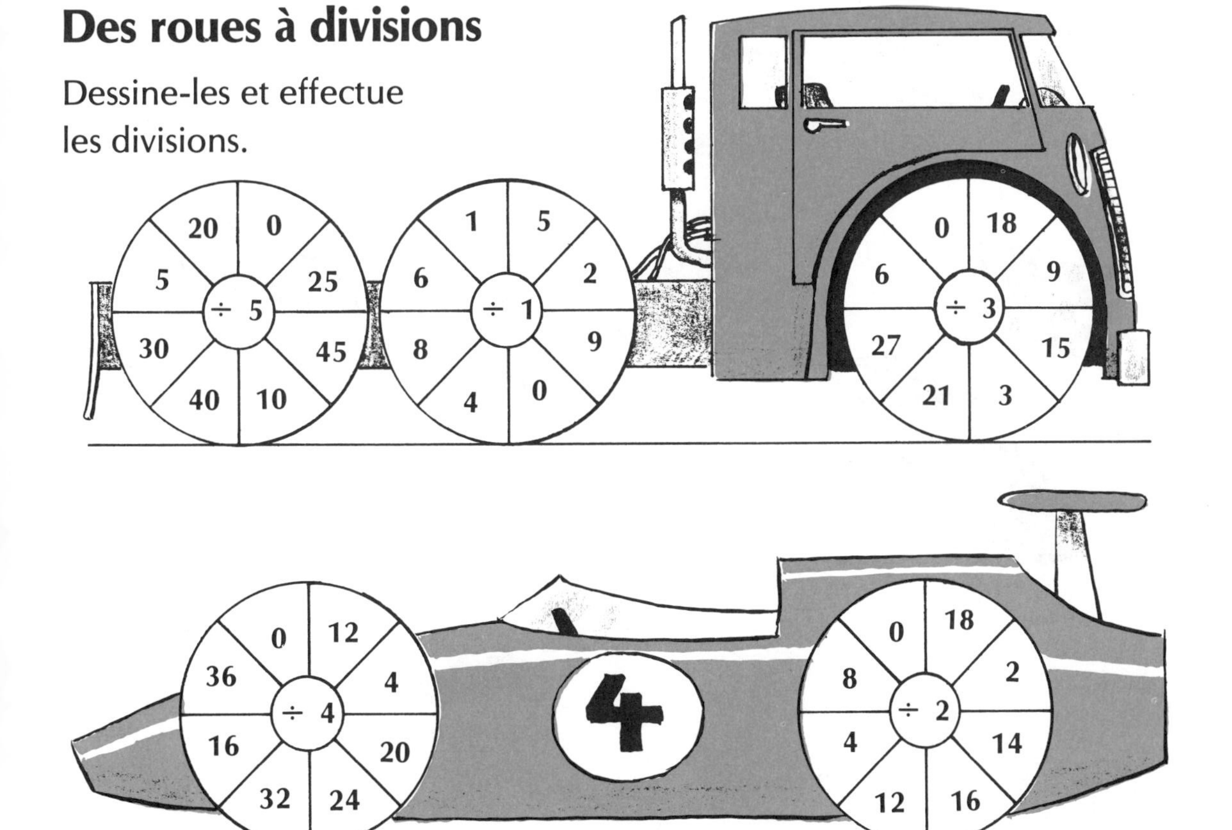

Épreuves éliminatoires

Choisis d'abord l'opération, puis écris l'équation.

1. 5 
   4 roues par voiture
   Combien y a-t-il de roues?
   \+ − × ÷

2 2. 12 roues en tout
   4 par
   Combien y a-t-il de voitures?
   \+ − × ÷

3. 13 voitures de course
   7 se retirent
   Combien en reste-t-il?
   \+ − × ÷

4. 14 pilotes
   2 par voiture
   Combien y a-t-il de voitures?
   \+ − × ÷

5. sept
   huit
   six
   Combien y a-t-il de voitures?
   \+ − × ÷

6. 15 motocyclettes au départ
   3 par rangée
   Combien y a-t-il de rangées?

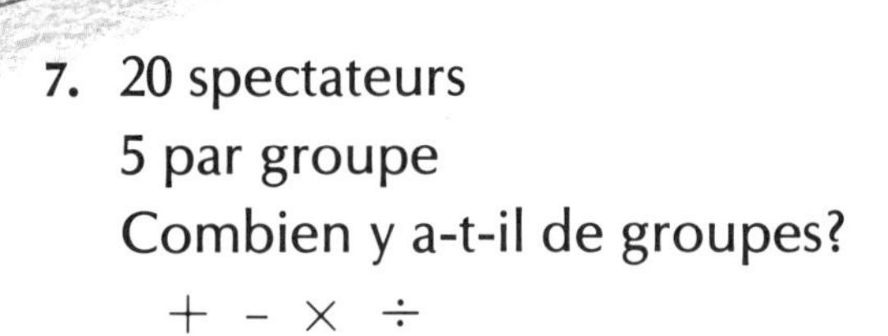

7. 20 spectateurs
   5 par groupe
   Combien y a-t-il de groupes?
   \+ − × ÷

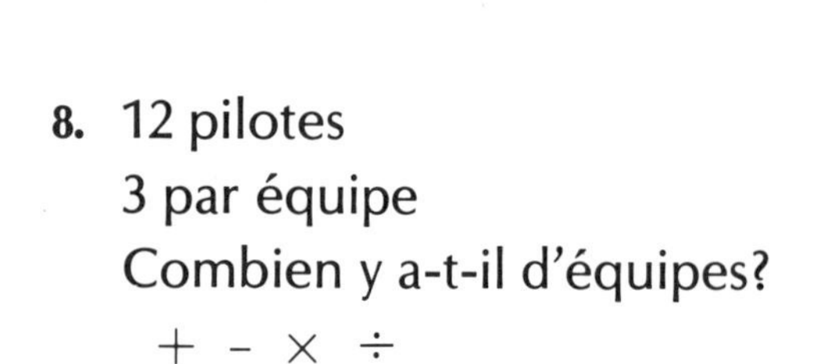

8. 12 pilotes
   3 par équipe
   Combien y a-t-il d'équipes?
   \+ − × ÷

9. 6 terminent la course.
   2 roues par moto
   Combien y en a-t-il en tout?
   \+ − × ÷

Diagrammes

Dessine un diagramme. Écris une équation et réponds par une phrase.

1. Un ensemble de bicyclettes a 14 roues.
   Il y a ■

2. Un ensemble de patins à roulettes a 16 roues.
   Il y a ■

3. Un ensemble de **triangles** a 12 côtés.
   Combien y a-t-il de △?

4. Un ensemble de **carrés** a 20 côtés.
   Combien y a-t-il de □?

RÉVISION

Divise.

1. 27 ÷ 3	**2.** 6 ÷ 3	**3.** 12 ÷ 3	**4.** 21 ÷ 3
5. 3 ÷ 3	**6.** 24 ÷ 3	**7.** 18 ÷ 3	**8.** 9 ÷ 3
9. 16 ÷ 4	**10.** 24 ÷ 4	**11.** 8 ÷ 4	**12.** 4 ÷ 4
13. 12 ÷ 4	**14.** 20 ÷ 4	**15.** 32 ÷ 4	**16.** 36 ÷ 4
17. 0 ÷ 8	**18.** 0 ÷ 3	**19.** 4 ÷ 1	**20.** 6 ÷ 1
21. 0 ÷ 2	**22.** 5 ÷ 1	**23.** 9 ÷ 1	**24.** 0 ÷ 9

TEST CHAPITRE 8

Représente des groupes de:

1. 3 dans 18.
2. 2 dans 18.
3. 4 dans 12.
4. 5 dans 20.

Résous les équations.

5. $3 \times 5 = \blacksquare$

   $15 \div 5 = \blacksquare$

6. $2 \times 3 = \blacksquare$

   $6 \div 3 = \blacksquare$

7. $\blacksquare \times 3 = 18$

   $18 \div 3 = \blacksquare$

8. $\blacksquare \times 4 = 8$

   $8 \div 4 = \blacksquare$

Divise.

9.	$14 \div 2$	**10.**	$10 \div 2$	**11.**	$2 \div 2$	**12.**	$18 \div 2$
13.	$4 \div 2$	**14.**	$12 \div 2$	**15.**	$16 \div 2$	**16.**	$8 \div 2$
17.	$40 \div 5$	**18.**	$5 \div 5$	**19.**	$30 \div 5$	**20.**	$25 \div 5$
21.	$45 \div 5$	**22.**	$15 \div 5$	**23.**	$20 \div 5$	**24.**	$35 \div 5$
25.	$21 \div 3$	**26.**	$3 \div 3$	**27.**	$27 \div 3$	**28.**	$9 \div 3$
29.	$24 \div 3$	**30.**	$18 \div 3$	**31.**	$6 \div 3$	**32.**	$15 \div 3$
33.	$32 \div 4$	**34.**	$36 \div 4$	**35.**	$28 \div 4$	**36.**	$16 \div 4$
37.	$12 \div 4$	**38.**	$8 \div 4$	**39.**	$20 \div 4$	**40.**	$24 \div 4$
41.	$0 \div 3$	**42.**	$5 \div 1$	**43.**	$1 \div 1$	**44.**	$0 \div 1$

Résous les problèmes.

45. 24 enfants

    4 par

    Il y a ■

46. 30 enfants

    6 par

    Il y a ■ 

REPRISE LA MULTIPLICATION

Complète la suite de nombres.

1. 3, 6, ■, ■ **2.** 20, 25, ■, ■ **3.** 10, 12, ■, ■

Complète.

4. $2 + 2 + 2 = ■$ **5.** $3 \times 2 = ■$ **6.** $3 + 3 = ■$

7. $2 \times 3 = ■$ **8.** $4 + 4 + 4 + 4 = ■$ **9.** $4 \times ■ = 16$

10. $5 + 5 + 5 = ■$ **11.** $■ \times 5 = 15$ **12.** $2 \times 9 = 9 \times ■$

Multiplie.

13. 4×3 **14.** 3×4 **15.** 5×2 **16.** 2×5

17. 2×6 **18.** 2×7 **19.** 2×8 **20.** 2×9

21. 2×0 **22.** 2×1 **23.** 2×2 **24.** 2×3

25. 4×5 **26.** 5×5 **27.** 6×5 **28.** 7×5

29. 8×5 **30.** 9×5 **31.** 0×5 **32.** 1×5

33. 4×3 **34.** 5×3 **35.** 6×3 **36.** 7×3

37. 0×3 **38.** 1×3 **39.** 2×3 **40.** 3×3

41. 4×6 **42.** 4×7 **43.** 4×8 **44.** 4×9

45. 2×4 **46.** 3×4 **47.** 4×4 **48.** 5×4

Résous les problèmes.

49. Combien coûtent 2 livres?
3 livres?
4 livres?
5 livres?

CHAPITRE 9

L'ADDITION

Devoirs pour la fin de semaine

Aide Anne et Jacques à finir leurs devoirs.

Pour lundi

Anne

1. 35 + 44	2. 72 + 9	3. 84 + 52	4. 58 + 68	5. 75 + 22
6. 35 + 7	7. 74 + 74	8. 93 + 99	9. 63 + 67	10. 18 + 48
11. 85 + 75	12. 66 + 37	13. 94 + 8	14. 53 + 78	

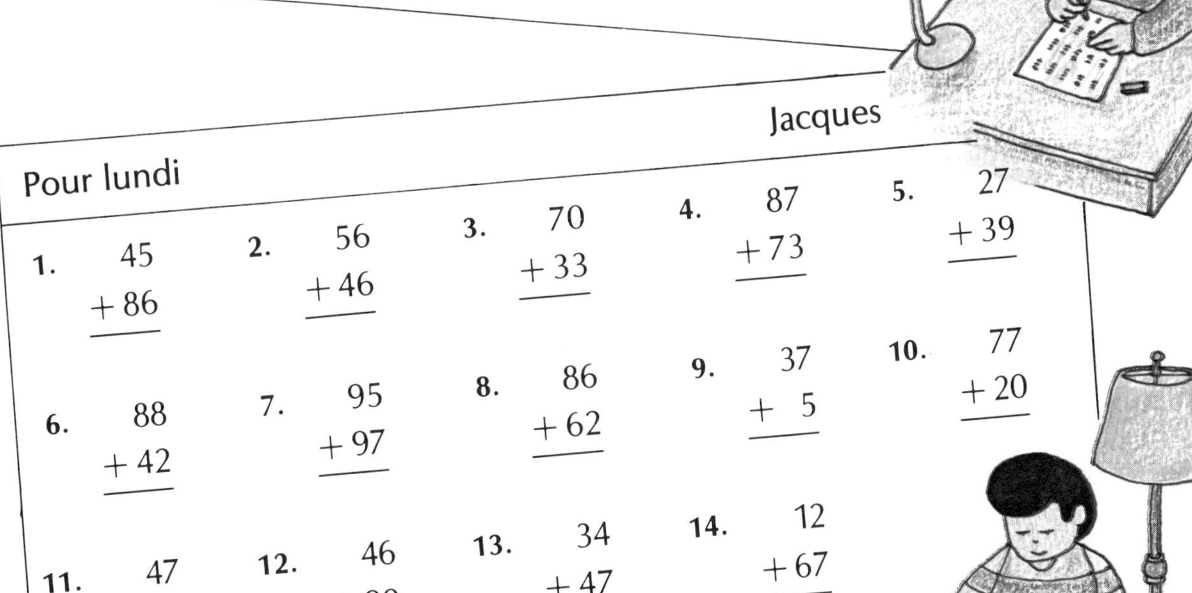

Jacques

Pour lundi

1. 45 + 86	2. 56 + 46	3. 70 + 33	4. 87 + 73	5. 27 + 39
6. 88 + 42	7. 95 + 97	8. 86 + 62	9. 37 + 5	10. 77 + 20
11. 47 + 79	12. 46 + 90	13. 34 + 47	14. 12 + 67	

L'addition des centaines

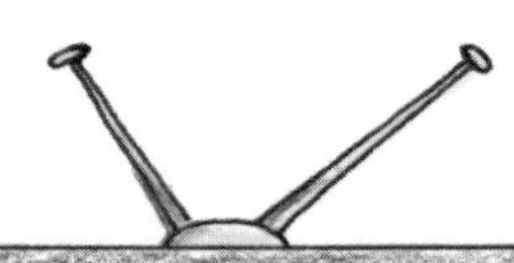

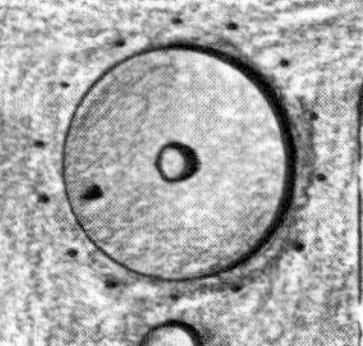

Additionne les unités. Fais-tu un échange?	Additionne les dizaines.	**Additionne les centaines.**
342 + 205 = 7	342 + 205 = 47	342 + 205 = 547
256 + 536 = 2 (retenue 1)	256 + 536 = 92 (retenue 1)	256 + 536 = 792 (retenue 1)

Dessins animés du samedi matin.

EXERCICES

Finis les additions.

1. 235 + 624 = ■59
2. 360 + 412 = ■■2
3. 735 + 262 = ■■■
4. 740 + 27 = ■■■
5. 635 + 104 = ■■■
6. 352 + 249 (retenue ■)
7. 352 + 247
8. 587 + 108 (retenue ■)
9. 587 + 102
10. 108 + 82 (retenue ■)
11. 108 + 81
12. 254 + 437 (retenue ■)
13. 254 + 433
14. 309 + 608 (retenue ■)
15. 301 + 608

EXERCICES

Additionne.

1. $\begin{array}{r} 265 \\ +426 \\ \hline \end{array}$
2. $\begin{array}{r} 347 \\ +343 \\ \hline \end{array}$
3. $\begin{array}{r} 928 \\ +61 \\ \hline \end{array}$
4. $\begin{array}{r} 368 \\ +502 \\ \hline \end{array}$
5. $\begin{array}{r} 204 \\ +788 \\ \hline \end{array}$
6. $\begin{array}{r} 736 \\ +54 \\ \hline \end{array}$
7. $\begin{array}{r} 223 \\ +769 \\ \hline \end{array}$
8. $\begin{array}{r} 839 \\ +109 \\ \hline \end{array}$
9. $\begin{array}{r} 974 \\ +24 \\ \hline \end{array}$
10. $\begin{array}{r} 311 \\ +479 \\ \hline \end{array}$
11. $\begin{array}{r} 727 \\ +267 \\ \hline \end{array}$
12. $\begin{array}{r} 680 \\ +310 \\ \hline \end{array}$
13. $\begin{array}{r} 609 \\ +101 \\ \hline \end{array}$
14. $\begin{array}{r} 300 \\ +500 \\ \hline \end{array}$
15. $\begin{array}{r} 886 \\ +108 \\ \hline \end{array}$

16. **a** et **b**
17. **a** plus **c**
18. **a** et **d**
19. **a** plus **e**
20. **b** et **c**
21. **b** plus **d**
22. **b** et **e**
23. **d** plus **d**
24. **c** et **e**
25. **d** plus **e**

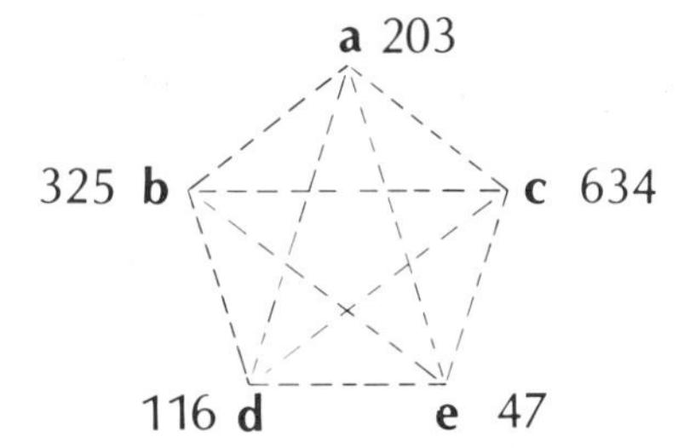

Jeux vidéo

Combien y a-t-il de milliers?

1. 3625
2. 9200
3. 352
4. 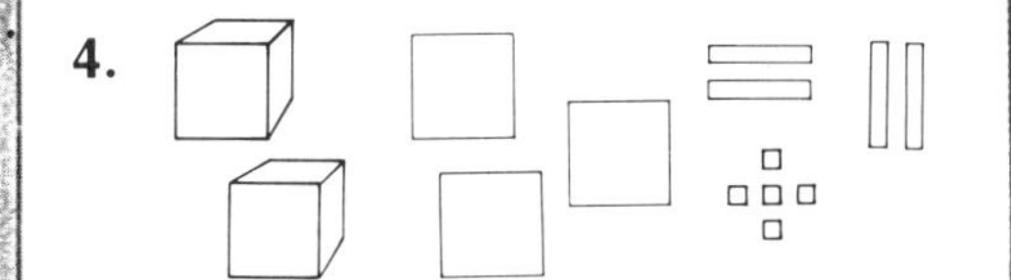

Écris en chiffres.

5. deux mille cent
6. quatre mille seize
7. neuf mille trois
8. 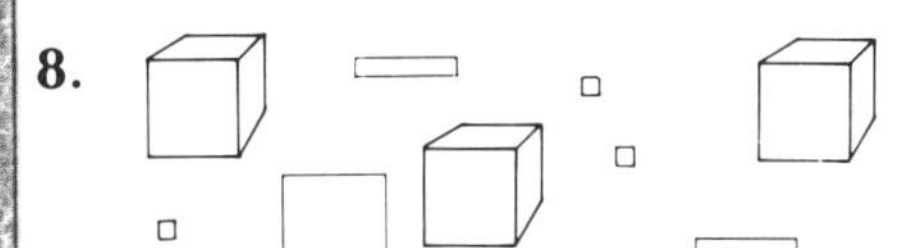

Échange de dizaines

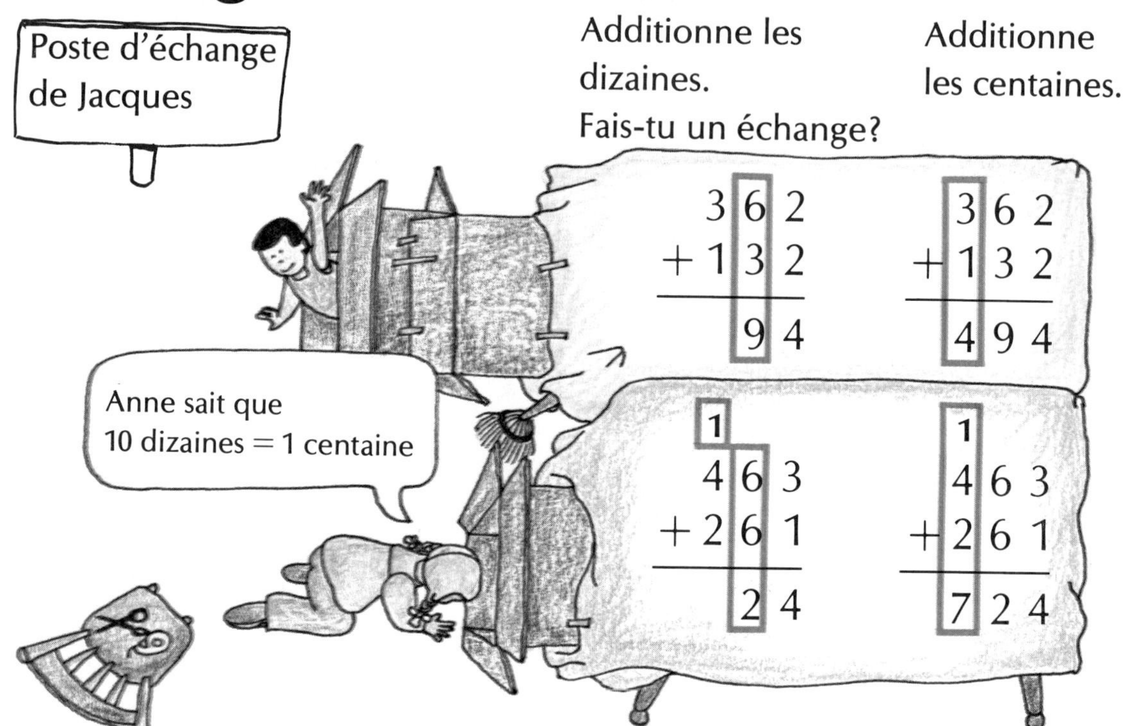

EXERCICES

Finis les additions.

	Retenue	Nombre	Addition	Somme
1.	1	432	+ 184	■16
2.	1	670	+ 275	■45
3.	1	587	+ 282	■69
4.		320	+ 420	■40
5.		742	+ 142	■84
6.	■	273	+ 343	■■6
7.	■	393	+ 552	■■5
8.	■	779	+ 90	■■9
9.		700	+ 40	■■0
10.		210	+ 674	■■4
11.		372	+ 557	
12.		682	+ 75	
13.		542	+ 147	
14.		364	+ 35	
15.		65	+ 340	

EXERCICES

Additionne.

1. $364 + 353$
2. $589 + 220$
3. $402 + 597$
4. $375 + 624$
5. $600 + 75$
6. $721 + 88$
7. $388 + 110$
8. $645 + 80$
9. $103 + 306$
10. $224 + 494$
11. $863 + 130$
12. $759 + 170$
13. $350 + 359$
14. $277 + 672$
15. $833 + 95$
16. $265 + 700$
17. $437 + 480$
18. $891 + 98$
19. $654 + 182$
20. $163 + 772$

21. **a + b** **22.** **a + c**

23. **a + d** **24.** **b + c**

25. **b + d** **26.** **c + d**

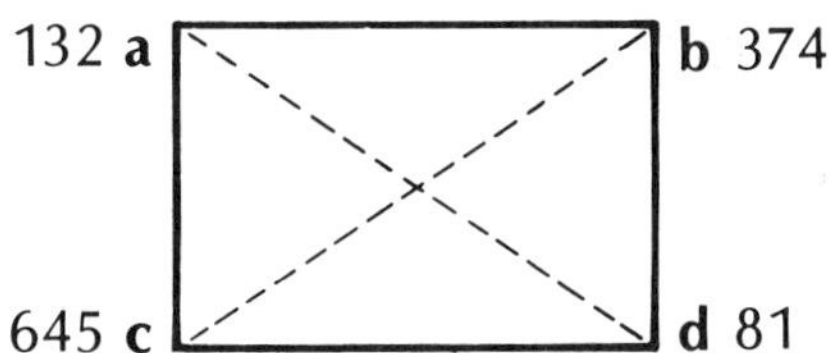

Un labyrinthe de nombres

Le fil d'Ariane est 71. Ajoute ce nombre à celui qui se trouve dans les cases par lesquelles tu passes. Écris les nombres que tu rencontres.

DÉPART 69	132	566	466	627	718	789
140	211	324	495	566	637	608
253	282	353	424	324	708	789
414	343	414	485	556 ARRIVÉE	779 ARRIVÉE	780 ARRIVÉE

Échange d'unités et de dizaines

Samedi, après le déjeuner, la famille lit le journal.

Une addition de dernière heure

$$\begin{array}{r} 365 \\ +\,237 \\ \hline \end{array}$$

Additionne les unités. Fais-tu un échange?

$$\begin{array}{r} {\scriptstyle 1} \\ 3\;6\;5 \\ +\;2\;3\;7 \\ \hline 2 \end{array}$$

Additionne les dizaines. Fais-tu un échange?

$$\begin{array}{r} {\scriptstyle 1\,1} \\ 3\;6\;5 \\ +\;2\;3\;7 \\ \hline 0\;2 \end{array}$$

Additionne les centaines.

$$\begin{array}{r} {\scriptstyle 1\,1} \\ 3\;6\;5 \\ +\;2\;3\;7 \\ \hline 6\;0\;2 \end{array}$$

Édition de dernière heure
LE CIRQUE EST ARRIVÉ!

$$\begin{array}{r} {\scriptstyle 11} \\ 458 \\ +\,242 \\ \hline 700 \end{array}$$

EXERCICES

Additionne.

1. ■■ 245 + 359	**2.** ■■ 816 + 96	**3.** ■ 329 + 349	**4.** 366 + 523	**5.** ■■ 326 + 297
6. ■■ 639 + 183	**7.** ■ 827 + 91	**8.** ■ 445 + 527	**9.** ■ 485 + 273	**10.** ■■ 707 + 194
11. 334 + 287	**12.** 807 + 105	**13.** 656 + 156	**14.** 392 + 29	**15.** 475 + 9

EXERCICES

Additionne.

1. 736 + 165	2. 425 + 287	3. 892 + 35	4. 663 + 219	5. 821 + 109
6. 705 + 199	7. 800 + 156	8. 306 + 287	9. 212 + 739	10. 358 + 578
11. 832 + 150	12. 744 + 88	13. 536 + 298	14. 670 + 280	15. 733 + 77
16. 480 + 282	17. 765 + 185	18. 639 + 288	19. 247 + 353	20. 524 + 198

21. **a + b** **22.** **a + c**
23. **a + d** **24.** **a + e**
25. **a + f** **26.** **b + c**
27. **b + d** **28.** **b + e**
29. **b + f** **30.** **c + d**
31. **c + e** **32.** **c + f**
33. **d + e** **34.** **d + f**
35. **e + f** **36.** Calcule leur double.

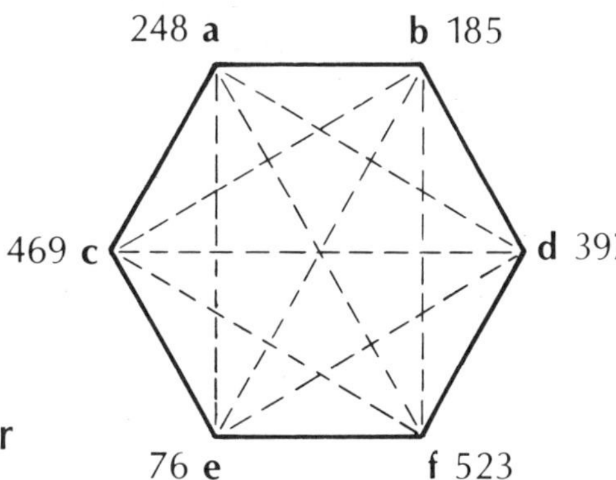

Nouvelles du cirque

Reproduis le casse-tête du professeur, puis représente ces animaux.

un renard

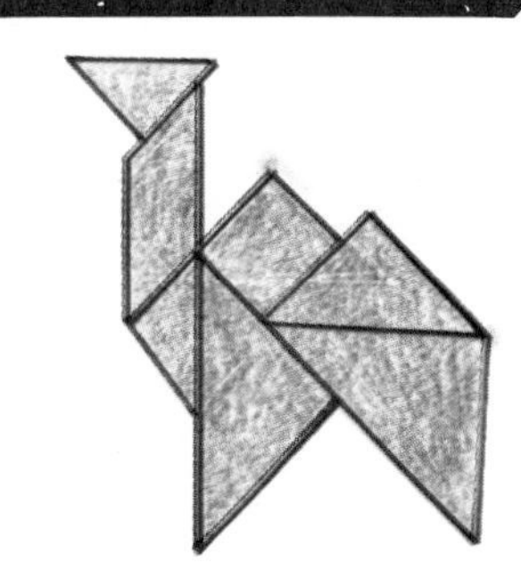

un chameau

Addition de trois nombres de 2 chiffres

Anne a 87¢ pour aller au cirque.
Jacques a 39¢ dans une tirelire et 46¢ dans une autre.
En tout, ils ont 1,72$.

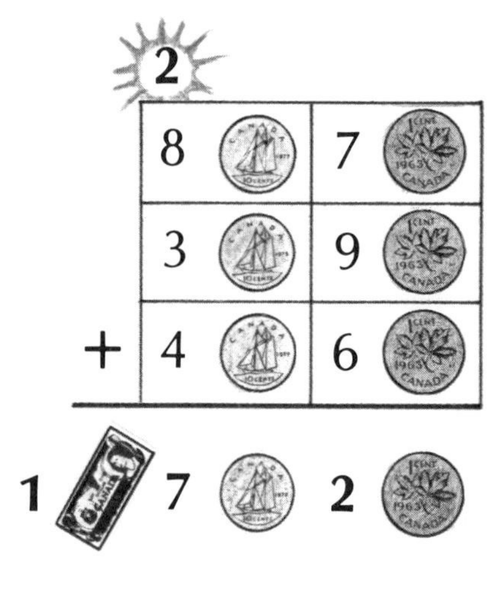

10 cents = 1 pièce de dix cents
10 pièces de dix cents = 1 dollar

20 pièces d'un cent = 2 pièces de dix cents
20 pièces de dix cents = 2 dollars

EXERCICES

Additionne.

1. 9 + 5 + 8
2. 6 + 3 + 2
3. ■ 49 + 35 + 28
4. 7 + 5 + 8
5. 9 + 6 + 8
6. ■ 77 + 65 + 88
7. 4 + 6 + 5
8. 2 + 9 + 9
9. ■ 14 + 96 + 95
10. 8 + 3 + 4
11. 3 + 5 + 1
12. ■ 28 + 53 + 14

EXERCICES

Additionne.

1.	2.	3.	4.	5.
76	31	83	63	69
28	54	62	27	89
+ 49	+ 23	+ 80	+ 18	+ 49

Écris la réponse de deux façons: en ¢ et en $.

6. 2 lapins et un singe
7. 2 lapins et un lion
8. un singe et 2 lions

68¢
un lapin

85¢
un singe

43¢
un lion

RÉVISION

Additionne.

1.	2.	3.	4.	5.
365	428	965	432	876
+ 426	+ 345	+ 34	+ 258	+ 116

6.	7.	8.	9.	10.
265	891	375	824	697
+ 384	+ 25	+ 184	+ 83	+ 261

11.	12.	13.	14.	15.
765	284	376	348	563
+ 166	+ 448	+ 424	+ 651	+ 289

16.	17.	18.	19.	20.
65	48	76	84	27
25	48	54	59	28
+ 15	+ 48	+ 32	+ 78	+ 17

Addition de nombres de 3 chiffres

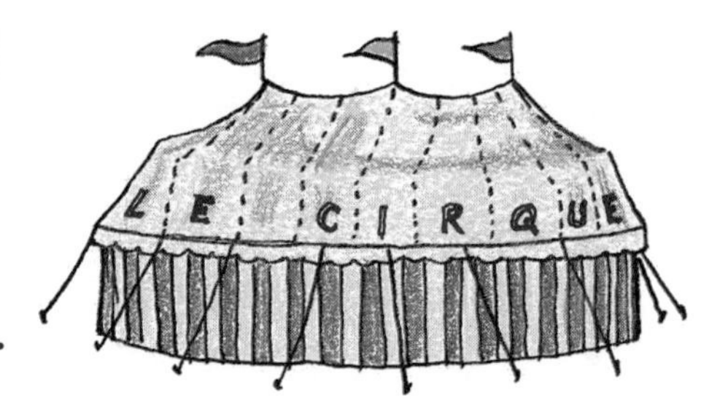

Trois animaux du cirque sont sur la bascule.
Ils ont une masse totale de 837 kilogrammes.

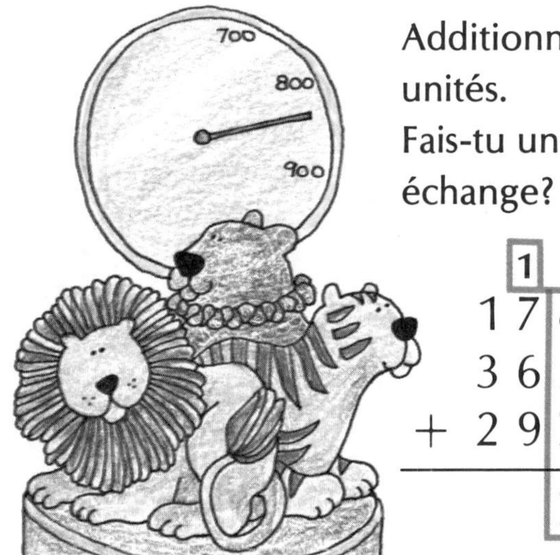

Additionne les unités. Fais-tu un échange?	Additionne les dizaines. Fais-tu un échange?	Additionne les centaines.
$\begin{array}{r} {\scriptstyle 1} \\ 178 \\ 362 \\ +\ 297 \\ \hline 7 \end{array}$	$\begin{array}{r} {\scriptstyle 2\,1} \\ 178 \\ 362 \\ +\ 297 \\ \hline 37 \end{array}$	$\begin{array}{r} {\scriptstyle 2\,1} \\ 178\text{ kg} \\ 362\text{ kg} \\ +\ 297\text{ kg} \\ \hline 837\text{ kg} \end{array}$

EXERCICES

Additionne.

1.	2.	3.	4.	5.	6.
6	9	286	7	7	357
3	4	143	8	5	158
+ 4	+ 9	+ 194	+ 9	+ 9	+ 199

7.	8.	9.	10.	11.	12.
6	6	456	5	4	235
4	6	164	3	8	283
+ 8	+ 3	+ 238	+ 9	+ 5	+ 59

EXERCICES

Additionne.

1.	2.	3.	4.	5.
176	252	234	449	329
255	104	65	444	229
+ 389	+ 631	+ 165	+ 48	+ 301

6.	7.	8.	9.	10.
287	354	156	900	265
427	12	232	6	378
+ 198	+ 22	+ 356	+ 70	+ 78

11.	12.	13.	14.	15.
273	258	173	296	285
79	158	174	294	475
+ 379	+ 358	+ 102	+ 297	+ 166

Calcule la masse totale.

16. 200 kg 

17. 

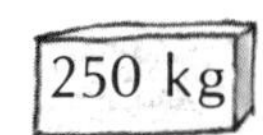

75 kg

18. 25 kg 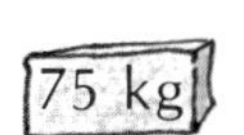

19. 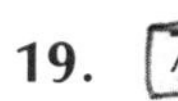

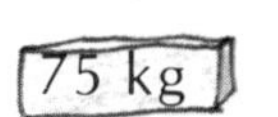

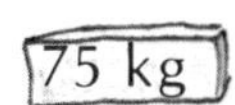

20. 

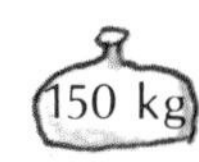

Les bons comptes font les bons amis

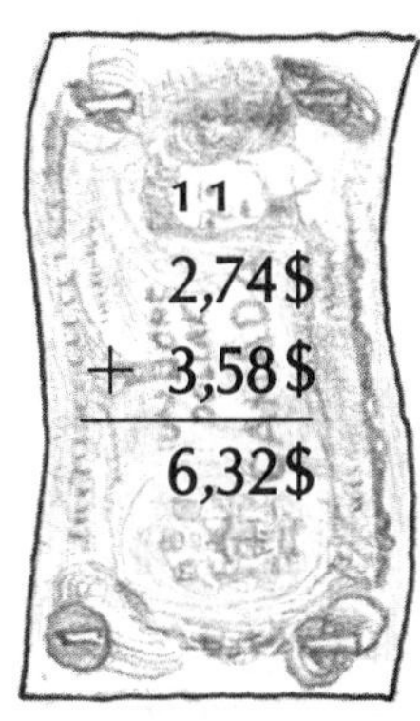

Additionne.

1.	2.	3.
1,65$	2,48$	3,94$
+ 3,78$	+ 5,34$	+ 4,87$

4.	5.	6.
2,82$	6,77$	0,75$
+ 2,84$	+ 0,77$	+ 0,25$

Arrondir

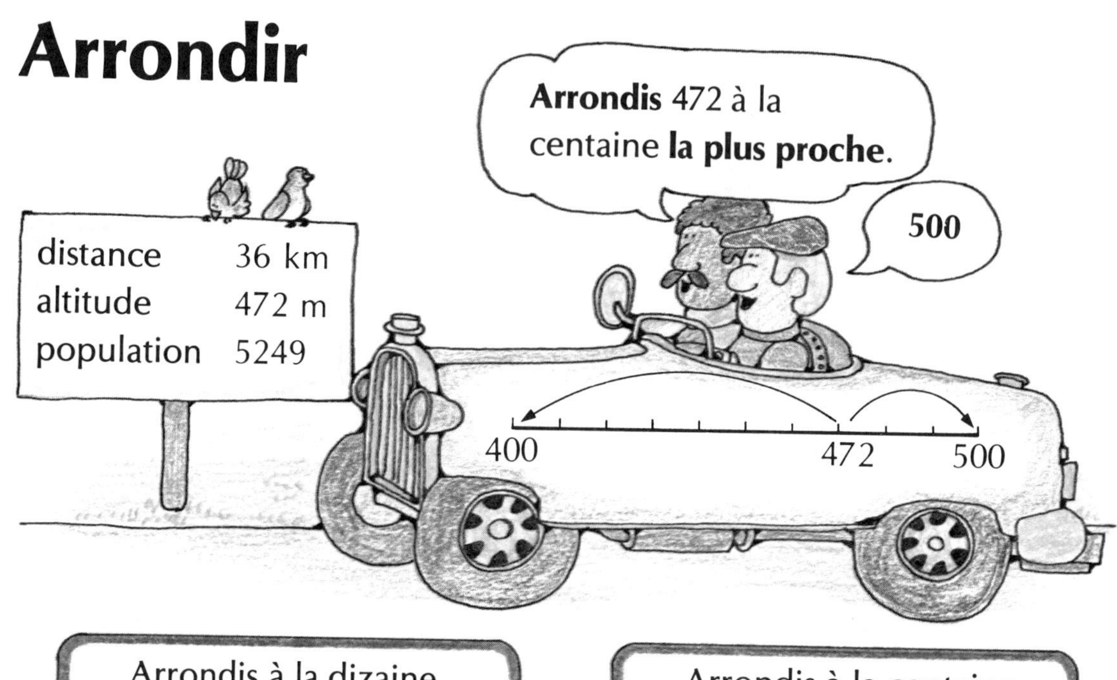

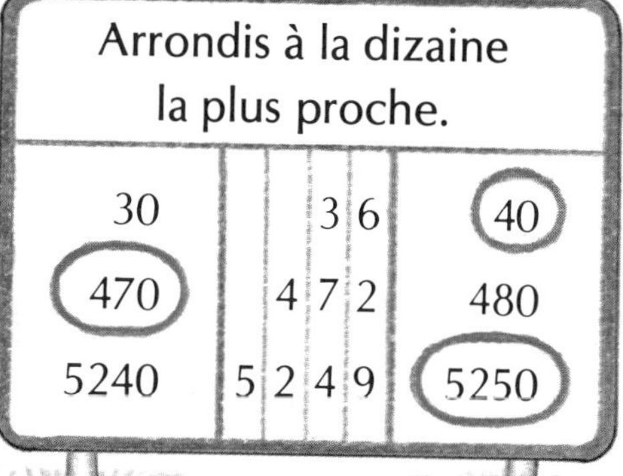

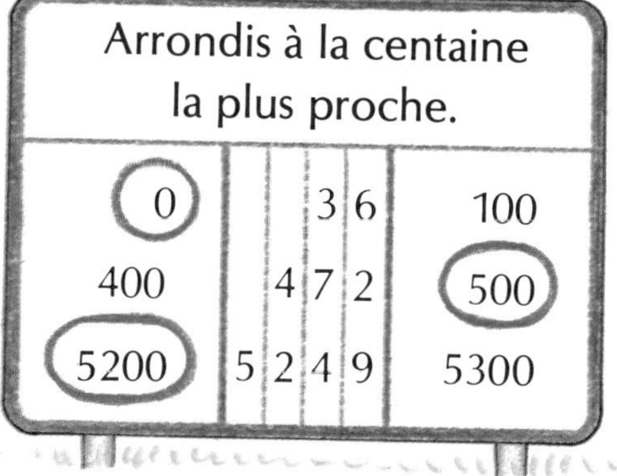

EXERCICES

Arrondis à la dizaine la plus proche.

1. **56**: 50 ou 60
2. **123**: 120 ou 130
3. **75**: 70 ou 80
4. **767**: 760 ou 770
5. **97**: 90 ou 100
6. **242**: 240 ou 250

Arrondis à la centaine la plus proche.

7. **123**: 100 ou 200
8. **757**: 700 ou 800
9. **824**: 800 ou 900
10. **196**: 100 ou 200

EXERCICES

Arrondis à la dizaine la plus proche.

1. 82	**2.** 35	**3.** 24	**4.** 8	**5.** 99
6. 123	**7.** 348	**8.** 275	**9.** 197	**10.** 571
11. 121	**12.** 305	**13.** 627	**14.** 704	**15.** 101

Arrondis à la centaine la plus proche.

16. 620	**17.** 790	**18.** 408	**19.** 865	**20.** 125
21. 259	**22.** 849	**23.** 751	**24.** 325	**25.** 25
26. 3465	**27.** 7205	**28.** 3649	**29.** 1970	**30.** 975

Échange de centaines

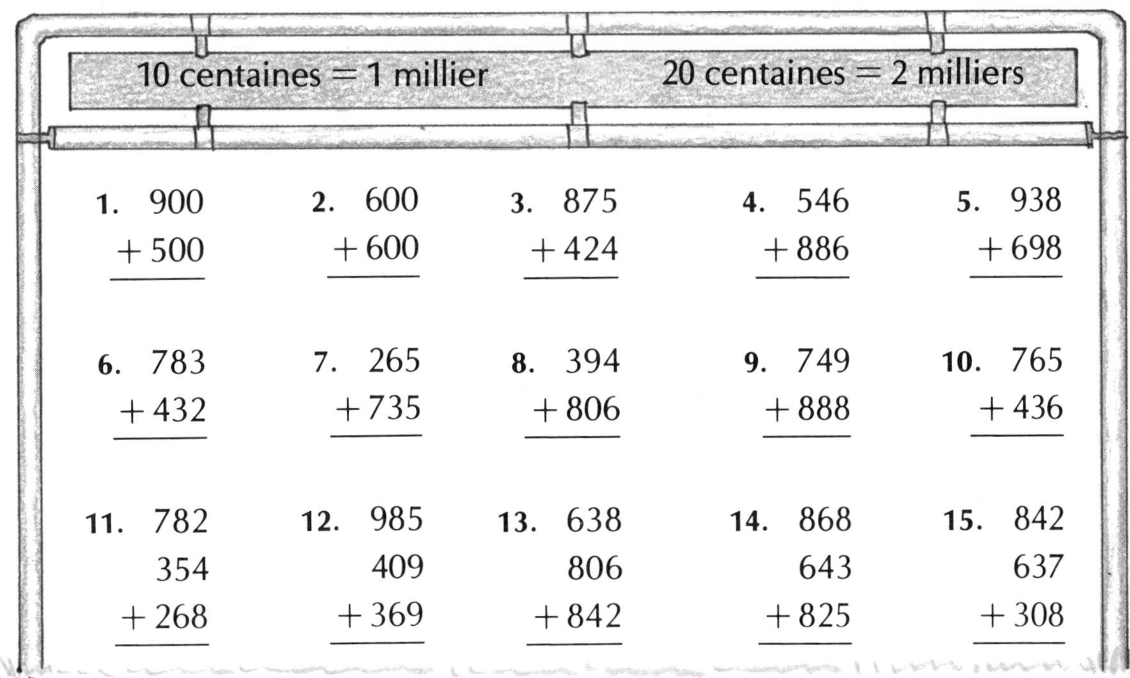

1. $900 + 500$ **2.** $600 + 600$ **3.** $875 + 424$ **4.** $546 + 886$ **5.** $938 + 698$

6. $783 + 432$ **7.** $265 + 735$ **8.** $394 + 806$ **9.** $749 + 888$ **10.** $765 + 436$

11. 782, 354, $+ 268$ **12.** 985, 409, $+ 369$ **13.** 638, 806, $+ 842$ **14.** 868, 643, $+ 825$ **15.** 842, 637, $+ 308$

16. $658243 + 438927$ **17.** $43265802 + 38793099$

Estimation de sommes

Pour estimer une somme, arrondis ses termes, puis additionne-les.

285 + 423 → 300 + 400 → 300 + 400 = 700

EXERCICES

Fais une estimation de la somme.

1.	2.	3.	4.	5.
480 + 210	186 + 592	380 + 317	62 + 72	57 + 92

Fais d'abord une estimation, puis vérifie en additionnant les nombres.

6.	7.	8.	9.	10.
356 + 421	635 + 275	106 + 793	682 + 193	251 + 249

11.	12.	13.	14.	15.
76 + 13	93 + 28	83 + 87	46 + 29	98 + 96

EXERCICES

Faire une estimation pour chaque somme.

1. Le livre de lecture d'Anne a 175 pages.
   Son livre de mathématiques en a 240.
   Les deux ont environ ■ pages.

2. Jacques a une carte d'une valeur de 185$.
   Il a une autre carte d'une valeur de 620$.
   Les deux cartes valent environ ■.

3. $563 + 222$	**4.** $289 + 572$	**5.** $435 + 386$	**6.** $668 + 209$	**7.** $137 + 251$
8. $64 + 89$	**9.** $35 + 68$	**10.** $70 + 93$	**11.** $418 + 75$	**12.** $358 + 96$

13. Vérifie tes réponses en effectuant l'addition.

Une ménagerie appétissante

RÉSOLUTION DE PROBLÈMES

Anne a 4 biscuits et 2 cages.
Elle met 2 biscuits dans chaque cage.
Quelles sont les différentes façons de le faire?
Un bon *conseil*: fais une liste de toutes les paires.

Pour rendre ...

Compte mentalement, puis écris les réponses.

Compte par 1¢.

Compte par 5¢.

Compte par 10¢.

Compte par 25¢.

Compte par 1,00$.

1. de 76¢ à 80¢	**2.** de 2,31$ à 2,35$
3. de 35¢ à 50¢	**4.** de 3,85$ à 4,00$
5. de 60¢ à 1,00$	**6.** de 4,70$ à 5,00$
7. de 25¢ à 1,00$	**8.** de 3,00$ à 4,00$
9. de 1,00$ à 5,00$	**10.** de 0,15$ à 4,15$

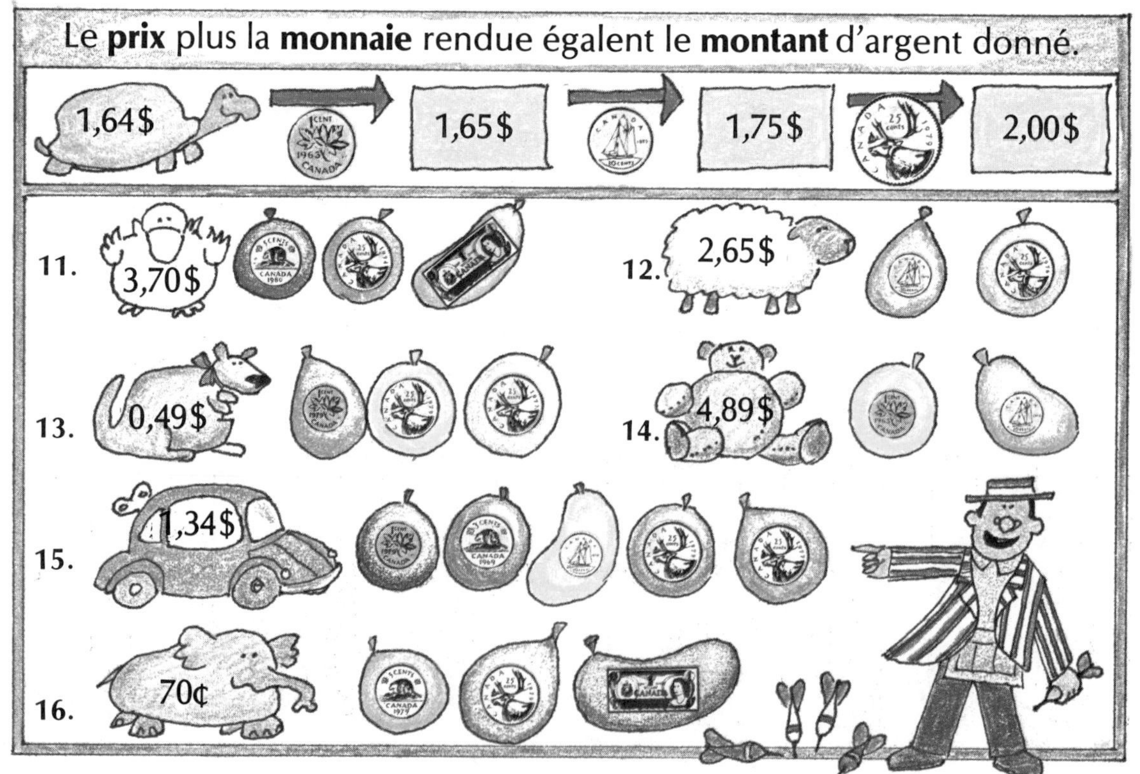

la monnaie de la pièce

Rends la monnaie.

RÉSOLUTION DE PROBLÈMES 3

	Prix	Monnaie	Montant d'argent payé
	3,94$		5,00$
1.	0,73$		1,00$
2.	1,34$		1,50$
3.	1,59$		2,00$
4.	2,74$		5,00$
5.	3,30$		4,00$
6.	3,13$		3,50$

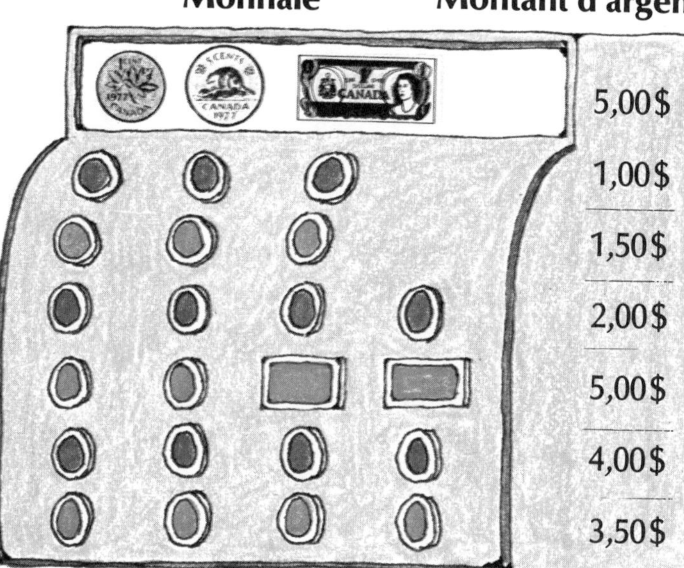

RÉVISION

Additionne.

1. 736 + 129 + 123
2. 486 + 286 + 299
3. 271 + 179 + 379
4. 356 + 246 + 248

Arrondis chaque nombre à la dizaine **et** à la centaine les plus proches.

5. 346
6. 655
7. 74
8. 309

Estime la somme.

9. 358 + 421
10. 409 + 508
11. 78 + 42
12. 33 + 86

TEST CHAPITRE 9

Additionne.

1. 357 + 542	2. 268 + 614	3. 824 + 159	4. 374 + 216
5. 724 + 184	6. 356 + 473	7. 184 + 815	8. 255 + 590
9. 635 + 186	10. 749 + 195	11. 676 + 276	12. 543 + 257
13. 26, 32 + 32	14. 37, 48 + 86	15. 43, 76 + 99	16. 98, 88 + 48
17. 356, 235 + 244	18. 478, 187 + 288	19. 263, 258 + 194	20. 149, 368 + 326

Arrondis chaque nombre à la dizaine et à la centaine les plus proches.

21. 64   22. 235   23. 752   24. 540

Estime la somme.

25. 475 + 335	26. 612 + 322	27. 480 + 395	28. 229 + 496

REPRISE LA DIVISION

Combien y a-t-il de groupes de:

1. 3 dans 12? **2.** 2 dans 18? **3.** 4 dans 8? **4.** 5 dans 15?

Recopie et résous les équations.

5. $7 \times 3 = ■$
$21 \div 3 = ■$

6. $5 \times 4 = ■$
$20 \div 4 = ■$

7. $■ \times 3 = 15$
$15 \div 3 = ■$

8. $■ \times 4 = 16$
$16 \div 4 = ■$

Divise.

9.	$14 \div 2$	**10.**	$14 \div 2$	**11.**	$18 \div 2$	**12.**	$18 \div 3$
13.	$4 \div 2$	**14.**	$16 \div 4$	**15.**	$12 \div 4$	**16.**	$2 \div 2$
17.	$20 \div 5$	**18.**	$20 \div 4$	**19.**	$25 \div 5$	**20.**	$5 \div 5$
21.	$40 \div 5$	**22.**	$30 \div 5$	**23.**	$15 \div 5$	**24.**	$45 \div 5$
25.	$21 \div 3$	**26.**	$12 \div 4$	**27.**	$9 \div 3$	**28.**	$3 \div 3$
29.	$27 \div 3$	**30.**	$18 \div 3$	**31.**	$24 \div 8$	**32.**	$12 \div 3$
33.	$32 \div 4$	**34.**	$32 \div 4$	**35.**	$20 \div 5$	**36.**	$4 \div 4$
37.	$36 \div 4$	**38.**	$24 \div 4$	**39.**	$20 \div 4$	**40.**	$8 \div 2$
41.	$0 \div 2$	**42.**	$0 \div 4$	**43.**	$0 \div 9$	**44.**	$0 \div 7$
45.	$9 \div 1$	**46.**	$3 \div 1$	**47.**	$1 \div 1$	**48.**	$0 \div 1$

49. 27 (roues) en tout
3 (roues) par tricycle
Il y a ■ tricycles.

50. 36 (roues) en tout
4 (roues) par voiture
Il y a ■ voitures.

CHAPITRE 10
LA SOUSTRACTION

Problèmes communautaires

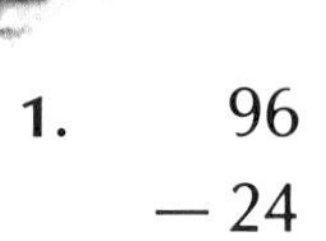

1. $96 - 24$	2. $78 - 30$	3. $56 - 46$	4. $35 - 32$	5. $48 - 6$
6. $73 - 7$	7. $44 - 8$	8. $81 - 9$	9. $50 - 8$	10. $35 - 6$
11. $75 - 26$	12. $84 - 38$	13. $98 - 19$	14. $60 - 28$	15. $32 - 29$

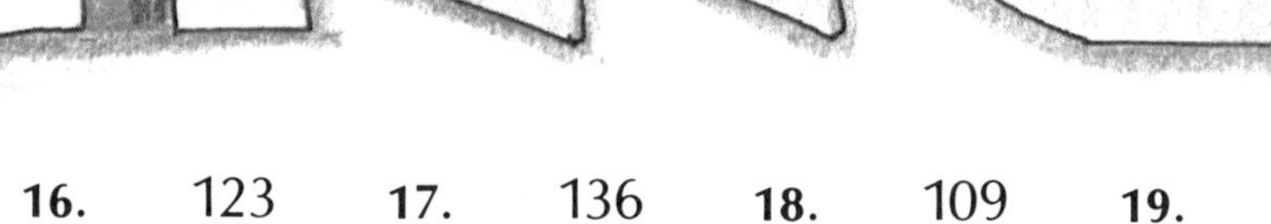

16. $123 - 31$	17. $136 - 85$	18. $109 - 75$	19. $170 - 80$	20. $132 - 71$
21. $132 - 44$	22. $127 - 69$	23. $156 - 78$	24. $110 - 65$	25. $144 - 97$
26. $107 - 39$	27. $103 - 44$	28. $108 - 86$	29. $105 - 17$	30. $100 - 35$

Échange de dizaines

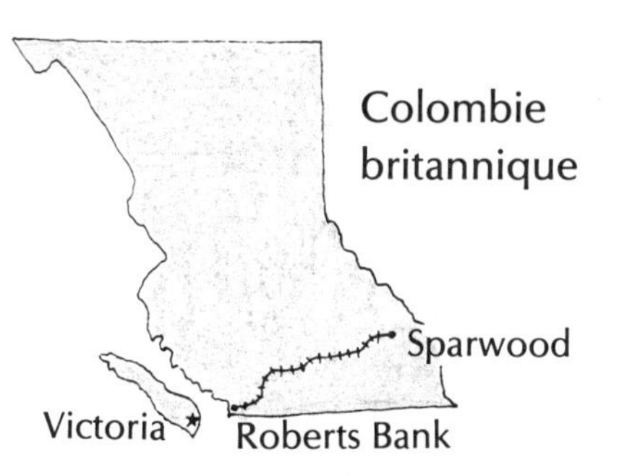

Il y a 284 wagonnets vides.
On en remplit 136 de charbon.
Combien en reste-t-il?

4 − 6 = ??

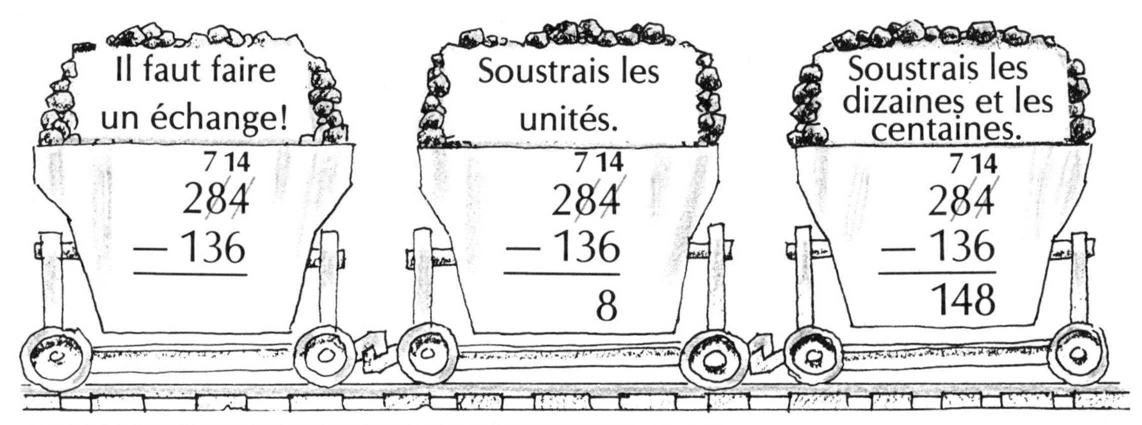

EXERCICES

Échange une dizaine contre dix unités.

1. 735
2. 416
3. 562
4. 270
5. 413

Est-ce que tu dois faire un échange? Décide, puis soustrais.

6. 862 − 328
7. 964 − 137
8. 700 − 300
9. 345 − 123
10. 782 − 524
11. 567 − 357
12. 436 − 128
13. 648 − 420
14. 359 − 251
15. 640 − 218
16. 364 − 24
17. 248 − 139
18. 926 − 907
19. 311 − 2
20. 562 − 37

EXERCICES

Soustrais.

A. $362 - 146$	B. $450 - 335$	C. $675 - 253$	D. $928 - 809$	E. $365 - 158$
F. $735 - 717$	G. $892 - 827$	H. $648 - 327$	I. $326 - 219$	J. $774 - 667$
K. $324 - 319$	L. $870 - 749$	M. $926 - 315$	N. $387 - 68$	O. $294 - 88$
P. $375 - 37$	Q. $654 - 335$	R. $430 - 7$	S. $860 - 846$	T. $276 - 268$

Un compte rond

Mesure les distances en les arrondissant à la centaine la plus proche

0 100 200 300 400 500 600 700 800 900 1000

Exemple:
Victoria—Edmonton
900 km

Échange de centaines

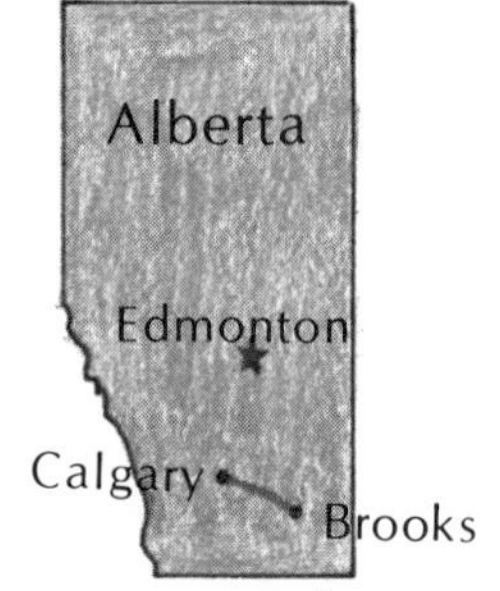

346 têtes de bétail dans un ranch, près de Brooks
175 sont transportées à Calgary.
Combien en reste-t-il?

Un échange? non
Soustrais les unités.

Un échange? oui
1 centaine = 10 dizaines

Soustrais les dizaines et les centaines.

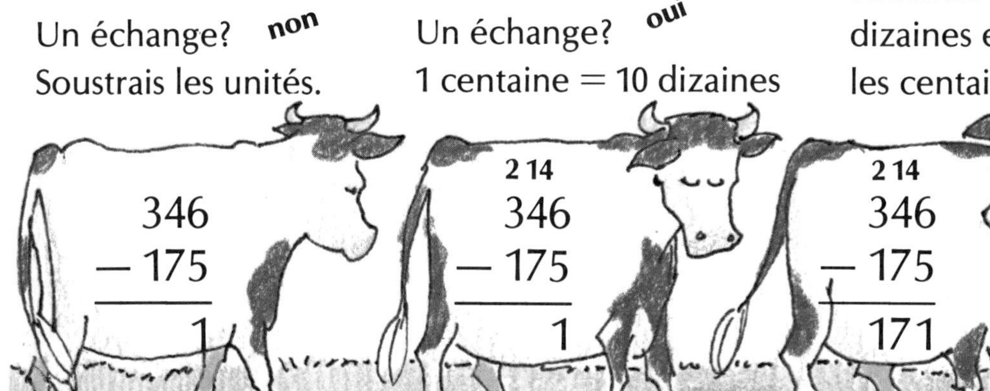

EXERCICES

Échange 1 centaine contre 10 dizaines.

1.	▪▪ 645	**2.**	▪▪ 720	**3.**	▪▪ 356	**4.**	▪▪ 648	**5.**	▪▪ 705
6.	▪▪ 203	**7.**	▪▪ 583	**8.**	▪▪ 392	**9.**	▪▪ 445	**10.**	▪▪ 715

Soustrais. Faut-il faire un échange?

11. $\begin{array}{r} 520 \\ -\,360 \\ \hline \end{array}$ **12.** $\begin{array}{r} 539 \\ -\,265 \\ \hline \end{array}$ **13.** $\begin{array}{r} 365 \\ -\,325 \\ \hline \end{array}$ **14.** $\begin{array}{r} 756 \\ -\,275 \\ \hline \end{array}$ **15.** $\begin{array}{r} 937 \\ -\,573 \\ \hline \end{array}$

16. $\begin{array}{r} 842 \\ -\,371 \\ \hline \end{array}$ **17.** $\begin{array}{r} 809 \\ -\,597 \\ \hline \end{array}$ **18.** $\begin{array}{r} 738 \\ -\,527 \\ \hline \end{array}$ **19.** $\begin{array}{r} 452 \\ -\,162 \\ \hline \end{array}$ **20.** $\begin{array}{r} 540 \\ -\,360 \\ \hline \end{array}$

EXERCICES

Soustrais.

A.	438 − 143	B.	922 − 682	C.	830 − 620	D.	607 − 384	E.	607 − 293
F.	926 − 472	G.	863 − 170	H.	558 − 465	I.	682 − 342	J.	370 − 280
K.	634 − 63	L.	756 − 94	M.	230 − 50	N.	504 − 84	O.	378 − 90

Effectue la soustraction en disposant les nombres verticalement.

P.	935 − 84	Q.	563 − 40	R.	657 − 83
S.	739 − 592	T.	208 − 154	U.	795 − 345
V.	725 − 374	W.	264 − 183	X.	540 − 290

La vérité est au fond du puits

Quelle est la profondeur de chaque puits? Classe les nombres obtenus dans l'ordre.

- 3000 m + 600 m + 50 m + 9 m
- 8 m + 70 m + 300 m + 4000 m
- 20 m + 100 m + 2000 m + 6 m
- 4000 m + 6 m + 300 m + 20 m
- 3 m + 2000 m + 60 m
- 700 m + 10 m + 3000 m

La soustractions de nombres de trois chiffres

Faut-il échanger une dizaine? → oui → Soustrais les unités. → **Faut-il échanger une centaine?** → oui → Soustrais les dizaines. → Soustrais les centaines.

$$\begin{array}{r} 524 \\ -\,248 \\ \hline \end{array} \quad \begin{array}{r} {}^{1\,14} \\ 5\not{2}\not{4} \\ -\,248 \\ \hline 6 \end{array} \quad \begin{array}{r} {}^{4\,11\,14} \\ \not{5}\not{2}\not{4} \\ -\,248 \\ \hline 76 \end{array} \quad \begin{array}{r} {}^{4\,11\,14} \\ \not{5}\not{2}\not{4} \\ -\,248 \\ \hline 276 \end{array}$$

EXERCICES

Échange une dizaine, puis une centaine.

1.	356	**2.**	427	**3.**	835	**4.**	643	**5.**	671
6.	612	**7.**	857	**8.**	924	**9.**	360	**10.**	270

Soustrais. Combien d'échanges as-tu fait?

11.	835 − 387	**12.**	648 − 340	**13.**	643 − 196	**14.**	356 − 189	**15.**	658 − 247
16.	857 − 578	**17.**	628 − 577	**18.**	924 − 786	**19.**	372 − 346	**20.**	671 − 295
21.	555 − 288	**22.**	360 − 164	**23.**	457 − 239	**24.**	612 − 148	**25.**	648 − 283
26.	427 − 49	**27.**	752 − 81	**28.**	626 − 49	**29.**	593 − 187	**30.**	270 − 185

EXERCICES

Soustrais.

1. $823 - 648$	2. $569 - 79$	3. $435 - 276$	4. $770 - 275$	5. $627 - 19$
6. $932 - 866$	7. $465 - 326$	8. $376 - 372$	9. $812 - 67$	10. $650 - 271$
11. $217 - 49$	12. $986 - 937$	13. $233 - 188$	14. $440 - 352$	15. $627 - 458$
16. $762 - 292$	17. $712 - 165$	18. $328 - 4$	19. $762 - 297$	20. $564 - 75$
21. $693 - 598$	22. $543 - 527$	23. $736 - 386$	24. $960 - 877$	25. $313 - 176$
26. $711 - 86$	27. $633 - 125$	28. $922 - 479$	29. $544 - 84$	30. $355 - 266$

Du blé à foison

1. Une tige de blé mesure 95 cm. Une autre mesure 87 cm. Quelle est leur différence?
2. Il faut 375 grains de blé pour remplir un récipient. Combien faut-il de grains pour le remplir deux fois?
3. Nomme 5 aliments faits avec du blé.

Parts égales et inégales

Le juge a besoin de ton aide.

Est-ce que les parts sont **égales** ou **inégales**?

inégales

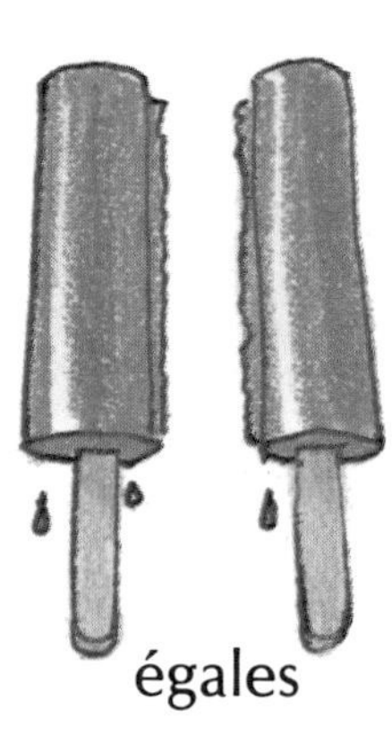

égales

égales

inégales

EXERCICES

Est-ce que les parts sont égales ou inégales?

1.

2.

3.

4.

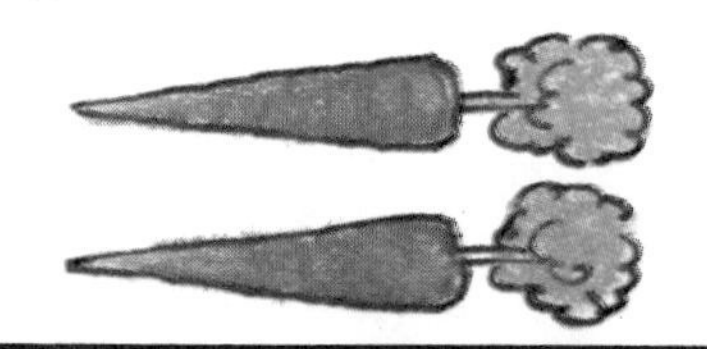

5.

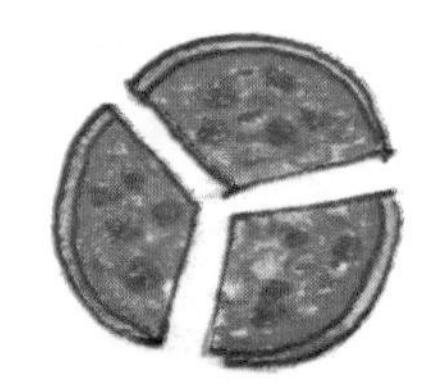

6.

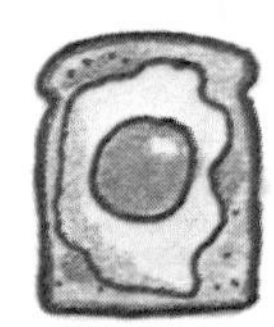
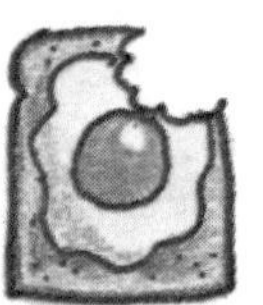

EXERCICES

Est-ce que les parts sont égales ou inégales?

1. 

2. 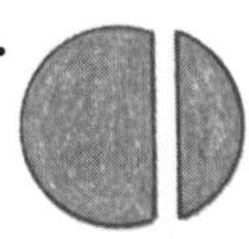

3. 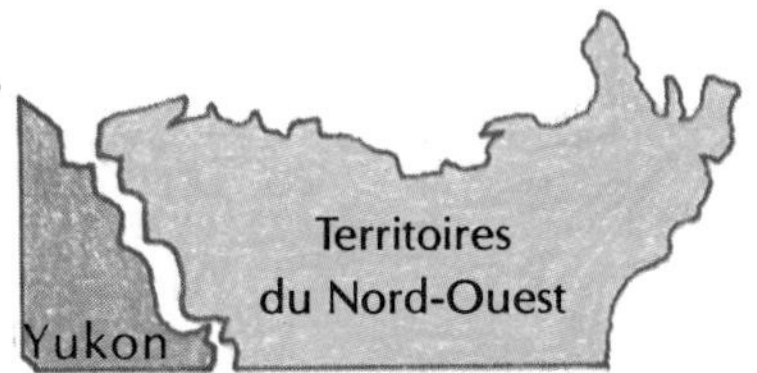

4. 

5.

Résous les problèmes.

6. 32 personnes participent à un jeu de souque-à-la-corde.
   17 personnes tirent d'un côté.
   Est-ce que les équipes sont égales?

7. Marie, Joanne et Samuel ont collecté 248 cents.
   Marie et Joanne ont 83¢ chacune.
   Samuel a le reste.
   Est-ce que les parts sont égales?

RÉVISION

Soustrais.

1. 736 − 618	**2.** 442 − 208	**3.** 530 − 514	**4.** 874 − 621	**5.** 685 − 47
6. 736 − 284	**7.** 442 − 182	**8.** 530 − 490	**9.** 874 − 93	**10.** 685 − 683
11. 736 − 359	**12.** 442 − 276	**13.** 530 − 142	**14.** 874 − 785	**15.** 685 − 86

La soustraction sans dizaines

506 = 5 centaines 0 dizaine 6 unités

506 = 50 dizaines 6 unités

Y a-t-il échange? oui
0 dizaine!

50 moins 1
= 49

$$\begin{array}{r} 49\ 16 \\ 506 \\ -\ 289 \\ \hline \end{array}$$

Soustrais.

$$\begin{array}{r} 4\ 916 \\ 506 \\ -\ 289 \\ \hline 217 \end{array}$$

EXERCICES

Échange 1 dizaine contre 10 unités.

1.	704	**2.**	602	**3.**	508	**4.**	801	**5.**	900
6.	203	**7.**	305	**8.**	907	**9.**	300	**10.**	600

Soustrais.

11.	704 − 238	**12.**	602 − 317	**13.**	508 − 409	**14.**	801 − 792	**15.**	900 − 306
16.	203 − 35	**17.**	600 − 254	**18.**	300 − 35	**19.**	907 − 560	**20.**	305 − 123

EXERCICES

Soustrais.

1.	2.	3.	4.	5.
305 − 138	570 − 429	702 − 501	204 − 38	400 − 225

6.	7.	8.	9.	10.
730 − 56	340 − 27	602 − 61	405 − 9	304 − 95

11.	12.	13.	14.	15.
902 − 217	205 − 45	720 − 606	110 − 45	106 − 97

Calcule la différence entre ces nombres.

16. 940 et 935 **17.** 407 et 808 **18.** 148 et 307

19. 700 et 264 **20.** 210 et 92 **21.** 406 et 513

22. 608 et 34 **23.** 634 et 950 **24.** 805 et 69

25. 221 et 40 **26.** 129 et 304 **27.** 870 et 999

Résous le problème.

28. 270 voitures lundi. 193 mardi. Quelle est la différence?

Travail à la chaîne

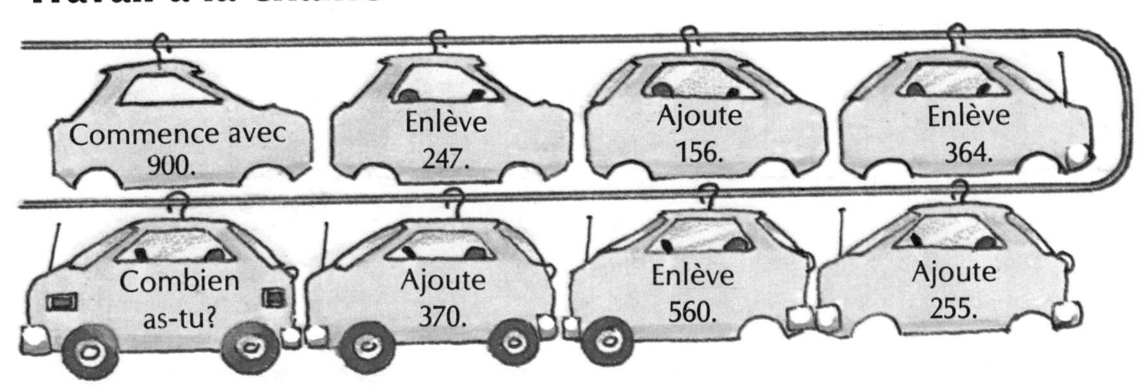

Vive la différence!

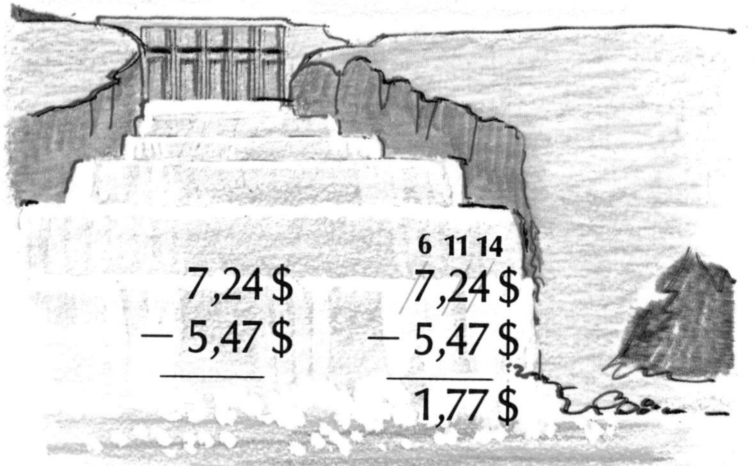

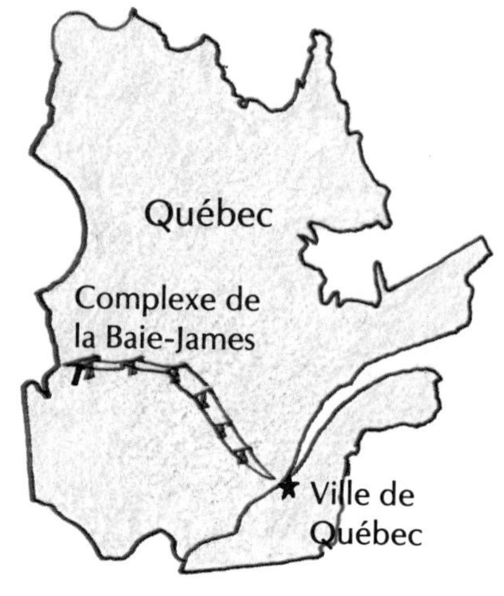

EXERCICES

Soustrais.

1. 7,24 $ − 3,02 $ = ■,■■ $	**2.** 6,45 $ − 4,25 $ = ■,■■ $	**3.** 7,89 $ − 6,38 $ = ■,■■ $	**4.** 2,56 $ − 0,23 $ = ■,■■ $
5. 7,24 $ − 3,05 $	**6.** 6,45 $ − 4,28 $	**7.** 7,85 $ − 6,38 $	**8.** 2,56 $ − 0,27 $
9. 7,24 $ − 3,32 $	**10.** 6,45 $ − 4,65 $	**11.** 7,89 $ − 6,98 $	**12.** 2,56 $ − 0,73 $
13. 7,24 $ + 3,35 $	**14.** 6,45 $ − 4,68 $	**15.** 7,85 $ − 6,98 $	**16.** 2,56 $ − 0,77 $
17. 7,04 $ − 3,35 $	**18.** 6,05 $ − 4,68 $	**19.** 7,05 $ − 6,98 $	**20.** 2,06 $ − 0,77 $

EXERCICES

Calcule la différence entre:

1. 7,35$ et 4,62$
2. 3,25$ et 7,75$
3. 9,63$ et 7,59$
4. 2,66$ et 4,00$
5. 3,07$ et 6,70$
6. 5,04$ et 0,75$
7. 8,21$ et 9,57$
8. 9,00$ et 5,32$
9. 7,44$ et 3,80$
10. 6,23$ et 2,77$

Résous les problèmes.

11. Paul a 6,42$. Charles a 5,77$.
    Qui a le plus d'argent? Combien de plus?
12. Hélène gagne 4,07$. Jean gagne 1,29$.
    Qui gagne le moins? Combien de moins?
13. Roger dépense 3,07$. André dépense 7,00$.
    Qui dépense le plus? Combien de plus?
14. Marie économise 3,52$. Gisèle économise 6,70$.
    Qui économise le moins? Combien de moins?

Produits laitiers

Résous les équations.

1. $3 \times \blacksquare = 21$
2. $7 \times \blacksquare = 35$
3. $2 \times \blacksquare = 18$
4. $4 \times \blacksquare = 32$
5. $\blacksquare \times \blacksquare = 14$
6. $\blacksquare \times \blacksquare = 25$
7. $\blacksquare \times \blacksquare = 12$ et $\blacksquare \times \blacksquare = 12$
8. $\blacksquare \times \blacksquare = 24$ et $\blacksquare \times \blacksquare = 24$

Résolution de problèmes

Montre les deux étapes.

1. 45 bateaux pêchent.
   19 bateaux rentrent à Halifax.
   25 bateaux rentrent à Saint-Jean.
   Combien restent en mer?

2. 354 radis dans un jardin
   446 dans un autre
   235 sont ramassés.
   Combien en reste-t-il?

3. 231 arbres débités en planches
   129 transformés en papier
   98 transformés en contre-plaqué
   Combien d'arbres ont été coupés?

4. Un avion vole à 950 mètres d'altitude.
   Le Mont Carleton a 820 mètres de haut.
   Tu es à 50 mètres du sommet.
   Quelle distance te sépare de l'avion?

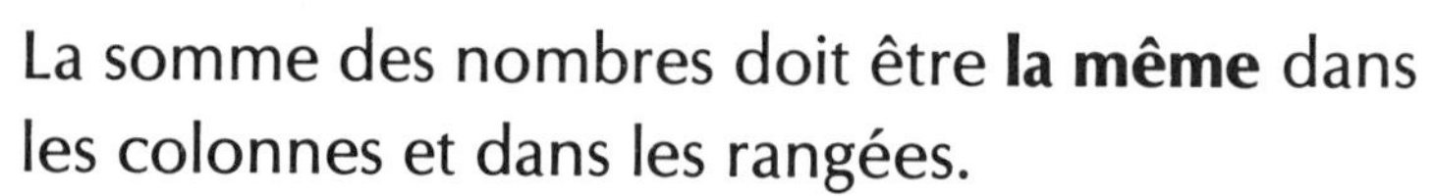

La somme des nombres doit être **la même** dans les colonnes et dans les rangées.

5.

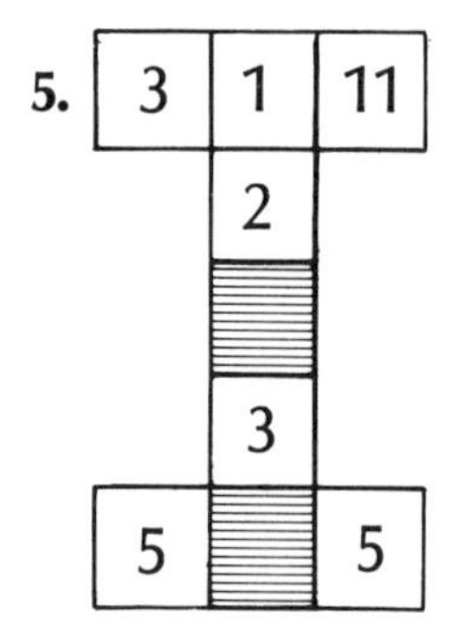

3	1	11
	2	
	3	
5		5

6.

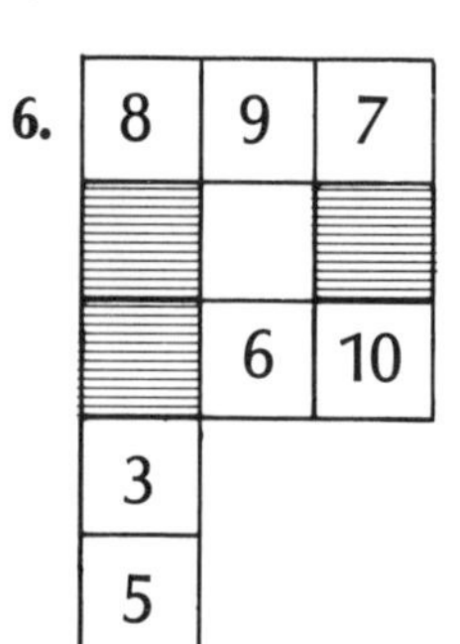

8	9	7
	6	10
3		
5		

7.

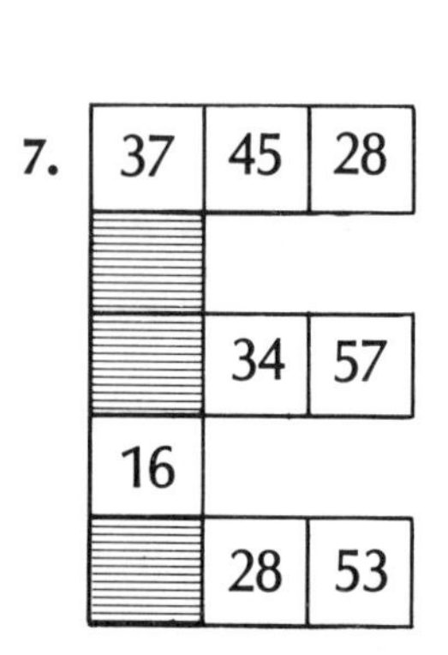

37	45	28
	34	57
16		
	28	53

Ton bras sait porter l'épée

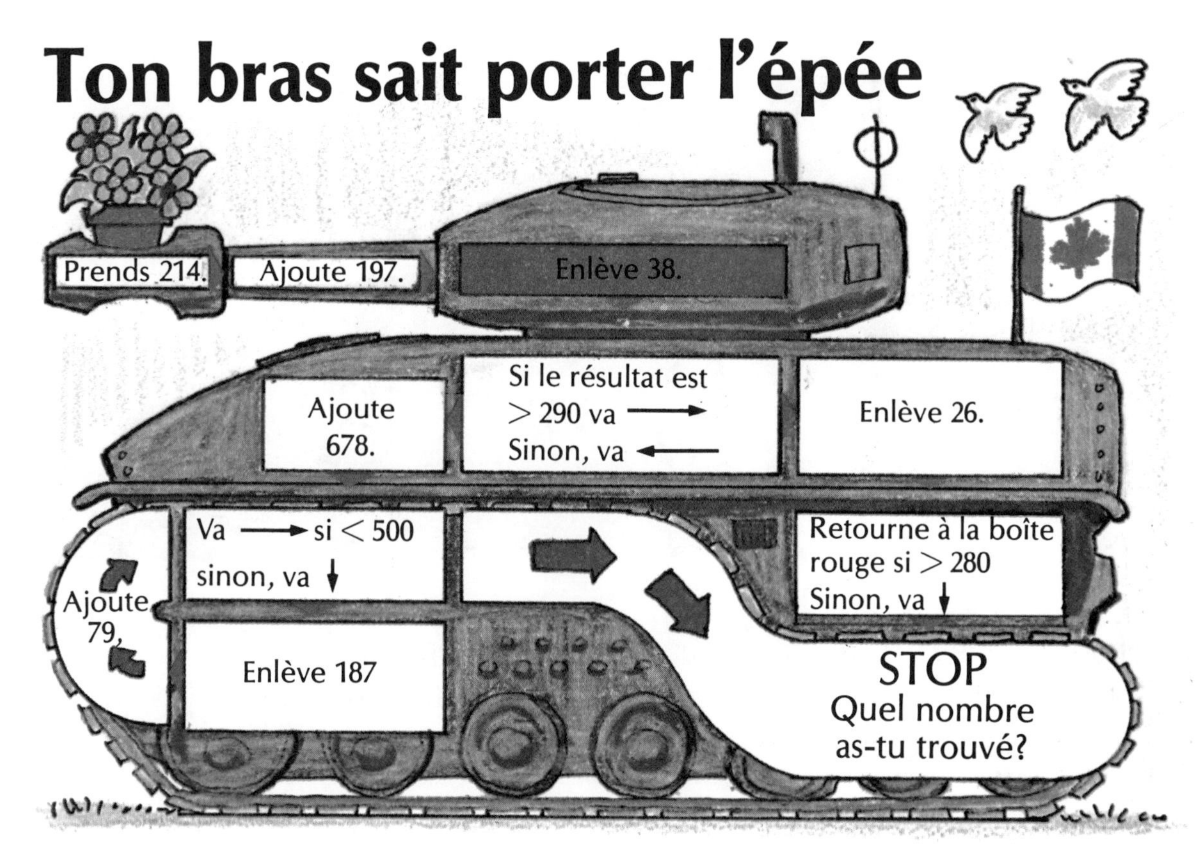

Suis le parcours indiqué ci-dessus.
Les opérations des exercices qui suivent sont les mêmes, mais placées dans un ordre différent.
Peux-tu les faire dans l'ordre du parcours?

A. $214 + 197$	**B.** $736 + 79$	**C.** $245 + 678$	**D.** $373 - 26$	**E.** $628 + 79$
F. $347 - 38$	**G.** $520 + 79$	**H.** $411 - 38$	**I.** $412 + 79$	**J.** $923 - 187$
K. $707 - 187$	**L.** $283 - 38$	**M.** $599 - 187$	**N.** $815 - 187$	**O.** $309 - 26$

La symétrie

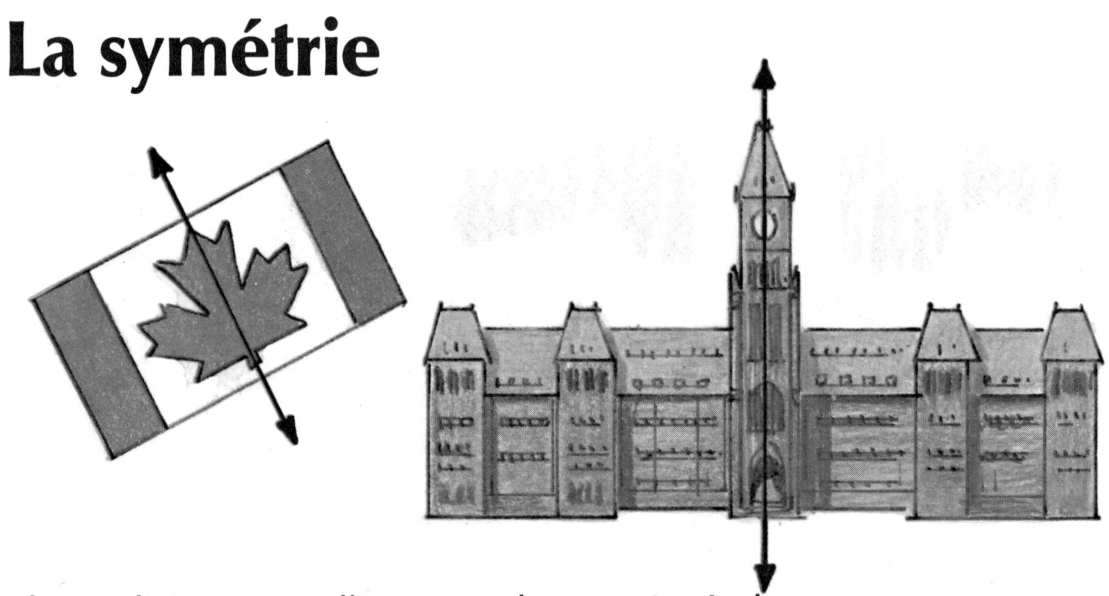

Chaque ligne partage l'image en deux parties égales.
Si tu plies l'image le long de cette ligne, les parties coïncident.
On dit que c'est une **ligne de symétrie**.

EXERCICES

Indique les lignes de symétrie. (ex: **7.** aucune **8.** a, b)

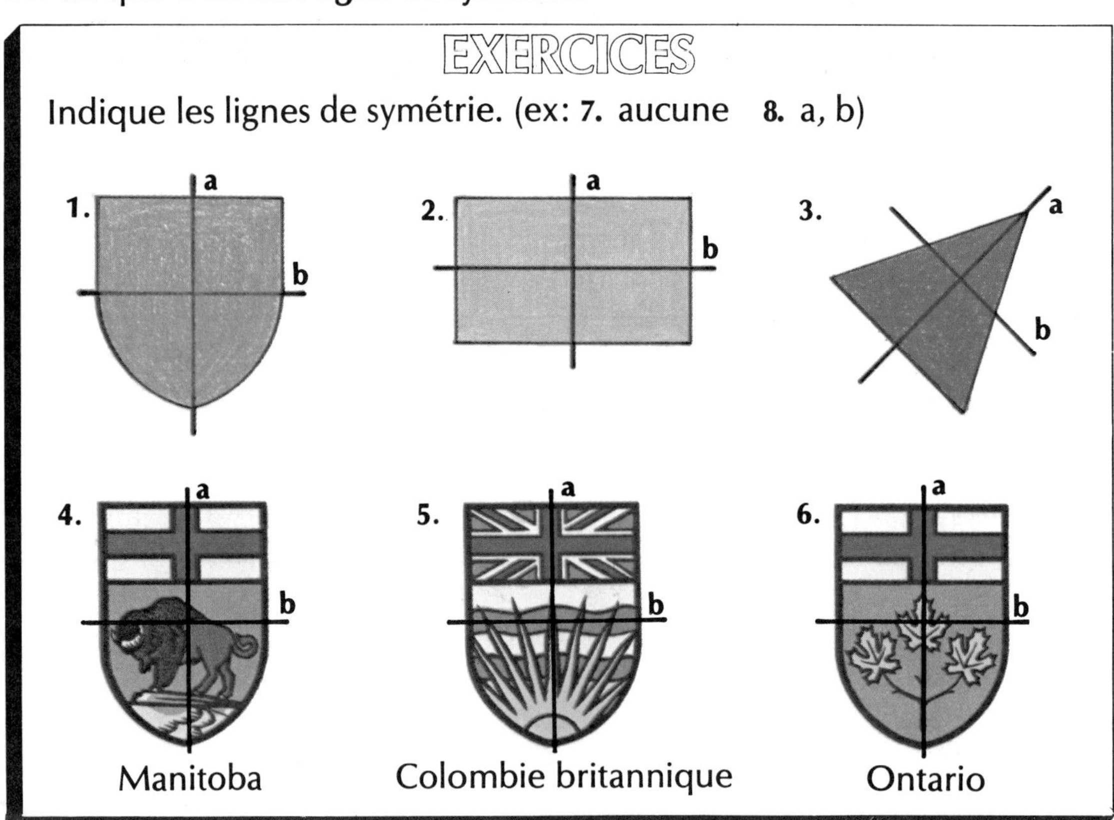

EXERCICES

Indique les lignes de symétrie.

1. 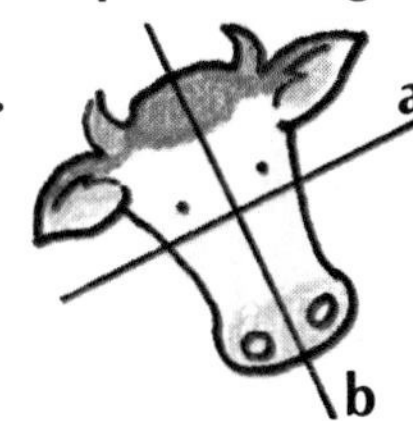

2. 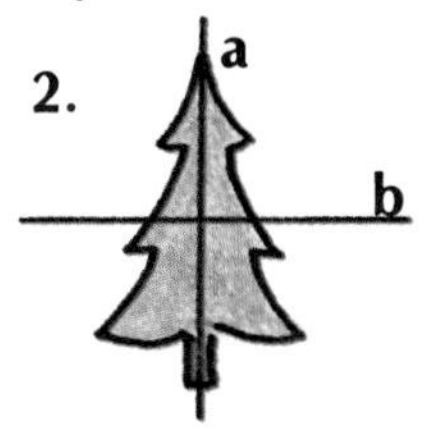

3. 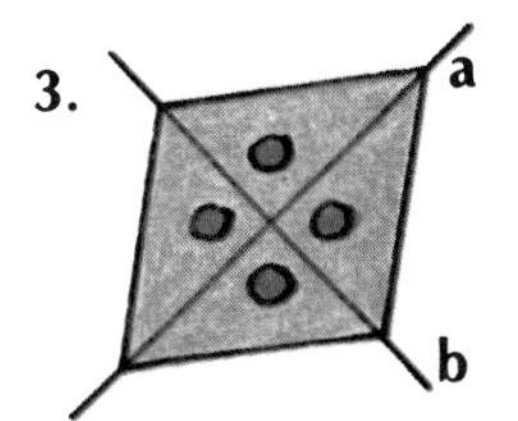

4. 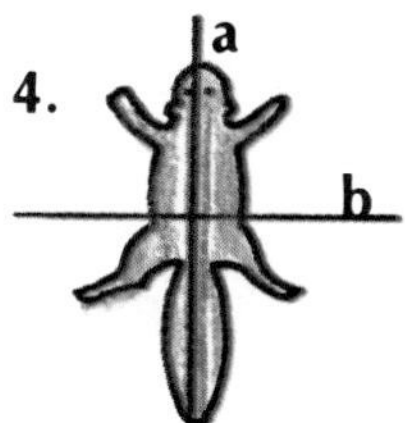

5. 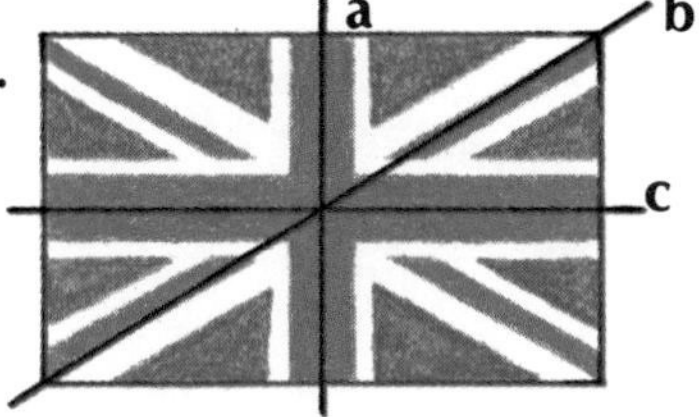

Grande-Bretagne

6. 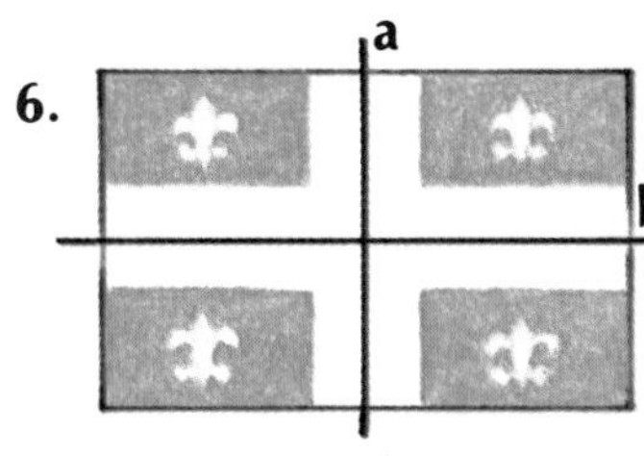

Québec

7. Trace un carré de 6 cm de côté.
   Trouve 4 lignes de symétrie.

8. Trace un rectangle de 3 cm de large et 5 cm de long.
   Indique les lignes de symétrie.

9. Plie un morceau de papier en deux, puis découpe des figures.

RÉVISION

Calcule la différence entre ces nombres.

1.	2.	3.	4.	5.
302	207	703	604	500
− 175	− 138	− 68	− 53	− 45

6. 6,35$ et 7,20$
7. 7,05$ et 2,98$
8. 4,56$ et 8,95$
9. 3,21$ et 8,00$

TEST CHAPITRE 10

Soustrais.

1.	345 − 119	**2.**	621 − 516	**3.**	890 − 807	**4.**	654 − 503	**5.**	987 − 9
6.	642 − 360	**7.**	835 − 275	**8.**	206 − 184	**9.**	444 − 73	**10.**	283 − 90
11.	634 − 287	**12.**	222 − 135	**13.**	856 − 487	**14.**	483 − 97	**15.**	710 − 29
16.	302 − 167	**17.**	806 − 758	**18.**	507 − 282	**19.**	700 − 278	**20.**	200 − 35

Calcule la différence entre les nombres.

21. 335 et 911

22. 827 et 96

23. 6,35$ et 3,59$

24. 0,76$ et 5,00$

25. 1,54$ et 6,29$

26. 2,47$ et 1,38$

Résous le problème. Montre les deux étapes.

27. 756 personnes demeurent dans une communauté.
377 sont des enfants.
195 sont des hommes.
Combien y a-t-il de femmes?

REPRISE — L'ADDITION

Additionne.

1.	**2.**	**3.**	**4.**	**5.**
7	3	6	40	6
+ 5	+ 8	+ 9	+ 5	+ 20

6.	**7.**	**8.**	**9.**	**10.**
65	37	856	135	564
+ 18	+ 29	+ 142	+ 245	+ 217

11.	**12.**	**13.**	**14.**	**15.**
63	80	145	240	573
+ 62	+ 90	+ 582	+ 365	+ 43

16.	**17.**	**18.**	**19.**	**20.**
76	29	368	468	242
+ 77	+ 71	+ 586	+ 468	+ 58

21.	**22.**	**23.**	**24.**	**25:**
7	38	65	183	439
8	43	39	281	239
+ 5	+ 25	+ 49	+ 364	+ 238

Arrondis à la dizaine la plus proche.

26. 36 **27.** 55 **28.** 97 **29.** 341

Fais une estimation de la somme.

30. 32 + 49 **31.** 199 + 402

Résous le problème.

32. Sous le chapiteau d'un cirque, il y a:
14 chiens, 12 clowns et 17 singes.
Combien y a-t-il d'animaux en tout?

CHAPITRE 11
GÉOMÉTRIE

Des figures douces au toucher

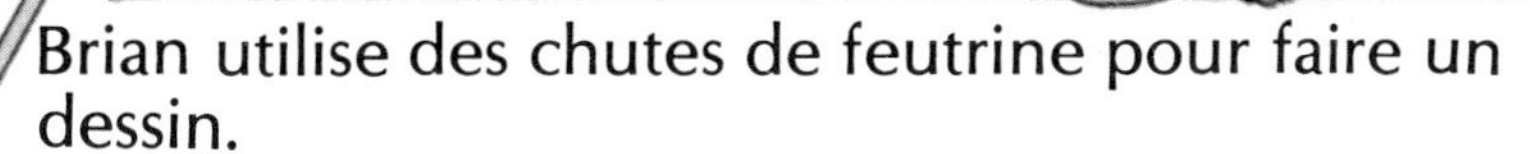

Brian utilise des chutes de feutrine pour faire un dessin.

Aide-le à trouver les figures qui correspondent à ces noms: **cercle** **triangle** **rectangle** **carré**

Céline coupe ces figures en deux.
Est-ce que les parties obtenues sont égales?

12. 

13. 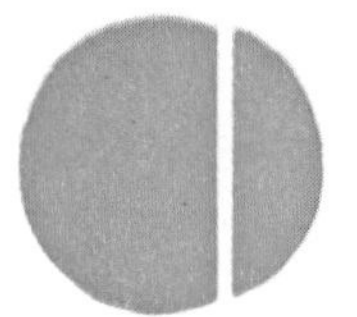

14. 

15. 

16. 

17. 

Anne utilise ses figures pour créer des figures **symétriques**.
Quelles sont les **lignes de symétrie**?

18. 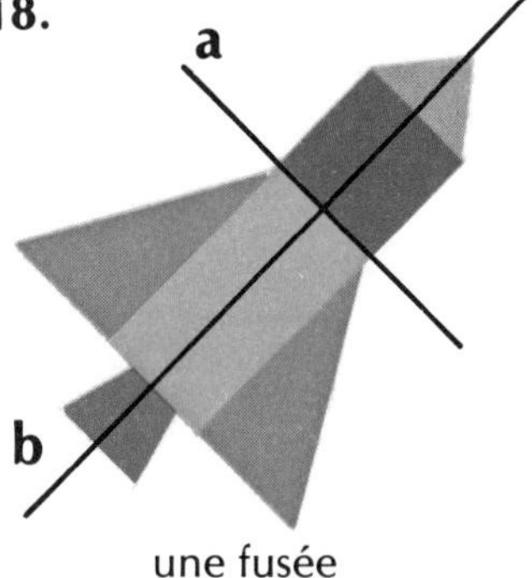

une fusée

19. 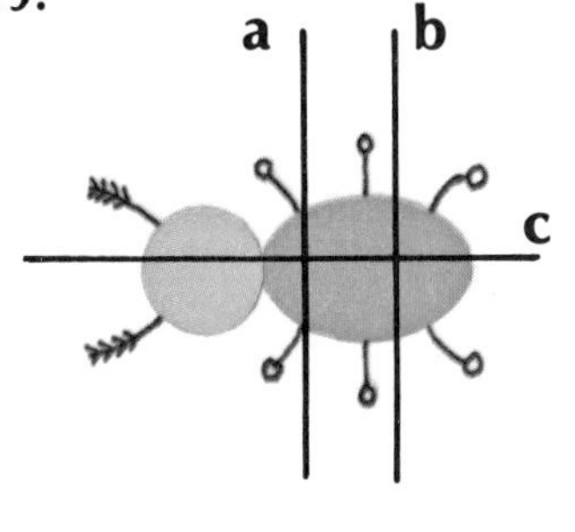

un insecte

20. 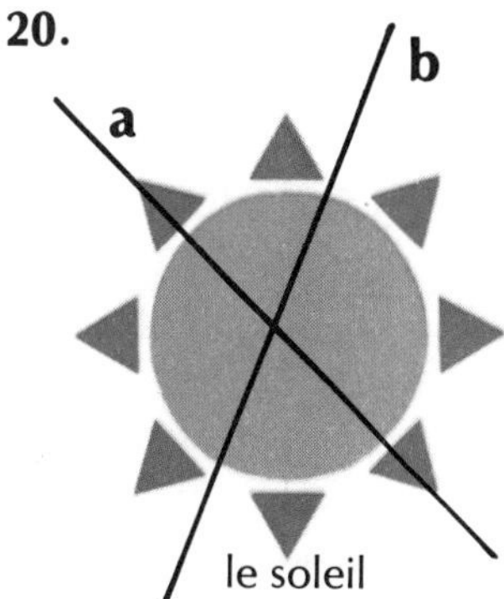

le soleil

Point et segments de droites

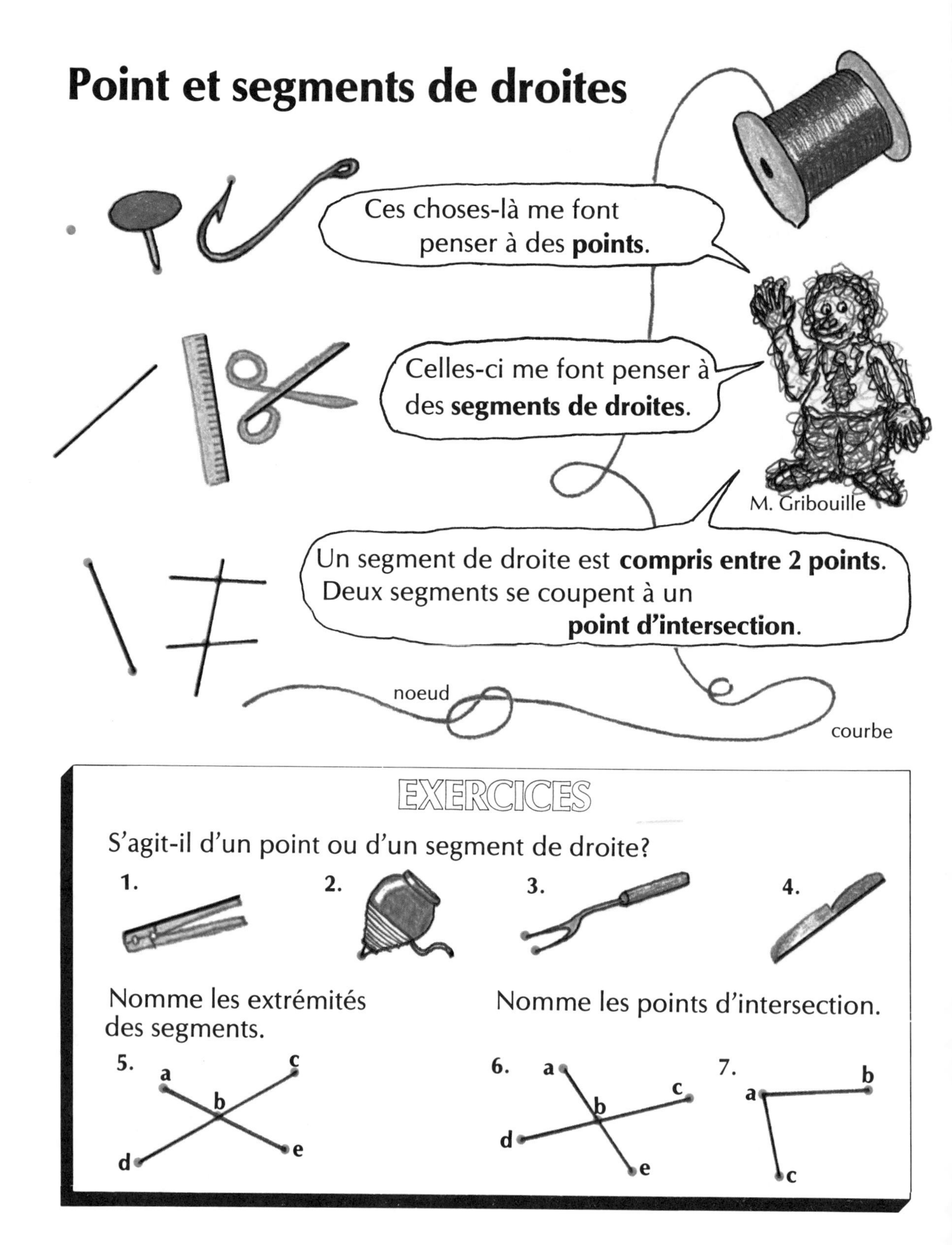

EXERCICES

S'agit-il d'un point ou d'un segment de droite?

1. **2.** **3.** **4.**

Nomme les extrémités des segments.

5.

Nomme les points d'intersection.

6.

7.

EXERCICES

Dessine les éléments suivants. Utilise ta règle.

1. un segment de droite
2. un point
3. les extrémités d'un segment
4. une courbe
5. un point d'intersection
6. un noeud
7. trois segments qui ont un point d'intersection commun.
8. trois segments qui ont une extrémité commune.

Trouve les figures qui correspondent.

9. 3 segments de droite
10. 4 segments de droite
11. une courbe

Une courbe peut passer par trois points quelconques.
Est-ce qu'un segment de droite peut passer par ces trois points?

12. 

13. 

14. Lequel est le plus long: la courbe ou le segment de droite?

15. Écris l'alphabet en lettres majuscules en te servant d'une courbe ⌒ et de segments de droites.

Jeu

Si j'enlève 5 segments,
il reste 3 carrés.
Quels segments est-ce que j'enlève?

Les solides

Martin aime peindre des solides d'argile.

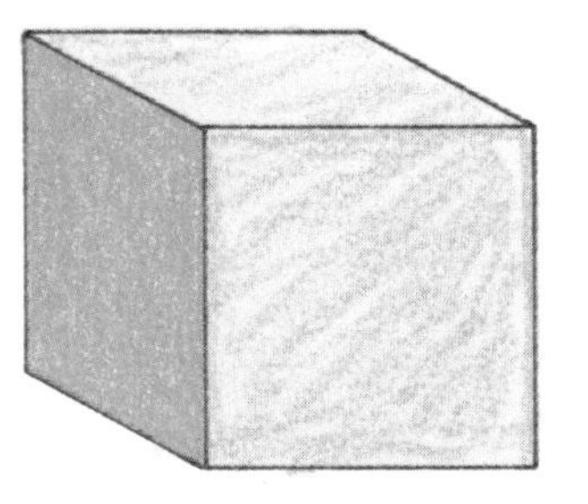

un cube

un cône

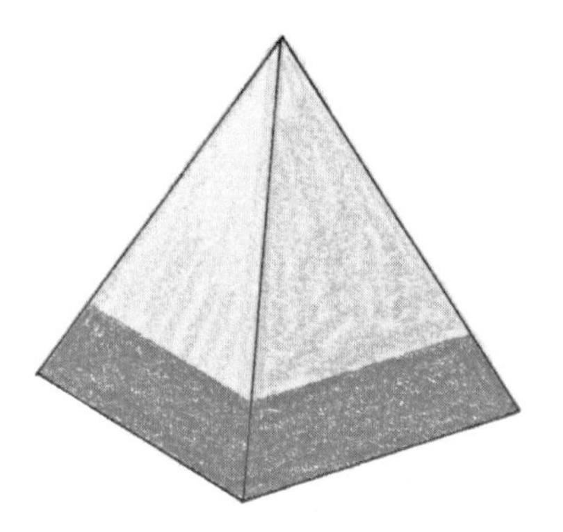

une pyramide

une sphère
(une balle)

un cylindre
(une boîte
de conserve)

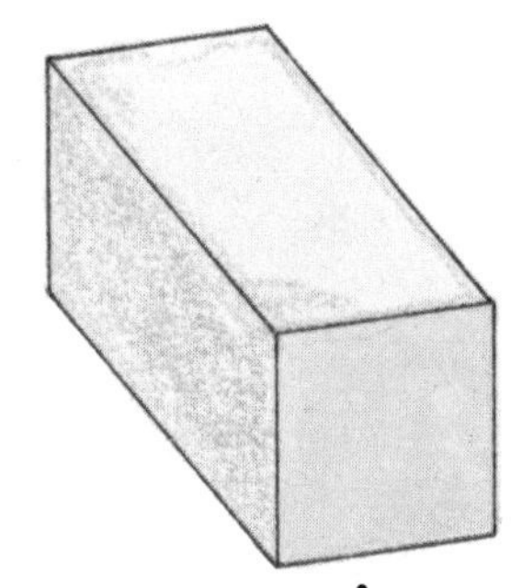

un prisme rectangulaire
(une boîte)

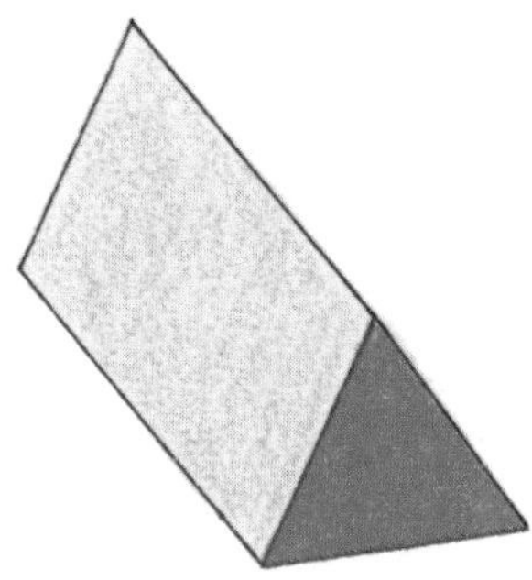

un prisme triangulaire
(un prisme)

EXERCICES

Nomme chaque solide.

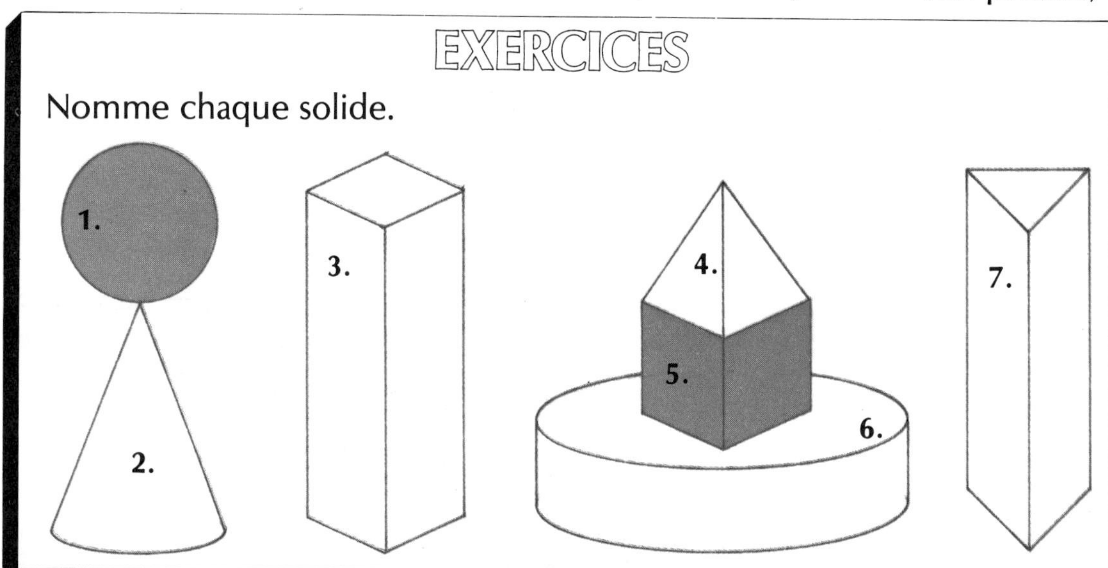

EXERCICES

À quoi te font penser ces solides?

15. une orange
16. un livre
17. une tente
18. un coffre à jouets
19. un morceau de sucre
20. un entonnoir
21. une boîte de conserves
22. un globe terrestre
23. un arc-en-ciel
24. Lesquels ne roulent pas?
25. Lesquels roulent en décrivant un cercle?

La vie de château

Combien coûte le château?

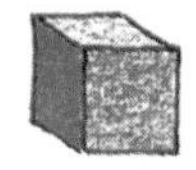

8¢ chacun

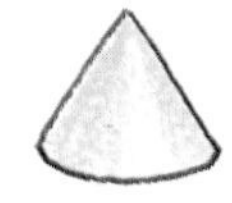

6¢ chacun

7¢ chacun

Un bon conseil: Multiplie, puis additionne.

Faces

surface arrondie

face

Les solides ont des **surfaces**.
Une surface plane s'appelle une **face**.

Tu peux tracer une sur une face.
Tu peux tracer les contours d'une face.

EXERCICES

Combien chaque solide a-t-il de faces?

1. 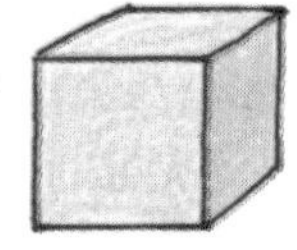

un cube

2. 

un cylindre

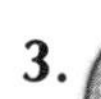

3. 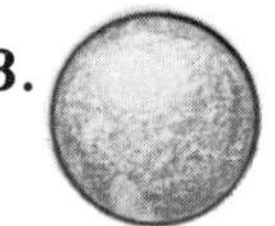

une sphère

4. 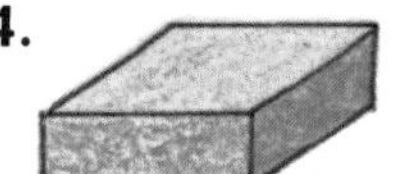

un prisme rectangulaire

5. 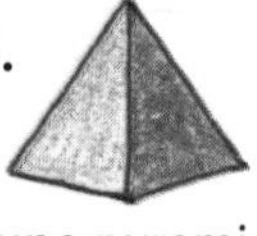

une pyramide

6. 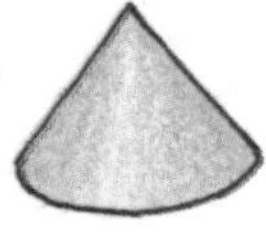

un cône

7.

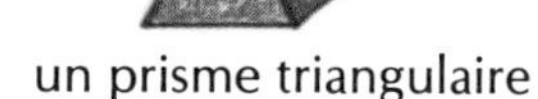

un prisme triangulaire

8. Nomme trois solides qui ont des surfaces arrondies.

EXERCICES

Solides	Combien y a-t-il de **faces** identiques?		
cube	1.	2.	3.
pyramide	4.	5.	6.
boîte	7.	8.	9.
prisme	10.	11.	12.
cylindre	13.	14.	15.
sphère	16.	17.	18.
cône	19.	20.	21.

Il faut prendre le PLI

Ce **patron** . . .

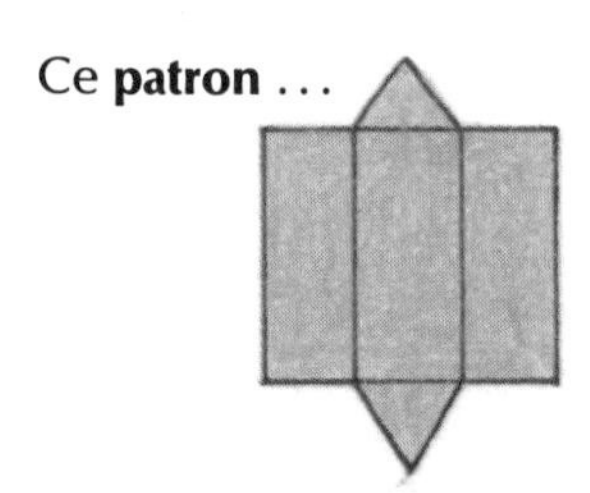

plié . . .

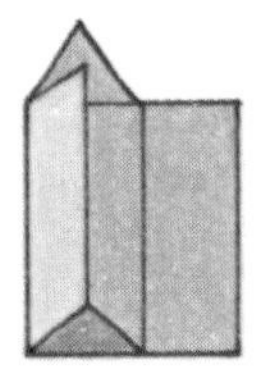

devient **un prisme triangulaire.**

Qu'est-ce que tu obtiens en pliant ces patrons? Devine, puis vérifie.

1.

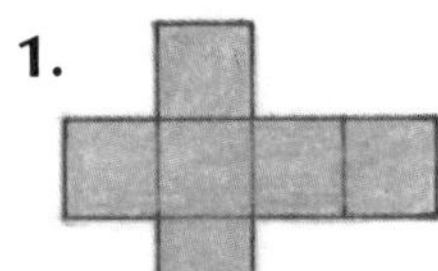

2.

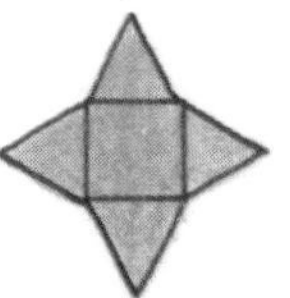

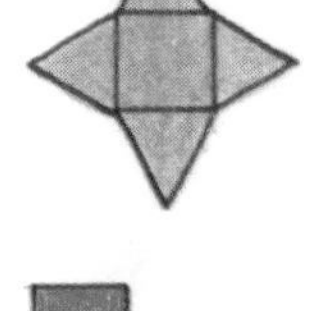

3.

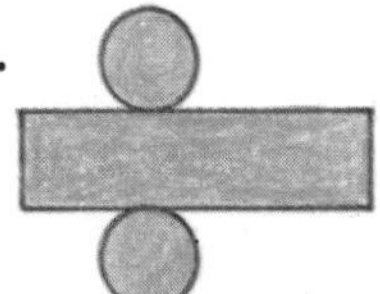

4.

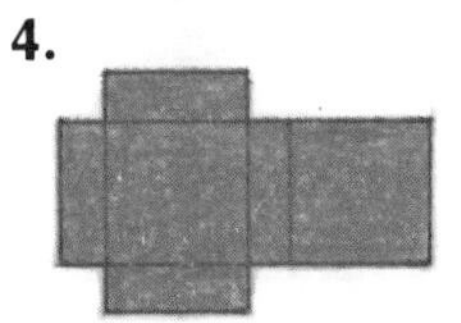

5.

6.

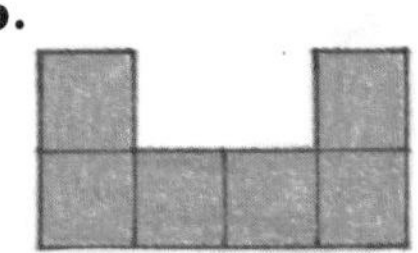

Arêtes et sommets

De nombreux solides ont des **arêtes**.

Une **arête** peut être une courbe ou un segment de droite.

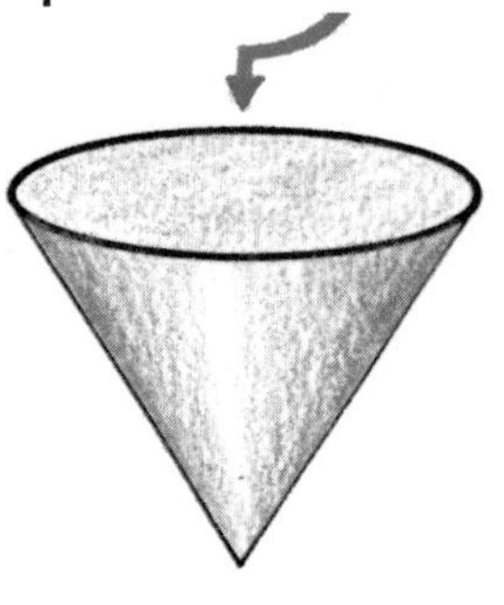

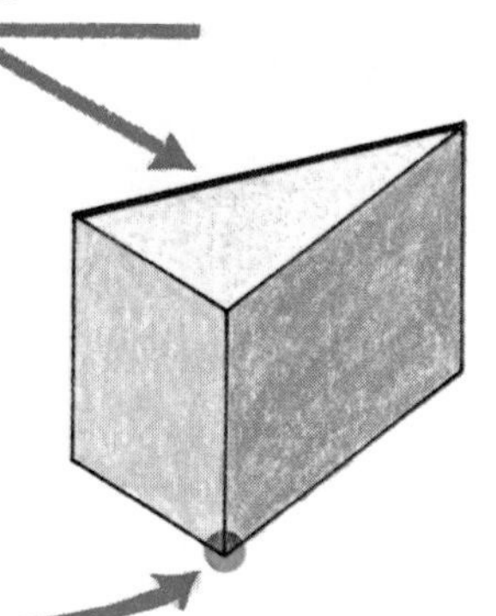

Certains solides ont des **sommets**.

Les sommets sont généralement aux extrémités des arêtes.

On peut fabriquer la charpente de certains solides avec des pailles et de la Plasticine.

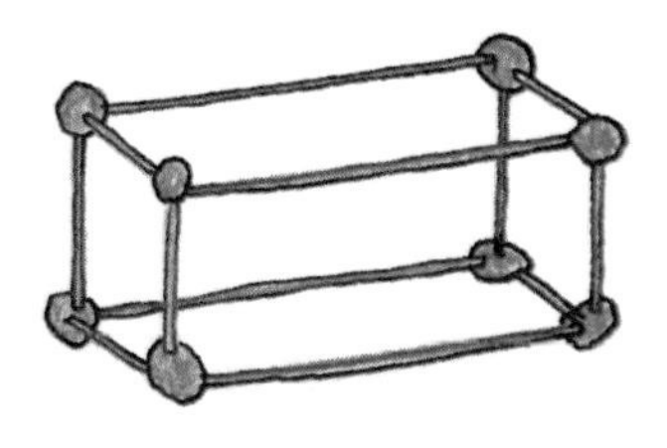

EXERCICES

Compte les sommets et les arêtes.

1.

2.

3.

4.

5.

6.

EXERCICES

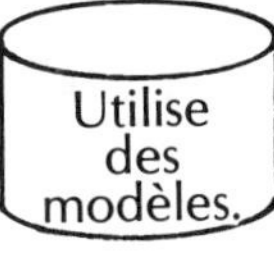

1. Recopie et complète ce tableau.

	arêtes courbes	arêtes droites	sommets
cube			
cône			
cylindre			
pyramide			

2. Lequel a le plus grand nombre d'arêtes?
3. Lequel a le plus petit nombre de sommets?
4. On peut fabriquer 4 charpentes de solides avec des pailles et de la Plasticine. Lesquelles?

RÉVISION

1. Trace un segment de droite.

Nom	2.	3.	4.
Nombre de faces	5.	6.	7.
Nombre d'arêtes	8.	9.	10.
Nombre de sommets	11.	12.	13.

Même dimension et même forme

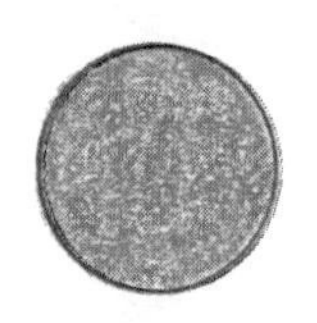

même forme

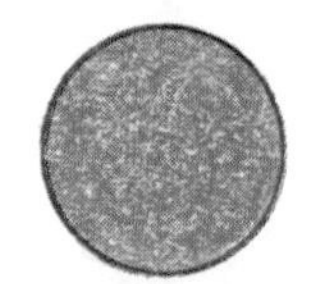

même dimension et même forme

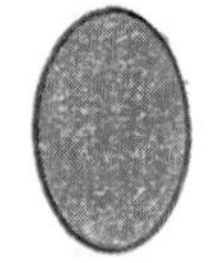

différent

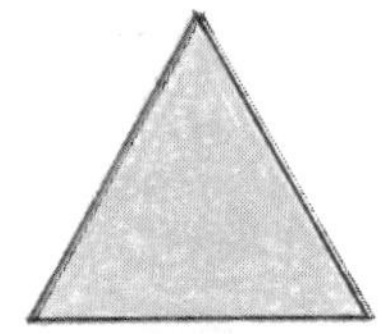

même forme

différent

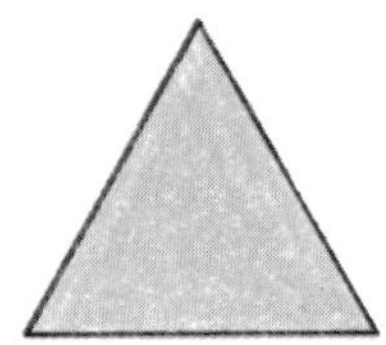

même dimension et même forme

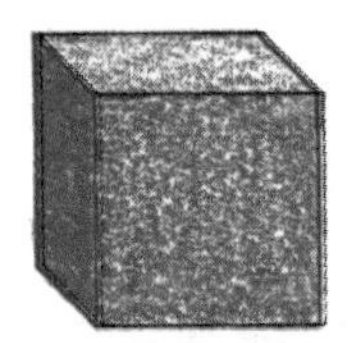

différent

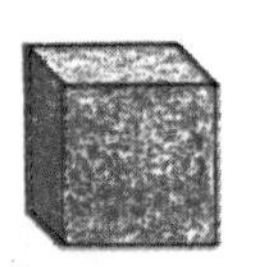

même forme

même dimension et même forme

EXERCICES

Écris: **différent, même forme** ou **même dimension et même forme**.

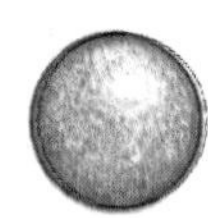

1. 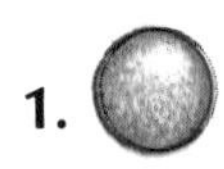

2. 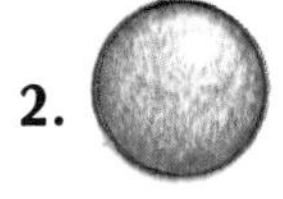

3. 

4. 

5. 

6. 

7. 

8. 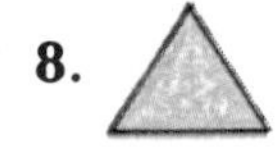

9. 

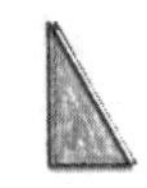

10. 

11. 

12. 

EXERCICES

Écris: **différent, même forme** ou **même dimension et même forme**.

1. **a** et **o**	2. **b** et **f**	3. **b** et **c**
4. **e** et **h**	5. **f** et **k**	6. **o** et **h**
7. **i** et **n**	8. **g** et **p**	9. **g** et **l**
10. **j** et **k**	11. **i** et **l**	12. **m** et **o**

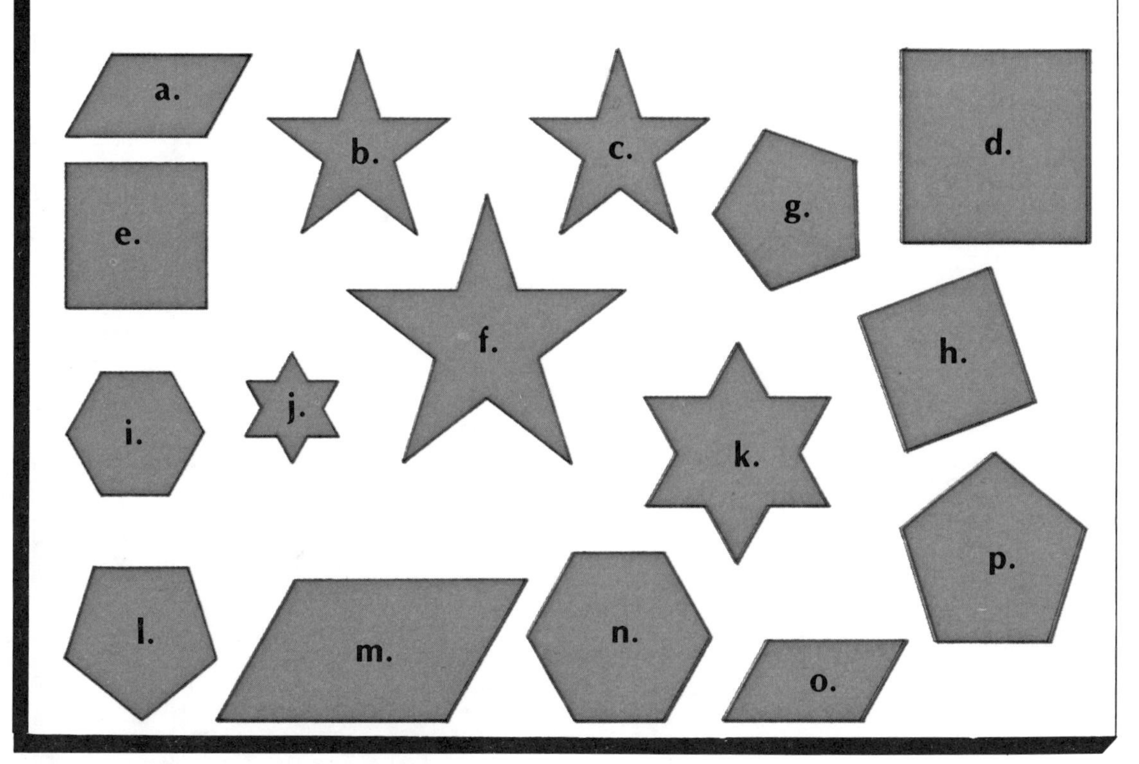

Essaie de me recouvrir!

Peux-tu recouvrir le lézard avec ces objets?

1. pions de jeu de dames
2. dominos
3. Losanges de papier

Attention! Les objets ne doivent pas se chevaucher.
Le lézard doit être complètement recouvert.

Quadrillages

Renée montre
ses fleurs en papier.

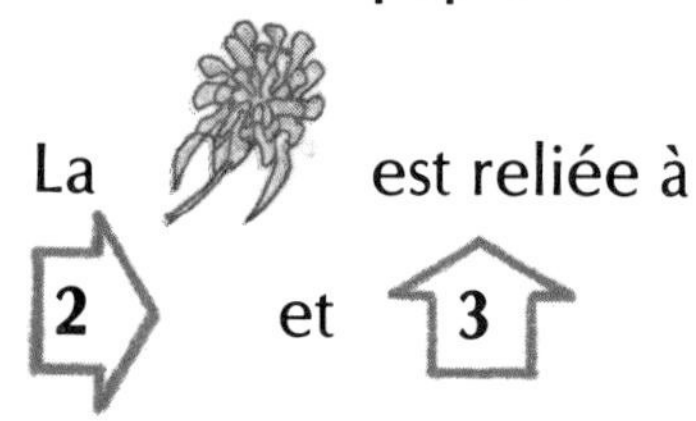

Le carré correspondant
est identifié par le **couple**
de nombres (2,3).

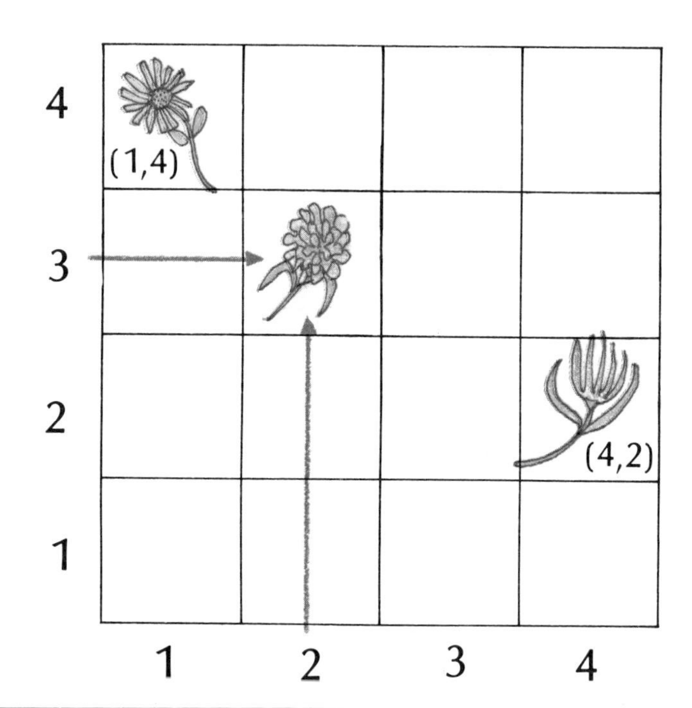

EXERCICES

À qui appartient le sac?

1. (2,1) **2.** (1,4)

3. (1,2) **4.** (4,1)

5. (1,3) **6.** (4,3)

Quel est le **couple**
de nombres?

7. Julie **8.** Joseph

9. Liliane **10.** Suzanne

11. Anne **12.** Léon

13. Guy **14.** Thomas

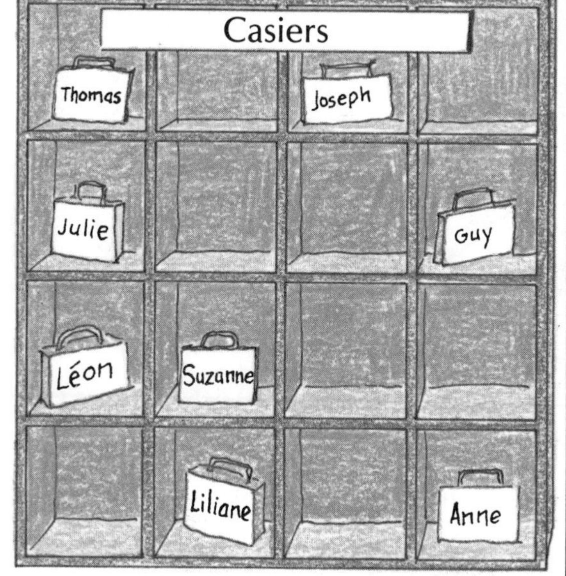

EXERCICES

Qui s'assoit au pupitre?

1. (3,5)
2. (2,4)
3. (1,2)
4. (1,3)
5. (4,2)
6. (3,3)

Quel est le couple de nombres?

7. Amos
8. Jacques
9. Richard
10. Thomas
11. André
12. Anne
13. Jean
14. Marie
15. Les points de la colonne 2.

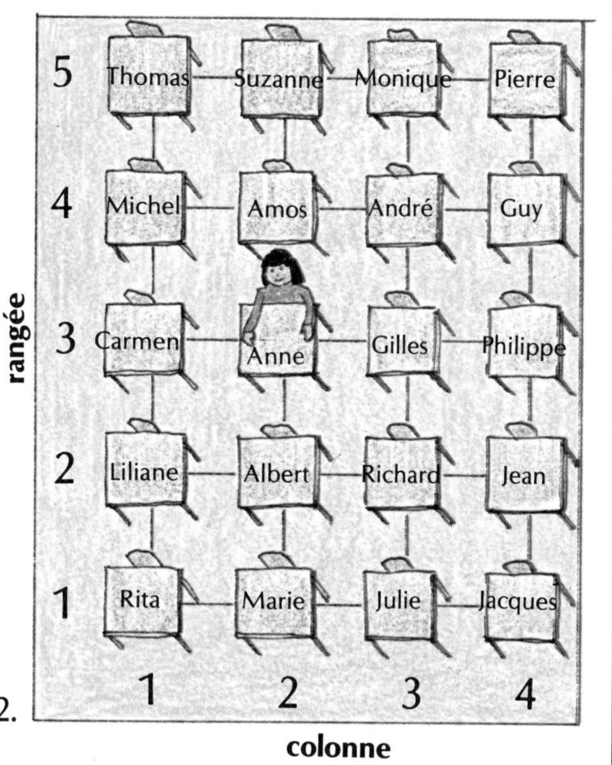

Fais le point!

Où es-tu passé?

1. Pars de chez toi pour franchir 1 case vers l'est et 2 vers le nord.
2. Ensuite, avance de 2 cases vers l'ouest . . .
3. Puis de 3 vers le sud et de 2 vers l'ouest . . .
4. Pour finir par une case vers le nord et 3 vers l'est.
5. Décris les points d'intérêts de la ville dans laquelle tu habites.

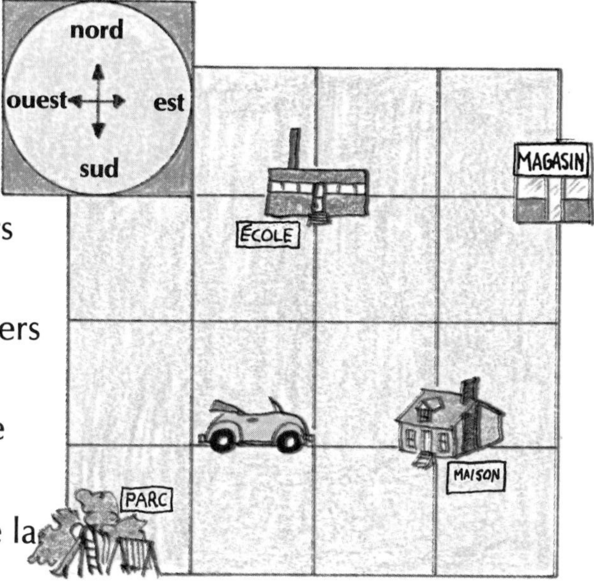

Un carrelage glissant

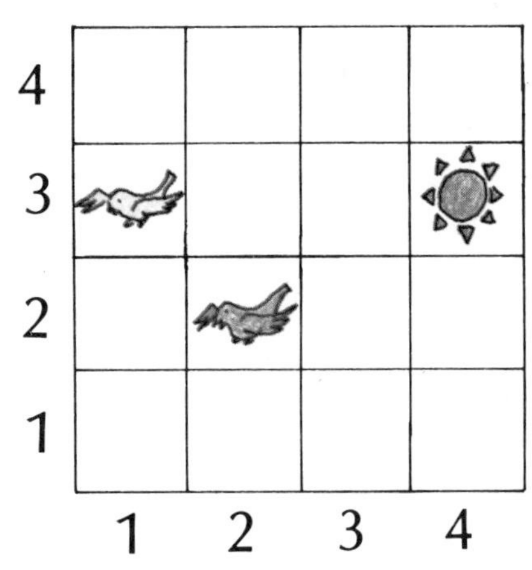

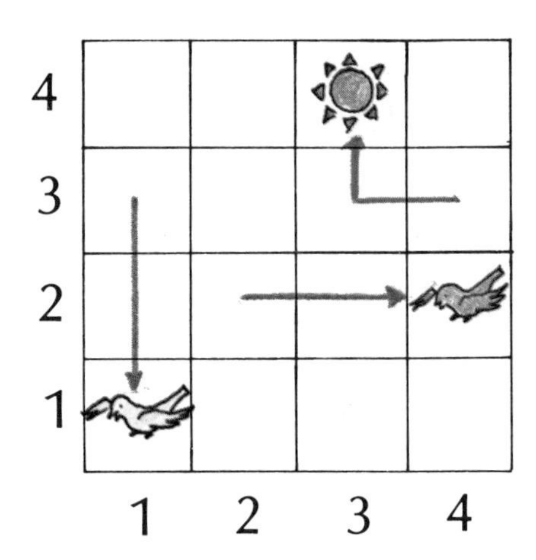

Tina a déplacé ses images.

L' a glissé de 2 cases vers la droite, jusqu'à (4,2).

L' a glissé de 2 cases vers le bas, jusqu'à (1,1).

Le soleil a glissé vers la gauche d'une case et vers le haut d'une case.

EXERCICES

Où sont-ils passés?

1. Pousse ● ↑(3 cases).
2. Pousse ■ →(1 case).
3. Pousse ▲ ←(3 cases).
4. Pousse ◆ ↓(2 cases).
5. Pousse ● →(1 case) ↑(1 case).
6. Pousse ■ ←(1 case) ↑(1 case).
7. Pousse ▲ ←(1 case) ↓(1 case).
8. Pousse ◆ →(1 case) ↓(1 case).

	1	2	3	4
4	◆			
3				▲
2		■		
1			●	

EXERCICES

Où sont-ils passés?

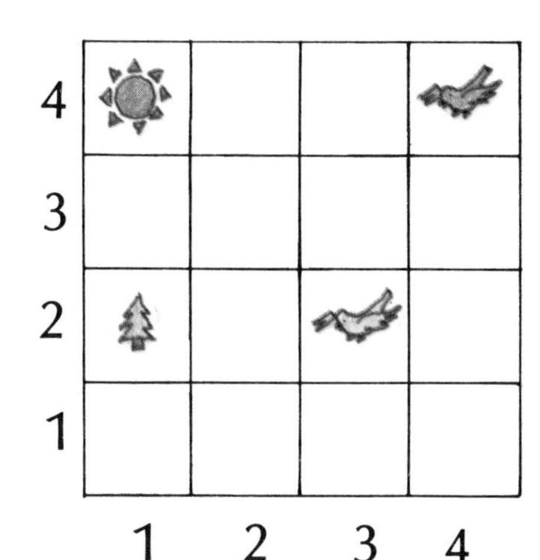

1. ↓(1 case)
2. ←(2 cases)
3. →(1 case) ↑(1 case)
4. ←(3 cases) ↓(3 cases)
5. Refais le dessin en plaçant les images aux endroits indiqués ci-dessous.

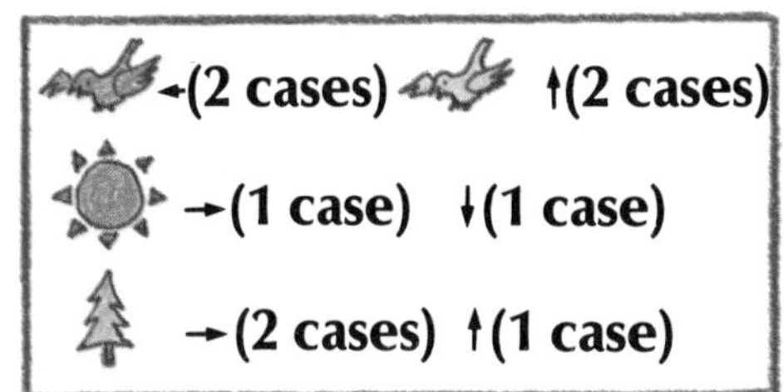

Duquel s'agit-t-il?

6. Glisse de (3,3) à (2,3).
7. Glisse de (3,3) à (3,4).
8. Glisse de (3,3) à (4,2).

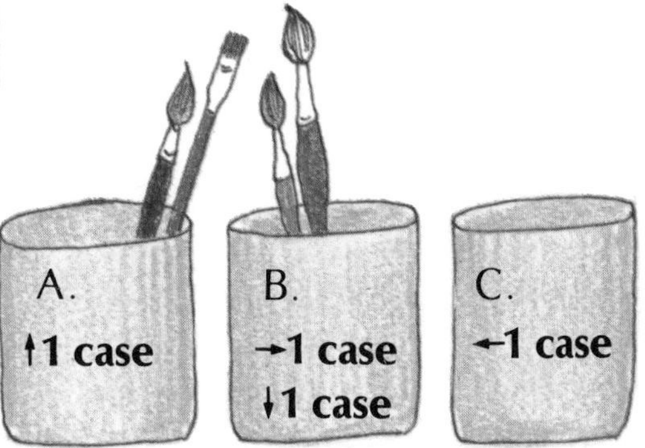

AGRANDISSEMENT

Refais les dessins sur un quadrillage plus grand.

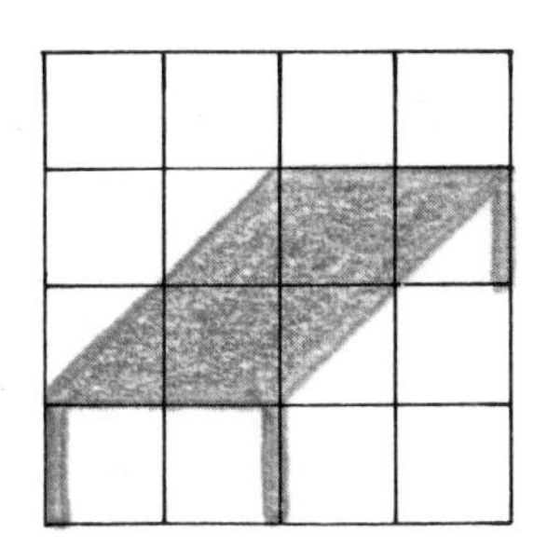

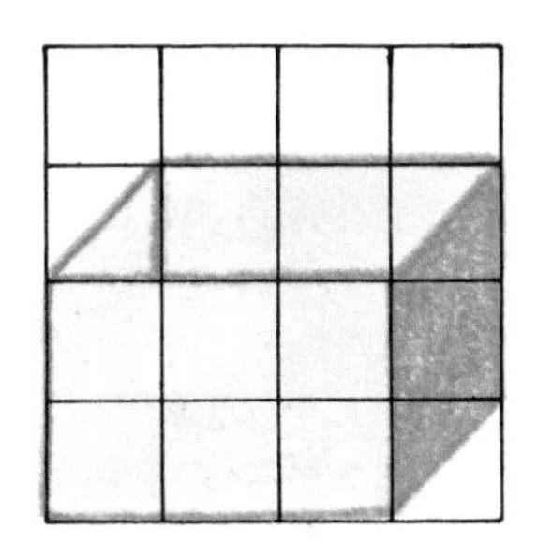

Le tri

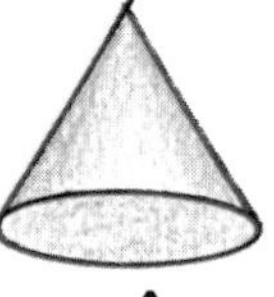

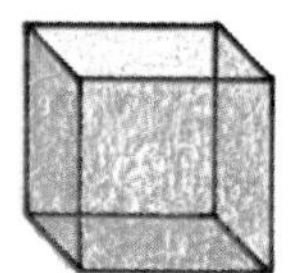

un **cube**

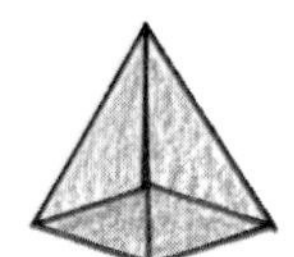

une **pyramide**

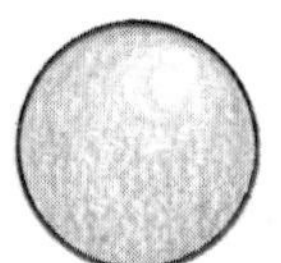

une **sphère**

un **cylindre**

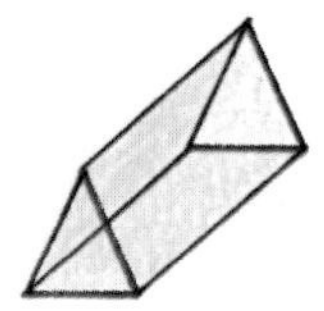

un **prisme**

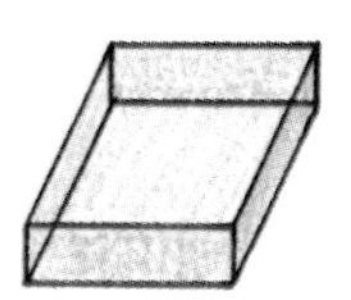

une **boîte**

1. Faces triangulaires
Cinq sommets
Qui suis-je?

2. Roule en ligne droite
Deux faces
Qui suis-je?

3. Huit sommets
Une boîte spéciale
Qui suis-je?

4. Une surface ronde
Une arête courbe
Qui suis-je?

5. Pas d'arêtes
Pas de sommets
Qui suis-je?

6. Cinq faces
En forme de tente
Qui suis-je?

7. Établis la liste des solides qui ont des arêtes arrondies.

8. Établis la liste de ceux qui ont de 2 à 5 faces.

9. Lequel est inscrit sur les 2 listes?

10. Lesquels ne sont sur aucune liste?

Rapport géométrique

Fais un rapport sur chaque figure.

Suggestions:

Compte le nombre de côtés.
Trouve les lignes de symétrie.
Essaie de **recouvrir** une page avec chaque forme.
Lesquelles as-tu déjà vues? Où?

RÉVISION

Écris: **différent**, **même forme**, ou **même forme et même dimension**.

1. **2.** **3.**

4. Donne le couple de nombres correspondant au point bleu.
5. De quelle couleur est (3,2)?

Indique le nouveau couple de nombres:

6. Pousse ■ vers la droite (2 cases).
7. Pousse ■ vers la gauche (2 cases) et vers le bas (1 case).

TEST CHAPITRE 11

1. Trace deux segments de droites qui se coupent.

Nomme le solide.

2.  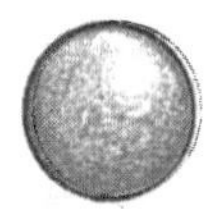 **3.** 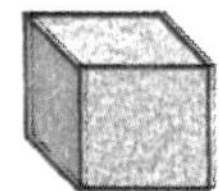 **4.**  **5.** 

Compte les faces.

6. 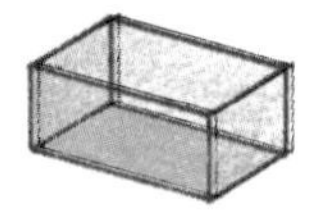 **7.** 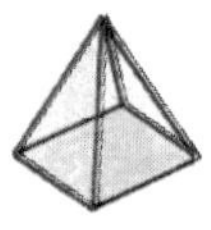 **8.** 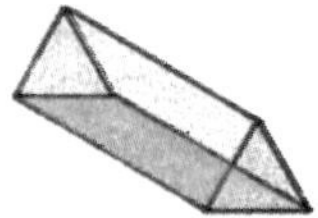

Compte les arêtes, puis les sommets.

9. d'une boîte **10.** d'un cylindre **11.** d'une sphère

Écris: **différent, même forme** ou **même dimension et même forme.**

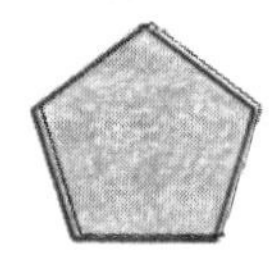 **12.** 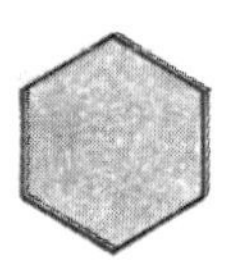 **13.** 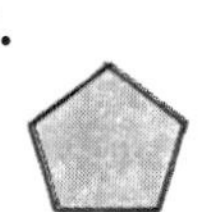 **14.** 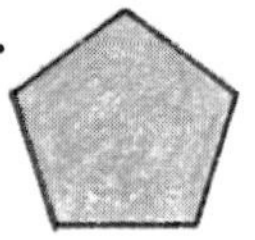

15. Quelle figure est à (3,1)?

16. Quelle figure est à (1,3)?

17. Où est  ?

18. Où est  ?

19. Pousse ■ vers le haut (3 cases). Où est-il maintenant?

20. Pousse ★ vers la gauche (3 cases) et vers le haut (2 cases). Où est-elle?

4		▲		
3	▲	⬟		
2	⬟	●		■
1		●	■	★
	1	2	3	4

REPRISE RÉSOLUTION DE PROBLÈMES

Résous les problèmes.

1. 524
   393 aiment l'art.
   Combien ne l'aiment pas?

2. 42 crayons
   7 Combien
   y en a-t-il par ?

3. 335
   186
   Quel est le total?

4. 8 boîtes de peinture
   7 dans chaque boîte
   Il y a ■ pinceaux.

5. 95 boîtes de peinture
   279 pinceaux
   54 livres de mathématiques
   Combien servent à peindre?

6. 375 crayons par boîte
   Les professeurs en prennent 66.
   Les étudiants en prennent 192.
   Combien en reste-t-il?

ATTENTION À LA PEINTURE!

Une classe de 30 élèves a peint des solides.
L'activité a commencé à 10:20. Les élèves ont peint 168 et 83 .
Cinq élèves ont utilisé chacun 3 pots d'eau. Les autres ont utilisé un pot chacun. L'activité a duré 30 minutes.

7. Combien de solides ont été peints?
8. Les 5 élèves ont utilisé ■ pots d'eau.
9. Combien d'élèves ont peint?
10. À quelle heure ont-ils fini?
11. Combien de pots d'eau ont-ils utilisés?

CHAPITRE 12
LA MULTIPLICATION

Enrichis ta collection!

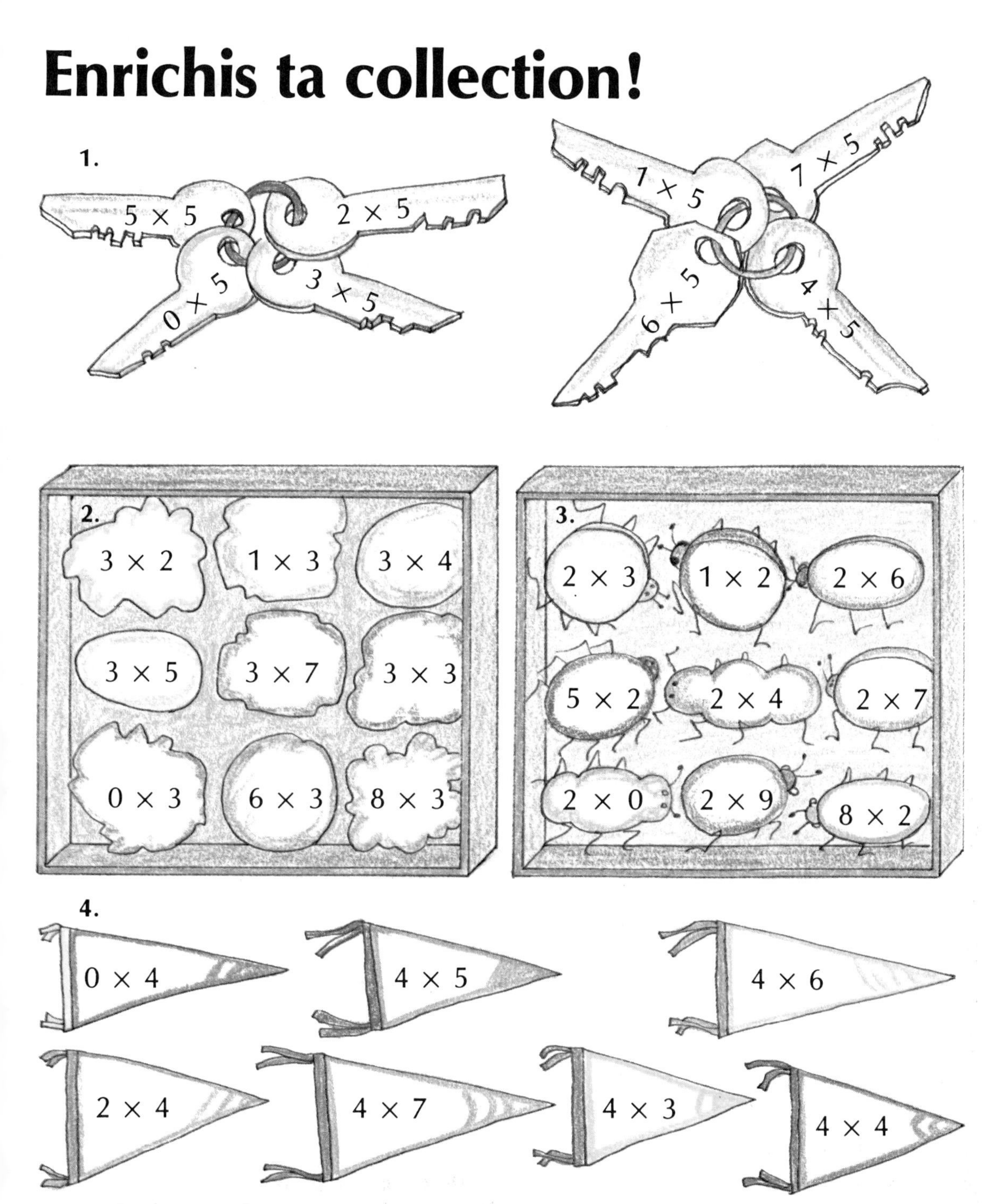

Un défi à relever!

Additionne les produits de chaque collection.
Deux collections ont la même somme; lesquelles?

Une autre façon de multiplier

Combien de rubans Guy a-t-il gagné?

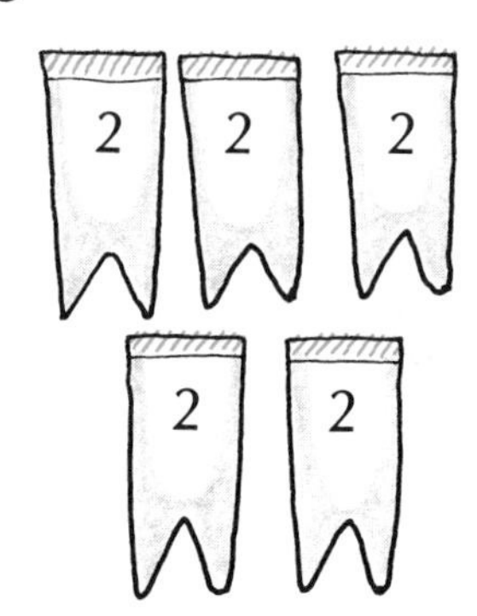

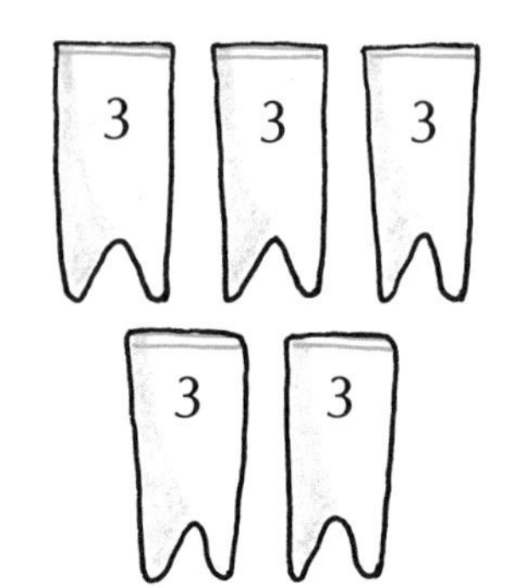

Guy a gagné 3 groupes de 5 rubans.
Il y a deux façons d'écrire 3 fois 5.

$3 \times 5 = 15$

Lis horizontalement

$$\begin{array}{r} 5 \\ \times 3 \\ \hline 15 \end{array}$$

Lis verticalement

Le **produit** est 15.
Guy a gagné 15 rubans en tout.

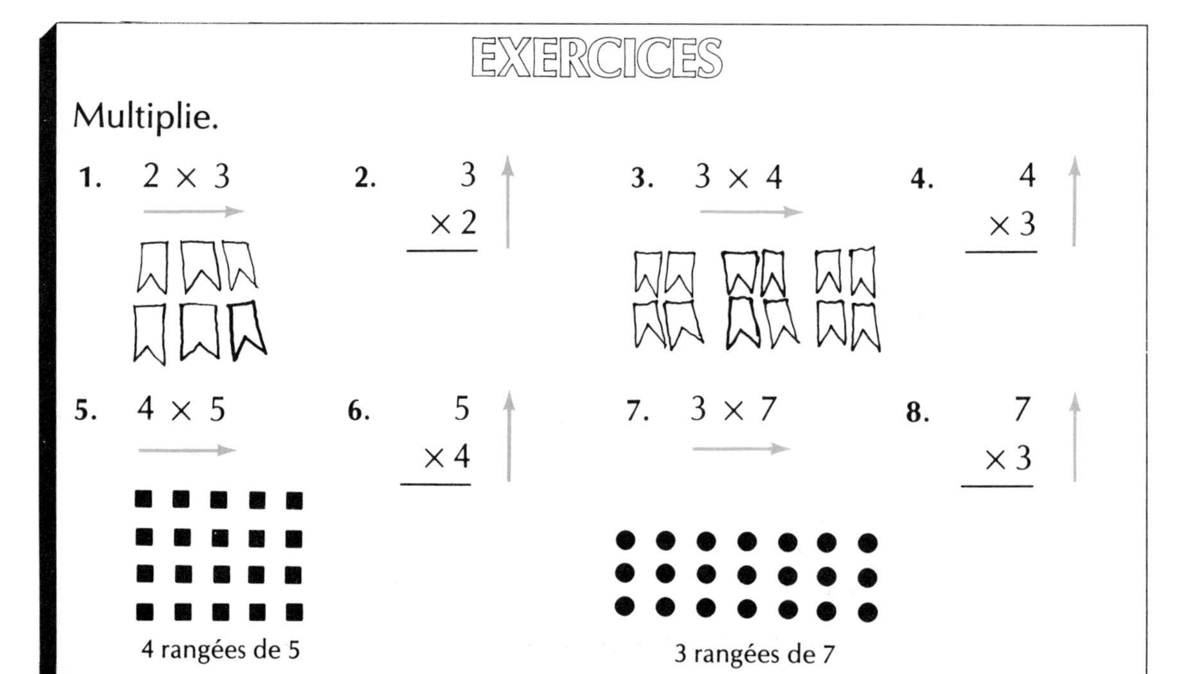

EXERCICES

Multiplie.

1. 2×3

2. $\begin{array}{r} 3 \\ \times 2 \\ \hline \end{array}$

3. 3×4

4. $\begin{array}{r} 4 \\ \times 3 \\ \hline \end{array}$

5. 4×5

4 rangées de 5

6. $\begin{array}{r} 5 \\ \times 4 \\ \hline \end{array}$

7. 3×7

3 rangées de 7

8. $\begin{array}{r} 7 \\ \times 3 \\ \hline \end{array}$

EXERCICES

Multiplie.

1. 3×0
2. $\begin{array}{r} 3 \\ \times 0 \\ \hline \end{array}$
3. 4×4
4. $\begin{array}{r} 4 \\ \times 4 \\ \hline \end{array}$
5. 2×8
6. $\begin{array}{r} 8 \\ \times 2 \\ \hline \end{array}$
7. 1×5
8. $\begin{array}{r} 5 \\ \times 1 \\ \hline \end{array}$
9. $\begin{array}{r} 3 \\ \times 6 \\ \hline \end{array}$
10. $\begin{array}{r} 7 \\ \times 4 \\ \hline \end{array}$
11. $\begin{array}{r} 5 \\ \times 5 \\ \hline \end{array}$
12. $\begin{array}{r} 2 \\ \times 3 \\ \hline \end{array}$

Complète chaque multiplication.

13. $\blacksquare \times 8 = 32$
14. $\begin{array}{r} 8 \\ \times \blacksquare \\ \hline 32 \end{array}$
15. $\blacksquare \times 3 = 24$
16. $\begin{array}{r} 3 \\ \times \blacksquare \\ \hline 24 \end{array}$
17. $5 \times \blacksquare = 30$
18. $\begin{array}{r} \blacksquare \\ \times 5 \\ \hline 30 \end{array}$
19. $4 \times \blacksquare = 36$
20. $\begin{array}{r} \blacksquare \\ \times 4 \\ \hline 36 \end{array}$

Sur le podium

Trouve la multiplication qui convient.
Calcule le nombre de rubans gagnés dans chaque cas.

1. 2 élèves gagnent 5 (2e) chacun.
2. 1 élève gagne 2 (1er)
3. 3 élèves gagnent 4 (1er) chacun.
4. 4 élèves gagnent 2 (3e) chacun.

$\begin{array}{r} 5 \\ \times 2 \\ \hline \end{array}$	$\begin{array}{r} 2 \\ \times 1 \\ \hline \end{array}$
$\begin{array}{r} 4 \\ \times 3 \\ \hline \end{array}$	$\begin{array}{r} 2 \\ \times 4 \\ \hline \end{array}$

Six

Compte les cartes de hockey collectionnées par Bill:

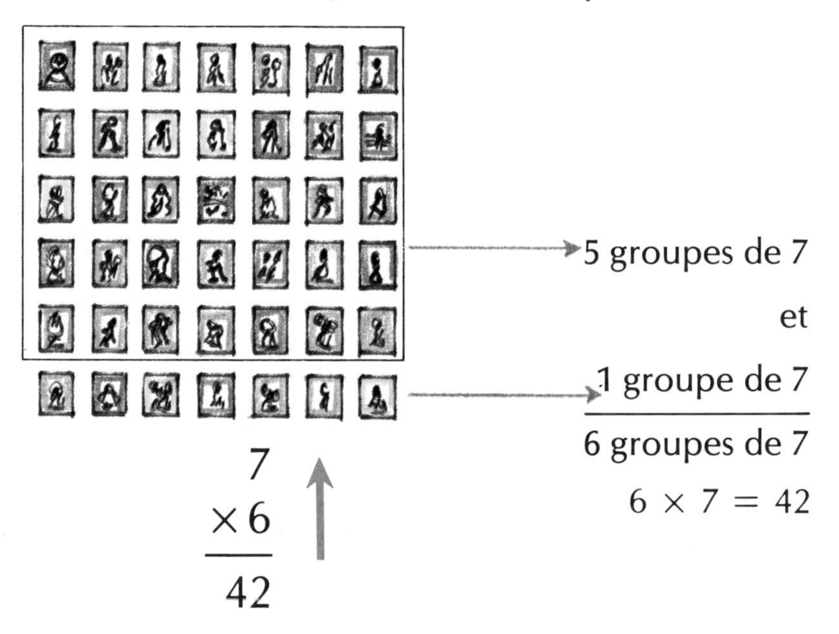

Bill a collectionné 42 cartes en tout.

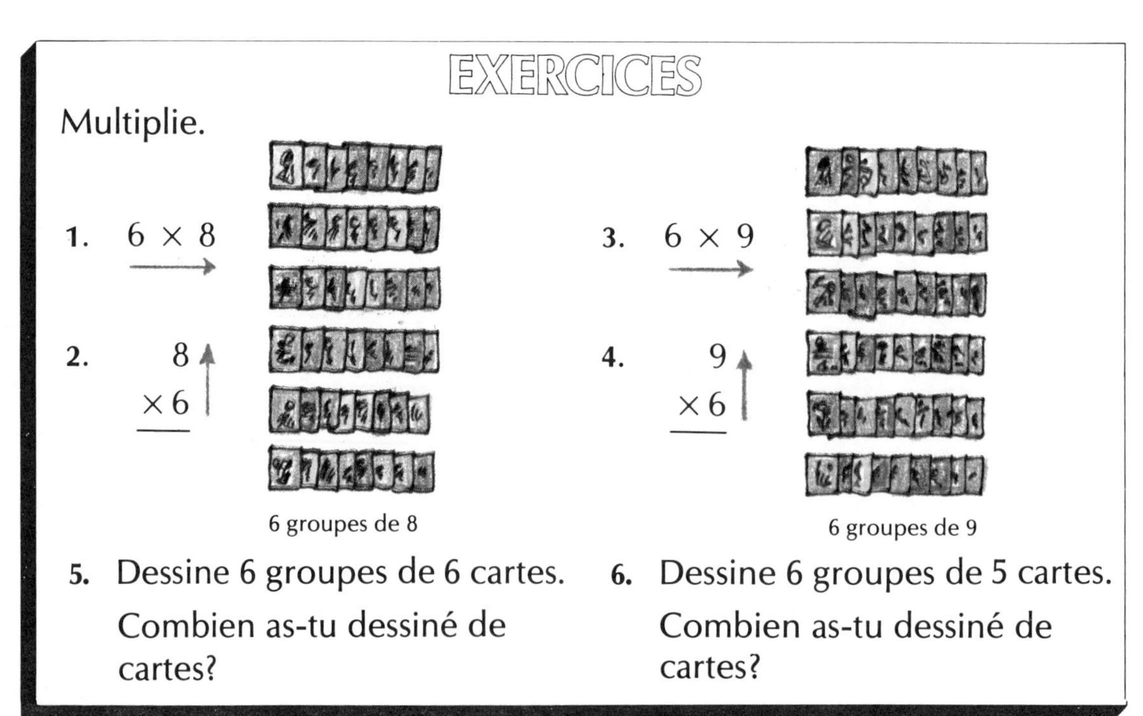

EXERCICES

Multiplie.

1. 6×8 →

2. $\begin{array}{r} 8 \\ \times 6 \\ \hline \end{array}$ ↑

6 groupes de 8

3. 6×9 →

4. $\begin{array}{r} 9 \\ \times 6 \\ \hline \end{array}$ ↑

6 groupes de 9

5. Dessine 6 groupes de 6 cartes. Combien as-tu dessiné de cartes?

6. Dessine 6 groupes de 5 cartes. Combien as-tu dessiné de cartes?

EXERCICES

Recopie et résous les équations.

1. $0 \times 6 = 0$ 　 $6 \times 0 = ■$
2. $1 \times 6 = ■$ 　 $6 \times 1 = ■$
3. $2 \times 6 = ■$ 　 $6 \times 2 = ■$

Multiplie.

4. 6×3
5. 3×6
6. 6×4
7. 4×6
8. 6×5
9. 5×6

Recopie et résous les équations.

10.
5 groupes de 6 = ■
1 groupe de 6 = ■

6 groupes de 6 = ■
$6 \times 6 = ■$

11.
5 groupes de 7 = ■
1 groupe de 7 = ■

6 groupes de 7 = ■
$6 \times 7 = ■$
$7 \times 6 = ■$

12.
5 groupes de 8 = ■
1 groupe de 8 = ■

$6 \times 8 = ■$
$8 \times 6 = ■$

13.
5 groupes de 9 = ■
1 groupe de 9 = ■

$6 \times 9 = ■$
$9 \times 6 = ■$

Multiplie.

14. 8×6
15. 9×6
16. 5×6
17. 7×6
18. 6×6
19. 6×8

Que va-t-elle mettre?

Pat a 6 pantalons de différentes couleurs et 5 corsages de différentes couleurs.
Combien d'ensembles différents peut-elle porter?

Fais un tableau, ce sera plus facile!

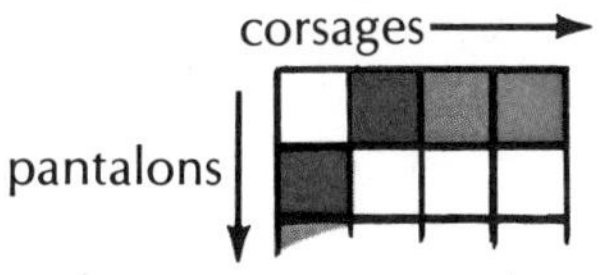

Sept

Jacques a 6 chapeaux. Ils ont 7 boutons chacun.
Robert a 1 chapeau. Il a 7 boutons.
Combien de boutons ont-ils en tout?

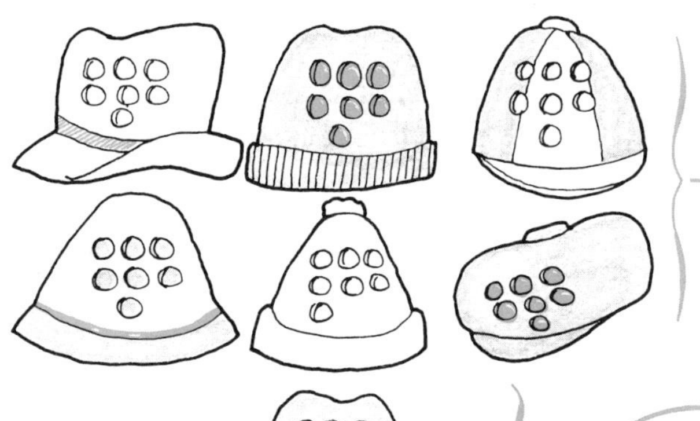

6 groupes de 7 = 42

et +

1 groupe de 7 = 7

7 groupes de 7 = 49

$7 \times 7 = 49$

$$\begin{array}{r} 7 \\ \times 7 \\ \hline 49 \end{array}$$

Ils ont 49 boutons.

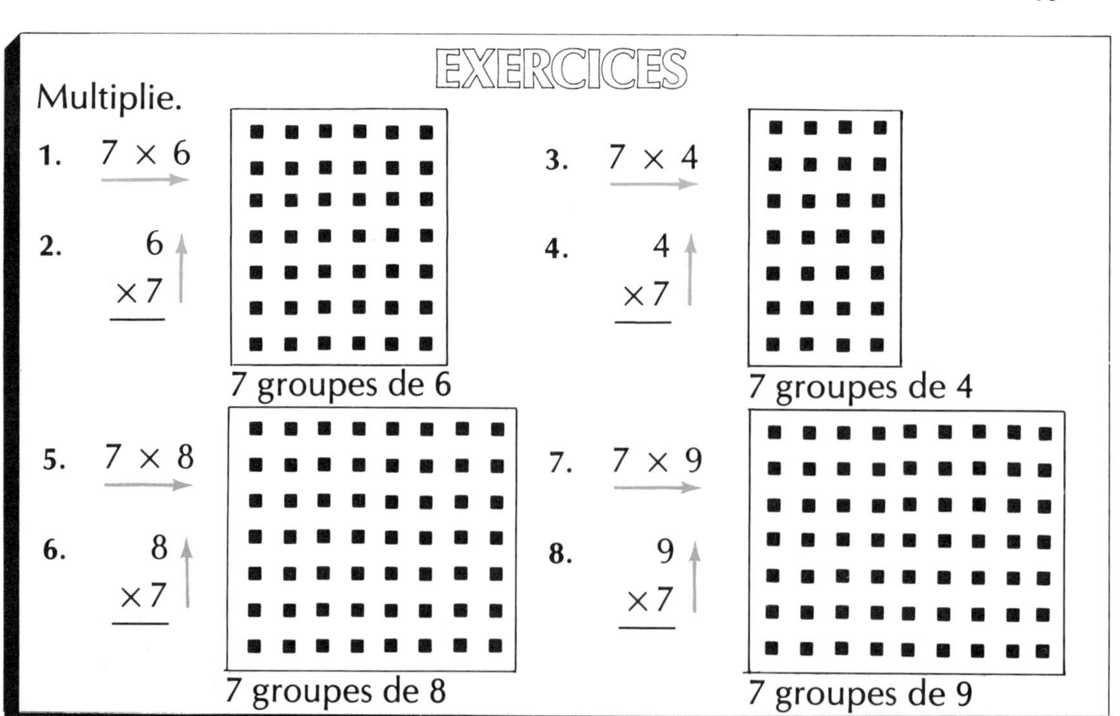

EXERCICES

Multiplie.

1. 7×6

2. $\begin{array}{r} 6 \\ \times 7 \\ \hline \end{array}$

7 groupes de 6

3. 7×4

4. $\begin{array}{r} 4 \\ \times 7 \\ \hline \end{array}$

7 groupes de 4

5. 7×8

6. $\begin{array}{r} 8 \\ \times 7 \\ \hline \end{array}$

7 groupes de 8

7. 7×9

8. $\begin{array}{r} 9 \\ \times 7 \\ \hline \end{array}$

7 groupes de 9

EXERCICES

Recopie et résous les équations.

1. $0 \times 7 = 0$
   $7 \times 0 = ■$

2. $1 \times 7 = ■$
   $7 \times 1 = ■$

3. $2 \times 7 = ■$
   $7 \times 2 = ■$

Multiplie.

4. $\begin{array}{r} 7 \\ \times 3 \\ \hline \end{array}$

5. $\begin{array}{r} 3 \\ \times 7 \\ \hline \end{array}$

6. $\begin{array}{r} 7 \\ \times 4 \\ \hline \end{array}$

7. $\begin{array}{r} 4 \\ \times 7 \\ \hline \end{array}$

8. $\begin{array}{r} 7 \\ \times 5 \\ \hline \end{array}$

9. $\begin{array}{r} 5 \\ \times 7 \\ \hline \end{array}$

Recopie et résous les équations.

10. 6 groupes de 6 = ■
    1 groupe de 6 = ■

    7 groupes de 6 = ■

    $7 \times 6 = ■$
    $6 \times 7 = ■$

11. 6 groupes de 8 = ■
    1 groupe de 8 = ■

    7 groupes de 8 = ■

    $7 \times 8 = ■$
    $8 \times 7 = ■$

12. 6 groupes de 7 = ■
    1 groupe de 7 = ■

    $7 \times 7 = ■$

13. 6 groupes de 9 = ■
    1 groupe de 9 = ■

    $7 \times 9 = ■$
    $9 \times 7 = ■$

Complète le tableau.

14.

×	8	6	9	7	4
6					

15.

×	5	2	9	6	3	8	4
7							

16. Pourquoi est-ce que **5678** te fait penser à 7×8?

Une question de boutons

Combien y a-t-il de boutons en tout?

- 7 boutons sur une carte — 8 cartes
- 8 boutons sur une carte — 7 cartes

Pictogrammes

Combien de voitures ont-ils en tout?

 représente 5 voitures miniatures.

Hélène a 6×5 (ou 30) voitures miniatures.

Robert a 3×5 (ou 15) voitures miniatures.

EXERCICES

Réponds à chaque question en faisant une phrase.

1. Christine a ■ coeurs?
2. Lise a ■ coeurs?
3. Laquelle des deux en a le plus?

EXERCICES

Margot
Julie
Corrine

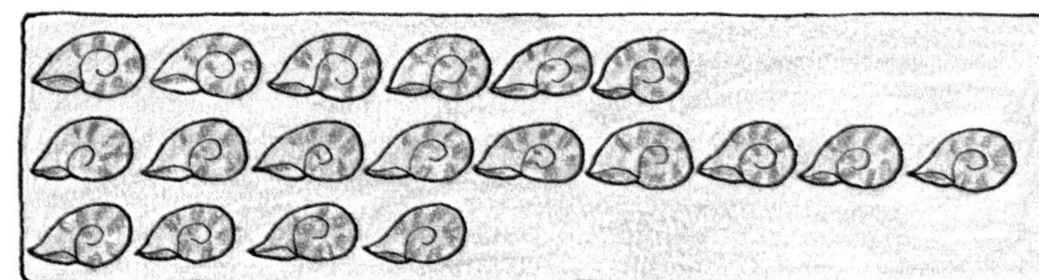

 représente 2 coquillages.

1. Corrine en a ■. 2. Margot en a ■. 3. Julie en a ■.

représente 5 coquillages.

4. Julie en a ■. 5. Corrine en a ■. 6. Margot en a ■.

représente 10 coquillages.

7. Margot en a ■. 8. Julie en a ■. 9. Corrine en a ■.

10. Qui en a le plus?

11. Qui en a le moins?

RÉVISION

Multiplie.

1. 3×6 2. $\begin{array}{r} 6 \\ \times 3 \\ \hline \end{array}$ 3. 6×1 4. $\begin{array}{r} 1 \\ \times 6 \\ \hline \end{array}$ 5. 4×9 6. $\begin{array}{r} 9 \\ \times 4 \\ \hline \end{array}$

7. $\begin{array}{r} 9 \\ \times 6 \\ \hline \end{array}$ 8. $\begin{array}{r} 8 \\ \times 6 \\ \hline \end{array}$ 9. $\begin{array}{r} 7 \\ \times 6 \\ \hline \end{array}$ 10. $\begin{array}{r} 6 \\ \times 6 \\ \hline \end{array}$ 11. $\begin{array}{r} 5 \\ \times 6 \\ \hline \end{array}$ 12. $\begin{array}{r} 4 \\ \times 6 \\ \hline \end{array}$

13. $\begin{array}{r} 4 \\ \times 7 \\ \hline \end{array}$ 14. $\begin{array}{r} 5 \\ \times 7 \\ \hline \end{array}$ 15. $\begin{array}{r} 6 \\ \times 7 \\ \hline \end{array}$ 16. $\begin{array}{r} 7 \\ \times 7 \\ \hline \end{array}$ 17. $\begin{array}{r} 8 \\ \times 7 \\ \hline \end{array}$ 18. $\begin{array}{r} 9 \\ \times 7 \\ \hline \end{array}$

Huit

Jeanne a 8 rangées de 7 timbres.
Combien a-t-elle de timbres en tout?

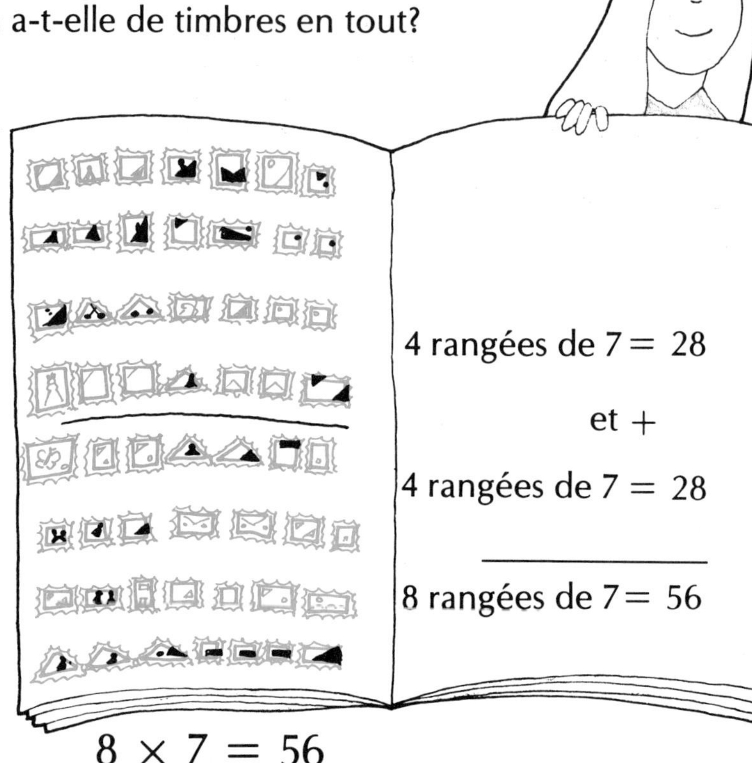

$8 \times 7 = 56$

$$\begin{array}{r} 7 \\ \times 8 \\ \hline 56 \end{array}$$

Jeanne a 56 timbres en tout.

EXERCICES

Multiplie.

1. 8×5

2. $\begin{array}{r} 5 \\ \times 8 \\ \hline \end{array}$

8 rangées de 5

3. 8×6

4. $\begin{array}{r} 6 \\ \times 8 \\ \hline \end{array}$

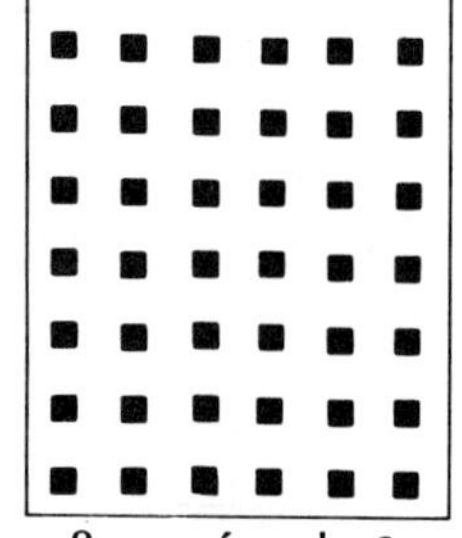

8 rangées de 6

5. Dessine 8 rangées de 8 timbres.
   Il y a ■ timbres en tout.

6. Dessine 8 rangées de 9 timbres.
   Il y a ■ timbres en tout.

EXERCICES

Recopie et résous les équations.

1. $0 \times 8 = 0$
   $8 \times 0 = ■$
2. $1 \times 8 = ■$
   $8 \times 1 = ■$
3. $2 \times 8 = ■$
   $8 \times 2 = ■$

Multiplie.

4. 8×3
5. 3×8
6. 8×4
7. 4×8
8. 8×5
9. 5×8

Recopie et résous les équations.

10. 4 groupes de 6 = ■
    4 groupes de 6 = ■
    8 groupes de 6 = ■
    $8 \times 6 = ■$
    $6 \times 8 = ■$

11. 4 groupes de 7 = ■
    4 groupes de 7 = ■
    8 groupes de 7 = ■
    $8 \times 7 = ■$
    $7 \times 8 = ■$

12. 4 groupes de 8 = ■
    4 groupes de 8 = ■
    $8 \times 8 = ■$

13. 4 groupes de 9 = ■
    4 groupes de 9 = ■
    $8 \times 9 = ■$
    $9 \times 8 = ■$

Multiplie.

14. 7×8
15. 5×8
16. 8×8
17. 6×8
18. 9×8
19. 8×7

Représentation

À l'entracte, cinq spectateurs se serrent la main. Combien de poignées de mains se donnent-ils en tout? Pour trouver plus facilement la réponse, fais un dessin qui représente l'échange.

Neuf

Combien d'échantillons de roches Suzanne a-t-elle dans sa collection?

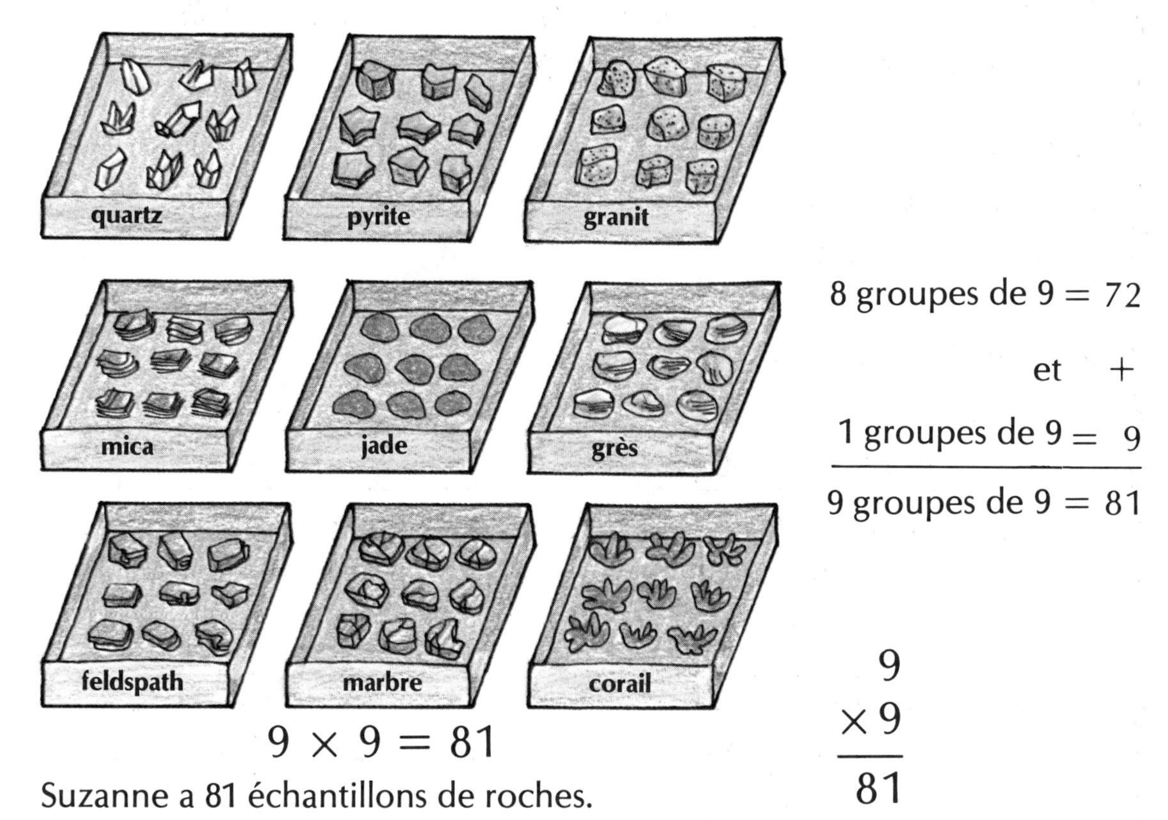

8 groupes de 9 = 72

et +

1 groupes de 9 = 9

9 groupes de 9 = 81

$$9 \times 9 = 81$$

$$\begin{array}{r} 9 \\ \times 9 \\ \hline 81 \end{array}$$

Suzanne a 81 échantillons de roches.

EXERCICES

Multiplie.

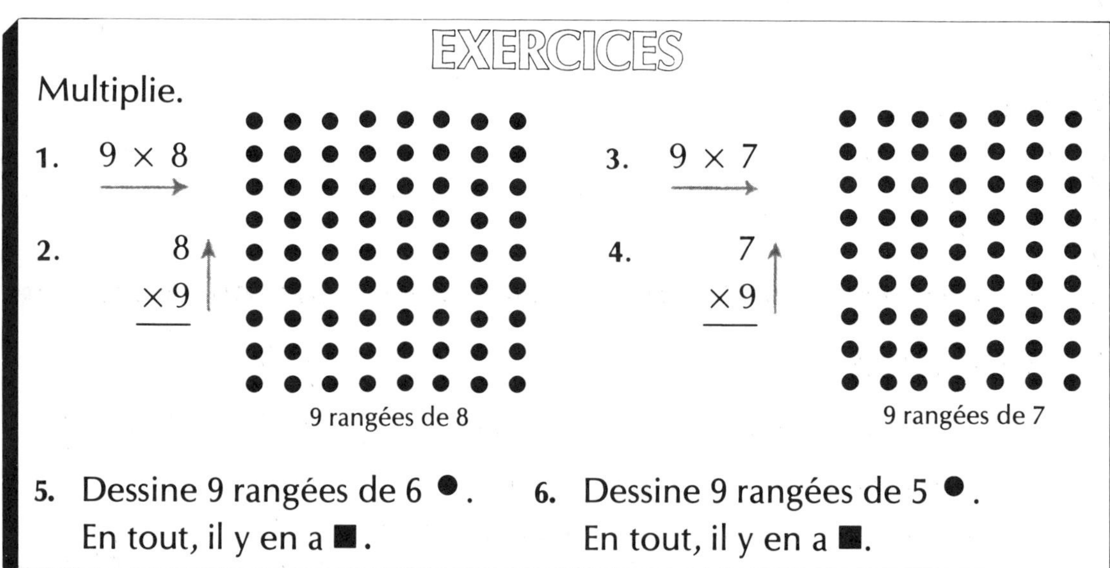

1. 9×8 →

2. $\begin{array}{r} 8 \\ \times 9 \\ \hline \end{array}$ ↑

9 rangées de 8

3. 9×7 →

4. $\begin{array}{r} 7 \\ \times 9 \\ \hline \end{array}$ ↑

9 rangées de 7

5. Dessine 9 rangées de 6 ●. En tout, il y en a ■.

6. Dessine 9 rangées de 5 ●. En tout, il y en a ■.

EXERCICES

Recopie et résous les équations.

1. $0 \times 9 = 0$
   $9 \times 0 = ■$
2. $1 \times 9 = ■$
   $9 \times 1 = ■$
3. $2 \times 9 = ■$
   $9 \times 2 = ■$

Multiplie.

4. $\begin{array}{r} 9 \\ \times 3 \\ \hline \end{array}$
5. $\begin{array}{r} 3 \\ \times 9 \\ \hline \end{array}$
6. $\begin{array}{r} 9 \\ \times 4 \\ \hline \end{array}$
7. $\begin{array}{r} 4 \\ \times 9 \\ \hline \end{array}$
8. $\begin{array}{r} 9 \\ \times 5 \\ \hline \end{array}$
9. $\begin{array}{r} 5 \\ \times 9 \\ \hline \end{array}$

Recopie et résous les équations.

10. 8 groupes de 6 = ■
    1 groupe de 6 = ■
    9 groupes de 6 = ■
    $9 \times 6 = ■$
    $6 \times 9 = ■$
11. 8 groupes de 7 = ■
    1 groupe de 7 = ■
    9 groupes de 7 = ■
    $9 \times 7 = ■$
    $7 \times 9 = ■$
12. 8 groupes de 8 = ■
    1 groupe de 8 = ■
    $9 \times 8 = ■$
    $8 \times 9 = ■$
13. 8 groupes de 9 = ■
    1 groupe de 9 = ■
    $9 \times 9 = ■$

Multiplie.

14. $\begin{array}{r} 7 \\ \times 9 \\ \hline \end{array}$
15. $\begin{array}{r} 9 \\ \times 9 \\ \hline \end{array}$
16. $\begin{array}{r} 5 \\ \times 9 \\ \hline \end{array}$
17. $\begin{array}{r} 8 \\ \times 9 \\ \hline \end{array}$
18. $\begin{array}{r} 4 \\ \times 9 \\ \hline \end{array}$
19. $\begin{array}{r} 6 \\ \times 9 \\ \hline \end{array}$

Sur le bout des doigts!

1. $■ \times 9 = ■■$

2. $■ \times 9 = ■■$

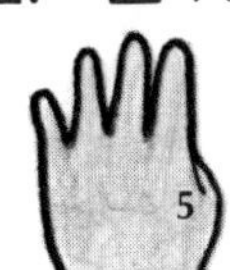

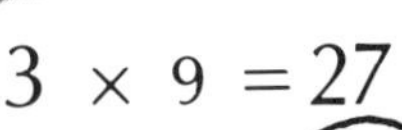

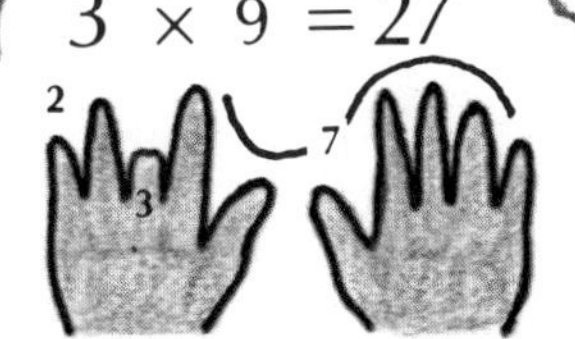

3. Fais les exercices qui vont de 14 à 19 de la même façon.

L'aire

L'**aire** est la mesure de l'espace contenu dans une figure.

Quelle est l'aire de cette surface?
La réponse dépend de **l'unité** employée.

Il faut 10  pour recouvrir la figure.

Il faut 5  pour recouvrir la figure.

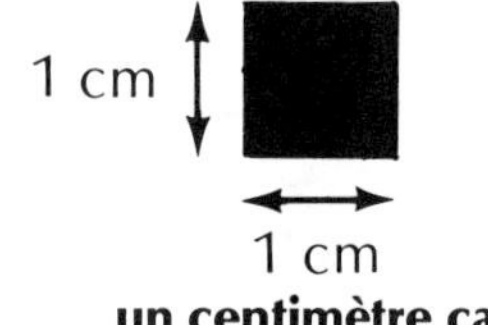

un centimètre carré

Il faut 20 centimètres carrés.

EXERCICES

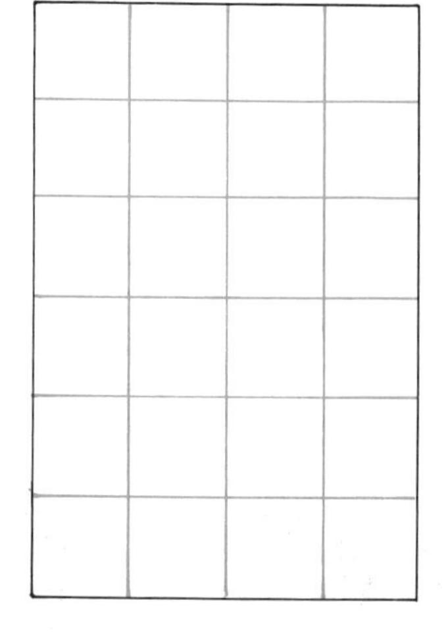

1. Combien faut-il de timbres représentant un oiseau pour recouvrir la figure?
2. Combien faut-il de timbres représentant un poisson pour recouvrir la figure?
3. Quelle est l'aire de la figure en centimètres carrés?

EXERCICES

Trouve l'aire de ces surfaces en employant comme unité:

1. un timbre représentant un oiseau, un timbre représentant un poisson, un centimètre carré.

2.

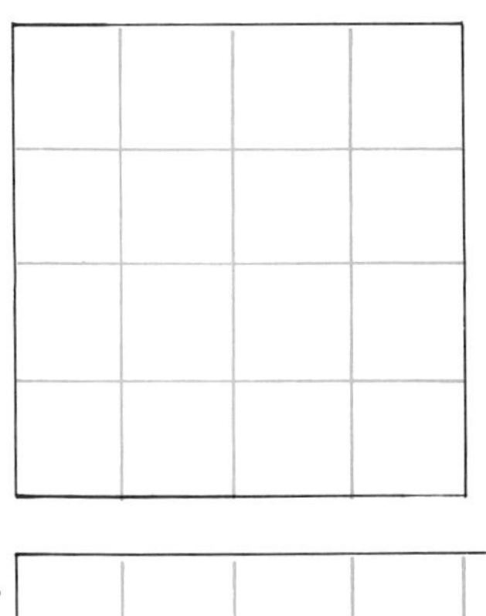

3.

Des tables de jeu

Reproduis-les et complète-les.

2.

×	3		8	5	
9		63			36

1.

×	6	7
8		
9		

3.

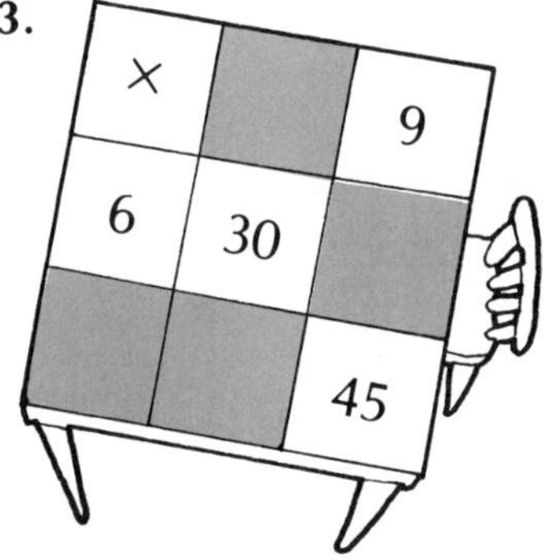

×		9
6	30	
		45

4.

×		7
		42
9	72	

Le calcul de l'aire

Tu peux calculer l'aire du rectangle en faisant une multiplication.

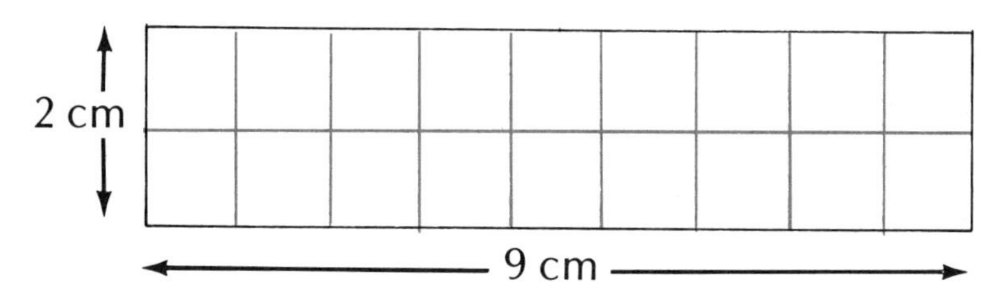

En comptant, tu trouves 18 centimètres carrés.
En multipliant 2 par 9, tu trouves 18.

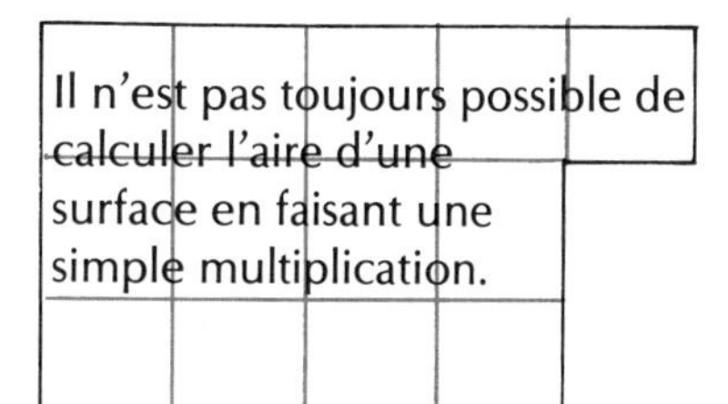

Il n'est pas toujours possible de compter les unités pour calculer l'aire d'une surface.

EXERCICES

Calcule l'aire en centimètres carrés.
Fais une multiplication quand tu le peux.
Dans le cas contraire, compte les unités.

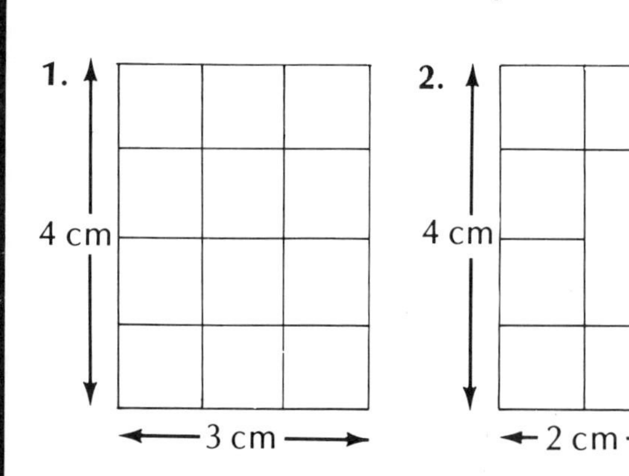

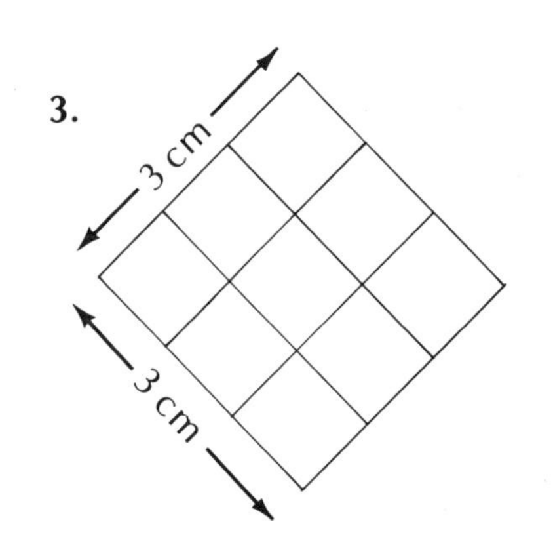

EXERCICES

Calcule l'aire en centimètres carrés.
Fais une multiplication chaque fois que c'est possible. Sinon, compte les unités.

1. 7 cm

2.

3.

Reproduis ce quadrillage, puis dessine les figures ayant ces aires:

4. 20 centimètres carrés
5. 54 centimètres carrés
6. 21 centimètres carrés
7. 56 centimètres carrés

RÉVISION

Multiplie.

1. 8×4
2. 8×7
3. 3×8
4. 5×8
5. 8×9
6. 8×8
7. 6×8
8. 2×8
9. 9×4
10. 9×7
11. 3×9
12. 8×9
13. 9×5
14. 9×9
15. 6×9
16. 2×9

TEST CHAPITRE 12

Recopie et complète les opérations.

1. $3 \times 5 = ■$

2. $\begin{array}{r} 5 \\ \times 3 \\ \hline ■ \end{array}$

3. $6 \times 2 = ■$

4. $\begin{array}{r} 2 \\ \times 6 \\ \hline ■ \end{array}$

5. $2 \times ■ = 14$

6. $\begin{array}{r} ■ \\ \times 2 \\ \hline 14 \end{array}$

7. $■ \times 9 = 36$

8. $\begin{array}{r} 9 \\ \times ■ \\ \hline 36 \end{array}$

Multiplie.

9. 6×6 **10.** 3×6 **11.** 6×7 **12.** 5×6

13. $\begin{array}{r} 7 \\ \times 6 \\ \hline \end{array}$ **14.** $\begin{array}{r} 6 \\ \times 9 \\ \hline \end{array}$ **15.** $\begin{array}{r} 6 \\ \times 8 \\ \hline \end{array}$ **16.** $\begin{array}{r} 4 \\ \times 6 \\ \hline \end{array}$

17. 7×7 **18.** 7×3 **19.** 8×7 **20.** 0×7

21. $\begin{array}{r} 9 \\ \times 7 \\ \hline \end{array}$ **22.** $\begin{array}{r} 6 \\ \times 7 \\ \hline \end{array}$ **23.** $\begin{array}{r} 7 \\ \times 5 \\ \hline \end{array}$ **24.** $\begin{array}{r} 7 \\ \times 4 \\ \hline \end{array}$

25. 8×8 **26.** 5×8 **27.** 8×6 **28.** 8×1

29. $\begin{array}{r} 8 \\ \times 7 \\ \hline \end{array}$ **30.** $\begin{array}{r} 9 \\ \times 8 \\ \hline \end{array}$ **31.** $\begin{array}{r} 8 \\ \times 3 \\ \hline \end{array}$ **32.** $\begin{array}{r} 4 \\ \times 8 \\ \hline \end{array}$

33. 9×9 **34.** 3×9 **35.** 9×8 **36.** 9×7

37. $\begin{array}{r} 9 \\ \times 6 \\ \hline \end{array}$ **38.** $\begin{array}{r} 5 \\ \times 9 \\ \hline \end{array}$ **39.** $\begin{array}{r} 0 \\ \times 9 \\ \hline \end{array}$ **40.** $\begin{array}{r} 4 \\ \times 9 \\ \hline \end{array}$

REPRISE LA SOUSTRACTION

Soustrais.

1. 356 − 128	**2.** 742 − 408	**3.** 680 − 606	**4.** 873 − 5
5. 354 − 193	**6.** 870 − 790	**7.** 329 − 64	**8.** 446 − 86
9. 632 − 254	**10.** 525 − 156	**11.** 350 − 173	**12.** 577 − 98
13. 406 − 137	**14.** 705 − 63	**15.** 400 − 237	**16.** 600 − 75

Calcule la différence entre ces nombres:

17. 7,26$ et 3,54$

18. 2,28$ et 6,47$

19. 1,35$ et 6,00$

20. 2,07 et 0,75$

Résous le problème en indiquant chaque étape.

21. 625 pièces d'argent dans la collection
175 sont canadiennes.
235 sont américaines.
Combien de pièces viennent d'autres pays?

CHAPITRE 13
LA DIVISION

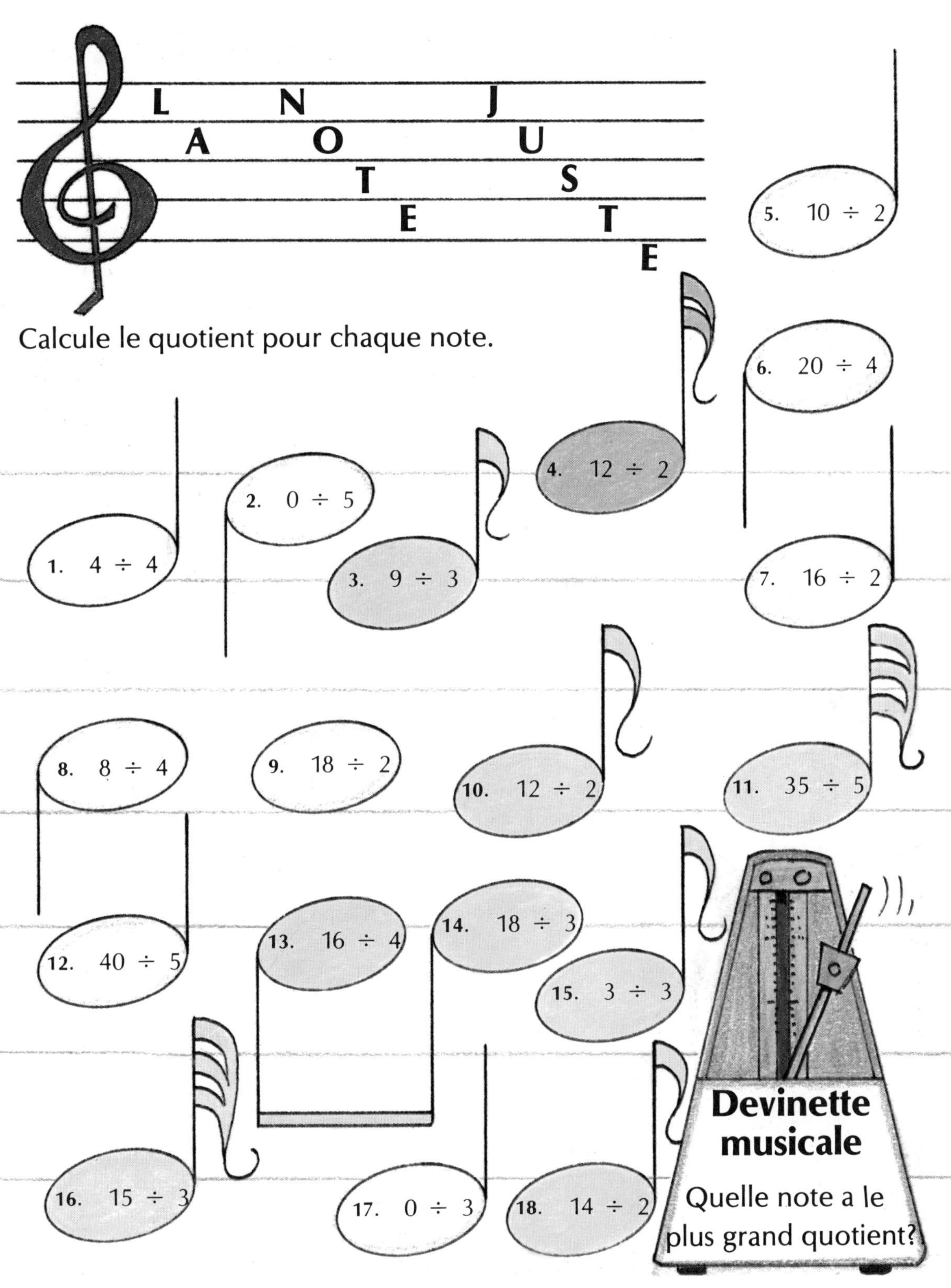
LA NOTE JUSTE
Calcule le quotient pour chaque note.
1. 4 ÷ 4
2. 0 ÷ 5
3. 9 ÷ 3
4. 12 ÷ 2
5. 10 ÷ 2
6. 20 ÷ 4
7. 16 ÷ 2
8. 8 ÷ 4
9. 18 ÷ 2
10. 12 ÷ 2
11. 35 ÷ 5
12. 40 ÷ 5
13. 16 ÷ 4
14. 18 ÷ 3
15. 3 ÷ 3
16. 15 ÷ 3
17. 0 ÷ 3
18. 14 ÷ 2
Devinette musicale
Quelle note a le plus grand quotient?

Une autre façon de présenter la division

Il y a deux façons de présenter la division.

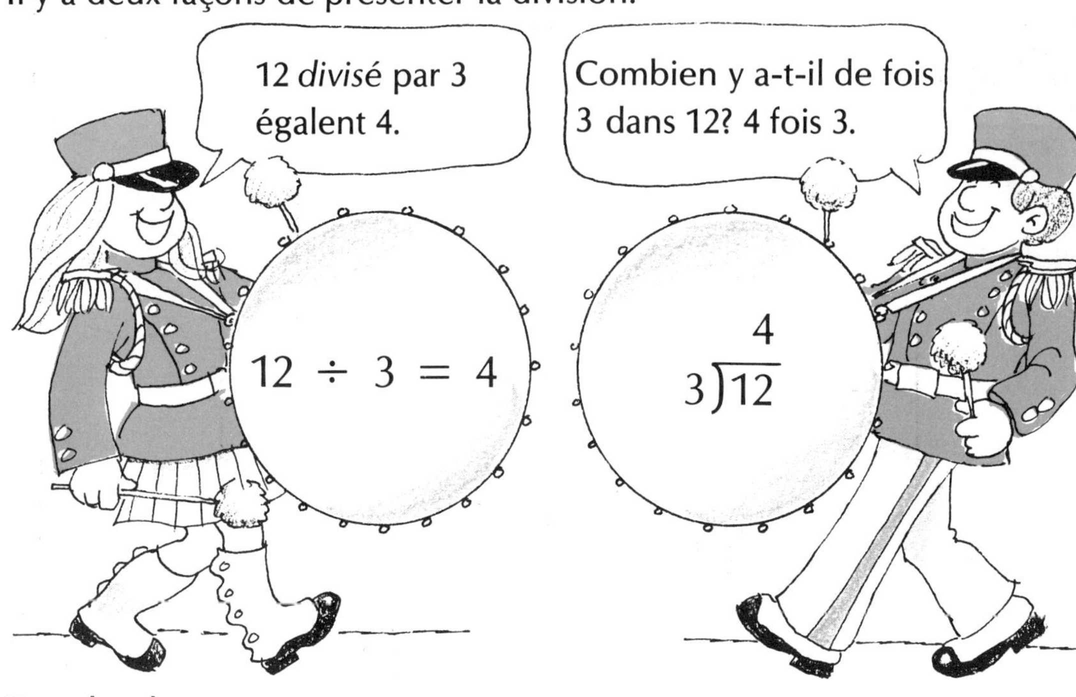

Dans les deux cas, pense que ■ × 3 = 12

EXERCICES

Écris chaque division en utilisant le signe $\overline{)\quad}$.

1. $8 \div 2 = 4$	**2.** $6 \div 3 = 2$	**3.** $24 \div 4 = 6$
4. $10 \div 5 = 2$	**5.** $10 \div 2 = 5$	**6.** $5 \div 5 = 1$

Écris chaque division en utilisant le signe $\overline{)\quad}$. Trouve le quotient.

7. $24 \div 3$	**8.** $24 \div 4$	**9.** $25 \div 5$
10. $20 \div 5$	**11.** $20 \div 4$	**12.** $12 \div 4$
13. $12 \div 3$	**14.** $12 \div 2$	**15.** $18 \div 2$

EXERCICES

Trouve 4 quotients qui correspondent à chaque nombre.

1.

9	
18 ÷ 3	45 ÷ 5
27 ÷ 3	24 ÷ 4
18 ÷ 2	36 ÷ 4

2.

6	
$2\overline{)12}$	$3\overline{)18}$
$4\overline{)20}$	$5\overline{)5}$
$5\overline{)30}$	$4\overline{)24}$

3.

8	
$4\overline{)12}$	$3\overline{)18}$
$3\overline{)24}$	$2\overline{)16}$
$5\overline{)40}$	$4\overline{)32}$

4.

4	
12 ÷ 3	$5\overline{)20}$
16 ÷ 4	8 ÷ 2
$4\overline{)12}$	$3\overline{)9}$

Collection de disques

1. 40 chansons
5 chansons par disque
Il y a ■ disques.

2. 5 disques
7 chansons par disque
Il y a ■ chansons.

3. 12 disques
2 par album
Il y a ■ albums.

4. 15 disques
3 par pile
Il y a ■ piles.

Le sens de la division

10 flûtes sont réparties également dans 2 boîtes.
Combien y en a-t-il par boîte?

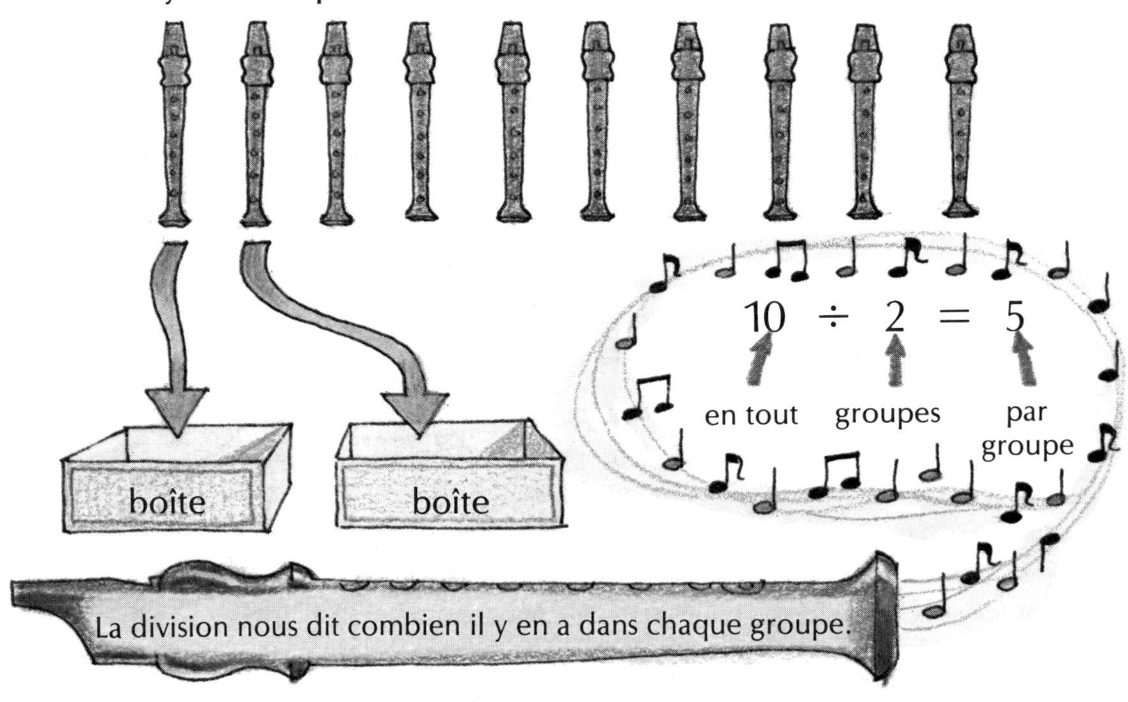

EXERCICES

Combien de baguettes de tambour peut-on mettre dans chaque boîte?
Écris une équation.

1.

2.

3.

4.

EXERCICES

18 musiciens s'alignent en rangées égales.
Fais un dessin **et** écris une division pour
montrer combien il y en aura par rangée.

1. 2 rangées
2. 3 rangées
3. 6 rangées
4. 9 rangées

Résous le problème.

5. 4 trompettistes partagent 24 grains de raisins; combien en ont-ils chacun?

À la table de jeu

Harmonie distribue les cartes en chantant.
Combien de cartes chaque joueur reçoit-il?

Partie	Nombre de cartes	Nombre de joueurs	Nombre de cartes par joueur.
1.	24	six	?
2.	24	huit	?
3.	28	sept	?
4.	20	quatre	?
5.	27	neuf	?

Le reste

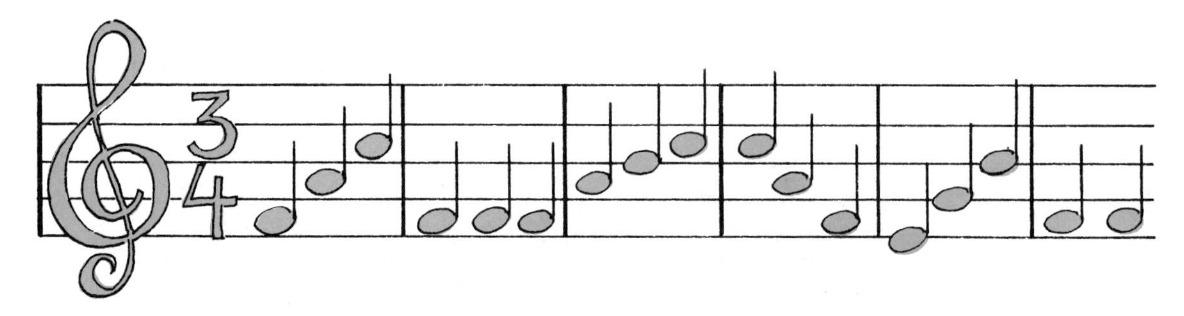

15 notes sont groupées par trois.
Combien y a-t-il de groupes?
Il y a **5** groupes de 3 notes
et il ne reste **aucune** note.

$15 \div 3 = 5 \text{ R } 0$

$$\begin{array}{r} 5 \\ 3\overline{)\ 15} \\ -15 \\ \hline 0 \end{array}$$

17 notes sont groupées par trois.
Combien y a-t-il de groupes?
Il y a **5** groupes de 3 notes
et il en reste **2**.

$17 \div 3 = 5 \text{ R } 2$

$$\begin{array}{r} 5 \\ 3\overline{)\ 17} \\ -15 \\ \hline 2 \end{array}$$

Ce qu'on ne peut pas grouper s'appelle le **reste** de la division.

EXERCICES

Résous les divisions. Encercle celles qui ont un reste.

1. $20 \div 5$ **2.** $21 \div 5$ **3.** $22 \div 5$

4. $23 \div 5$ **5.** $24 \div 5$ **6.** $25 \div 5$

7. $3\overline{)6}$ **8.** $3\overline{)7}$ **9.** $3\overline{)8}$

10. $4\overline{)36}$ **11.** $4\overline{)37}$ **12.** $4\overline{)39}$

EXERCICES

Résous les divisons. Attention au reste!

1. $3\overline{)22}$ 2. $4\overline{)23}$ 3. $2\overline{)9}$ 4. $5\overline{)12}$

5. $4\overline{)28}$ 6. $3\overline{)11}$ 7. $5\overline{)32}$ 8. $2\overline{)17}$

9. $0 \div 5$ 10. $6 \div 5$ 11. $19 \div 4$ 12. $36 \div 4$

M. Boum-boum a 16 tambours dans son orchestre. Combien de rangées complètes de tambours peut-il former s'il en a:

13. 4 par rangée?
14. 3 par rangée?
15. 2 par rangée?
16. 1 par rangée?
17. 5 par rangée?
18. 6 par rangée?

Mme Mélodie a 23 flûtistes dans son orchestre. Combien en reste-t-il si elle les aligne par rangées de:

19. 3?
20. 7?

$Argent comptant$

Jeanne a 25¢.

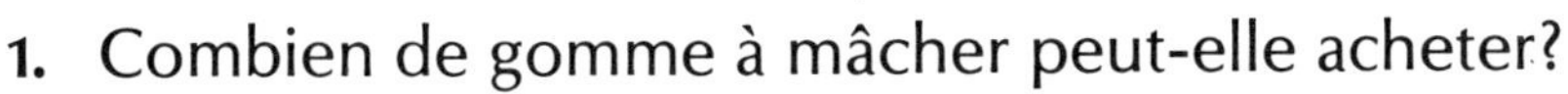

1. Combien de gomme à mâcher peut-elle acheter?
2. Que peut-elle acheter pour que cela fasse un compte rond?
3. Que peut-elle acheter pour qu'il lui reste 1¢?
4. Jeanne ne devrait pas dépenser trop d'argent en bonbons. Pourquoi?

La division par 6 et par 7

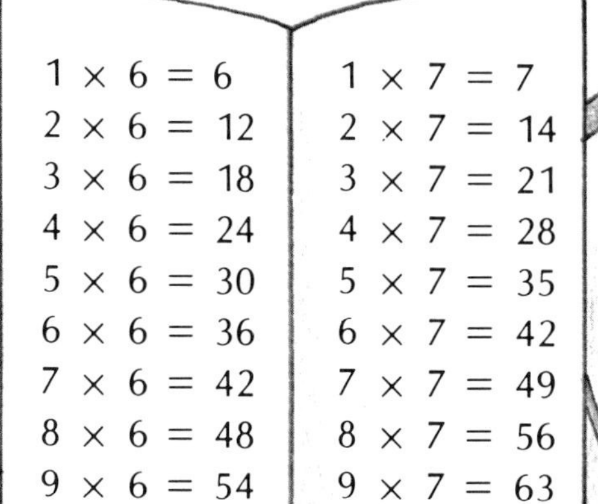

Mon concert de piano a lieu dans 28 jours.
Bon! Il y a 7 jours dans une semaine.
Puisque **4** $\times 7 = 28$, j'ai encore 4 semaines.

$28 \div 7 = \mathbf{4}$ $\qquad$ $\begin{array}{r} \mathbf{4} \\ 7\overline{)28} \end{array}$

EXERCICES

Utilise les tables de multiplication pour résoudre ces équations.

1. $\blacksquare \times 6 = 36$
$36 \div 6 = \blacksquare$

2. $\blacksquare \times 6 = 42$
$42 \div 6 = \blacksquare$

3. $\blacksquare \times 6 = 48$
$48 \div 6 = \blacksquare$

4. $\begin{array}{r} 6 \\ \times \blacksquare \\ \hline 30 \end{array}$ $\qquad$ $\begin{array}{r} \blacksquare \\ 6\overline{)30} \end{array}$

5. $\begin{array}{r} 6 \\ \times \blacksquare \\ \hline 0 \end{array}$ $\qquad$ $\begin{array}{r} \blacksquare \\ 6\overline{)0} \end{array}$

6. $\begin{array}{r} 6 \\ \times \blacksquare \\ \hline 18 \end{array}$ $\qquad$ $\begin{array}{r} \blacksquare \\ 6\overline{)18} \end{array}$

7. $\blacksquare \times 7 = 35$
$35 \div 7 = \blacksquare$

8. $\blacksquare \times 7 = 42$
$42 \div 7 = \blacksquare$

9. $\blacksquare \times 7 = 49$
$49 \div 7 = \blacksquare$

10. $\begin{array}{r} 7 \\ \times \blacksquare \\ \hline 56 \end{array}$ $\qquad$ $\begin{array}{r} \blacksquare \\ 7\overline{)56} \end{array}$

11. $\begin{array}{r} 7 \\ \times \blacksquare \\ \hline 63 \end{array}$ $\qquad$ $\begin{array}{r} \blacksquare \\ 7\overline{)63} \end{array}$

12. $\begin{array}{r} 7 \\ \times \blacksquare \\ \hline 7 \end{array}$ $\qquad$ $\begin{array}{r} \blacksquare \\ 7\overline{)7} \end{array}$

EXERCICES

Divise. Aide-toi des tables de multiplication.

1. $6\overline{)12}$	**2.** $6\overline{)30}$	**3.** $6\overline{)18}$	**4.** $6\overline{)24}$
5. $7\overline{)28}$	**6.** $7\overline{)21}$	**7.** $7\overline{)14}$	**8.** $7\overline{)42}$
9. $6\overline{)42}$	**10.** $6\overline{)43}$	**11.** $7\overline{)35}$	**12.** $7\overline{)37}$
13. $6\overline{)48}$	**14.** $7\overline{)63}$	**15.** $7\overline{)56}$	**16.** $6\overline{)54}$
17. $7\overline{)49}$	**18.** $6\overline{)36}$	**19.** $6\overline{)15}$	**20.** $7\overline{)12}$

Combien de semaines y a-t-il et combien de jours reste-t-il dans:

21. 16 jours? **22.** 36 jours? **23.** 30 jours? **24.** 54 jours?

RÉVISION

Écris les divisions avec le signe $\overline{)\quad}$. Puis calcule leurs quotients.

1. $14 \div 2$ **2.** $21 \div 3$ **3.** $25 \div 5$ **4.** $17 \div 3$

Invente une division.

5.

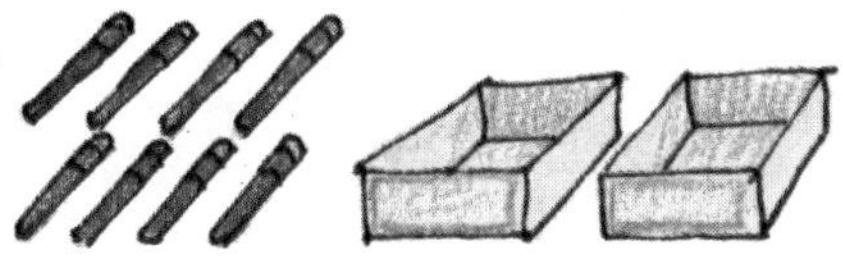

6.

Divise.

7. $5\overline{)22}$	**8.** $3\overline{)16}$	**9.** $2\overline{)19}$	**10.** $4\overline{)26}$
11. $6\overline{)6}$	**12.** $7\overline{)14}$	**13.** $6\overline{)54}$	**14.** $7\overline{)49}$
15. $7\overline{)7}$	**16.** $6\overline{)18}$	**17.** $7\overline{)36}$	**18.** $6\overline{)38}$

La division par 8 et par 9

$0 \times 8 = 0$ $1 \times 8 = 8$
$2 \times 8 = 16$ $3 \times 8 = 24$
$4 \times 8 = 32$ $5 \times 8 = 40$
$6 \times 8 = 48$ $7 \times 8 = 56$
$8 \times 8 = 64$ $9 \times 8 = 72$

$0 \times 9 = 0$ $1 \times 9 = 9$
$2 \times 9 = 18$ $3 \times 9 = 27$
$4 \times 9 = 36$ $5 \times 9 = 45$
$6 \times 9 = 54$ $7 \times 9 = 63$
$8 \times 9 = 72$ $9 \times 9 = 81$

EXERCICES

Recopie et complète les opérations.

1. ■ × 8 = 56
56 ÷ 8 = ■

2. ■ × 8 = 72
72 ÷ 8 = ■

3. ■ × 8 = 64
64 ÷ 8 = ■

4. 8 × ■ = 40   8)40 → ■

5. 8 × ■ = 48   8)48 → ■

6. 8 × ■ = 32   8)32 → ■

7. ■ × 9 = 72
72 ÷ 9 = ■

8. ■ × 9 = 36
36 ÷ 9 = ■

9. ■ × 9 = 63
63 ÷ 9 = ■

10. 9 × ■ = 81   9)81 → ■

11. 9 × ■ = 27   9)27 → ■

12. 9 × ■ = 18   9)18 → ■

EXERCICES

Calcule le quotient.

1.	$8\overline{)56}$	2.	$8\overline{)57}$	3.	$8\overline{)24}$	4.	$8\overline{)32}$
5.	$8\overline{)72}$	6.	$8\overline{)64}$	7.	$8\overline{)67}$	8.	$8\overline{)70}$
9.	$16 \div 8$	10.	$0 \div 8$	11.	$48 \div 8$	12.	$40 \div 8$
13.	$9\overline{)81}$	14.	$9\overline{)72}$	15.	$9\overline{)63}$	16.	$9\overline{)65}$
17.	$9\overline{)45}$	18.	$9\overline{)36}$	19.	$9\overline{)39}$	20.	$9\overline{)27}$
21.	$18 \div 9$	22.	$9 \div 9$	23.	$0 \div 9$	24.	$10 \div 9$

Résous le problème.

25. Il y a 36 élèves dans la classe de danse. Ils sont répartis en 9 groupes égaux. Combien y a-t-il d'élèves par groupe?

Entrez dans la danse!

Pour danser le quadrille il faut 4 couples.

Combien peut-on former de quadrilles et combien restera-t-il d'élèves si le groupe comprend:

1. 40 élèves?
2. 48 élèves?
3. 72 élèves?
4. 44 élèves?
5. 50 élèves?
6. 60 élèves?

Les fractions

Quelle **fraction** de **l'unité** est coloriée?

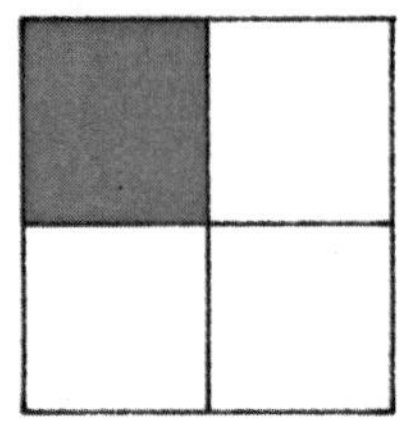

1 partie est coloriée.
L'unité est partagée en
4 parties égales.

$\frac{1}{4}$ de l'unité est colorié.

Un quart de l'unité est colorié.

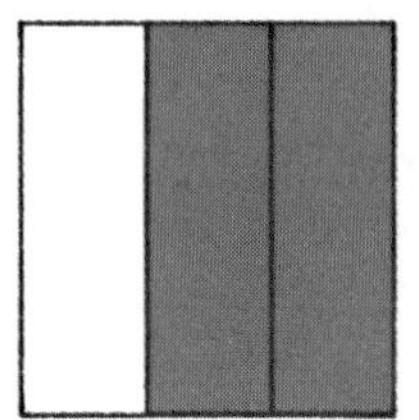

2 parties sont coloriées.
L'unité est partagée en
3 parties égales.

$\frac{2}{3}$ de l'unité sont coloriés.

Les **deux-tiers** de l'unité sont coloriés.

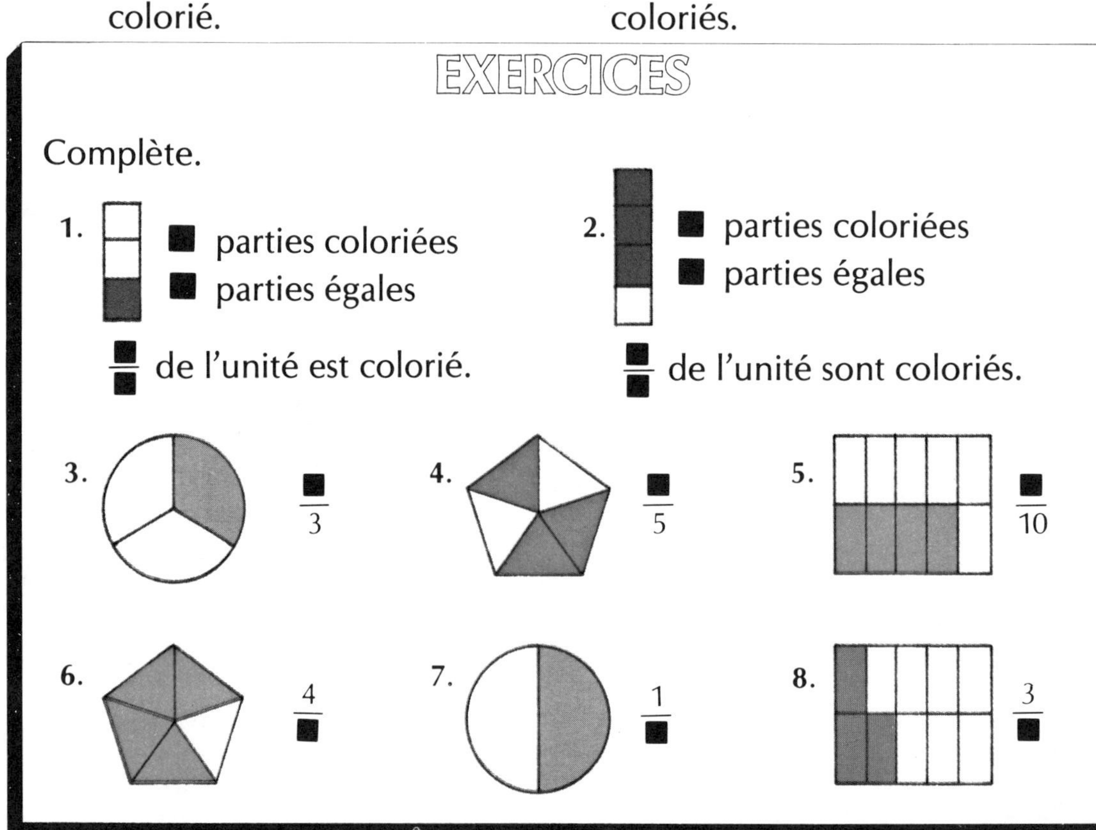

EXERCICES

Quelle fraction de l'unité est coloriée?

1. 2. 3.

4. 5. 6.

7. 8. 9.

10. 11. 12.

Écris la fraction correspondante:

13. un tiers **14.** trois quarts **15.** un demi

16. deux cinquièmes **17.** quatre dixièmes **18.** un dixièmes

À la bonne heure!

De quelle fraction d'une heure l'aiguille des minutes a-t-elle avancé?

1.
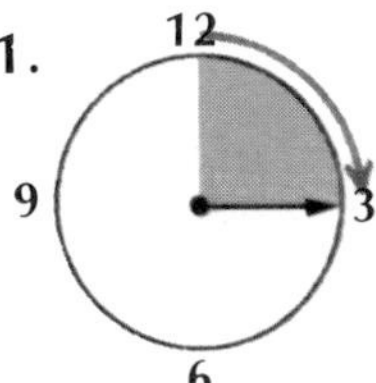

2.
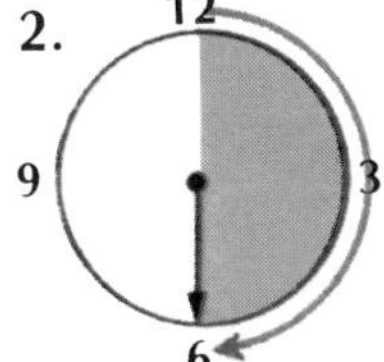

3.
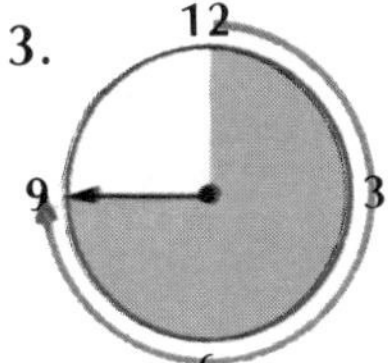

4.
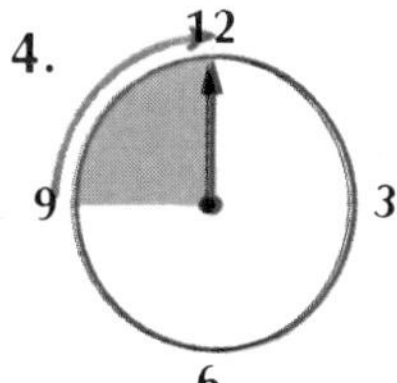

Écris l'heure.

5. trois heures et demie **6.** dix heures et demie

7. cinq heures et quart **8.** six heures moins le quart

La comparaison de fractions

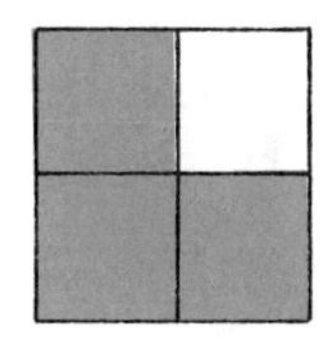

$\frac{3}{4}$ du carré sont bleus.

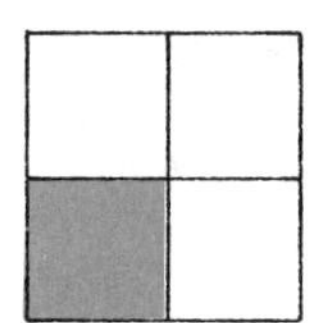

$\frac{1}{4}$ du carré est bleu.

$\frac{1}{4}$ est plus petit que $\frac{3}{4}$ $\frac{3}{4}$ est plus grand que $\frac{1}{4}$

EXERCICES

Écris la plus grande fraction.

1. 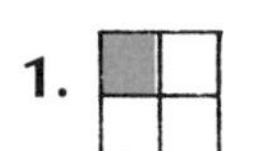

$\frac{1}{4}$ **ou** $\frac{2}{4}$

2. 

$\frac{3}{4}$ **ou** $\frac{2}{4}$

3. 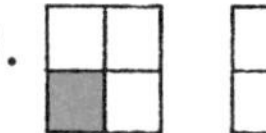

$\frac{1}{4}$ **ou** $\frac{0}{4}$

4. 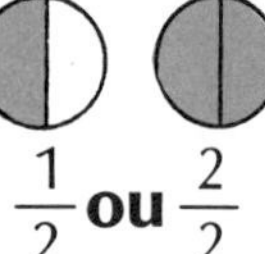

$\frac{1}{2}$ **ou** $\frac{2}{2}$

5. 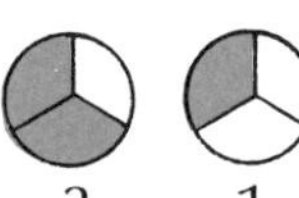

$\frac{2}{3}$ **ou** $\frac{1}{3}$

6. 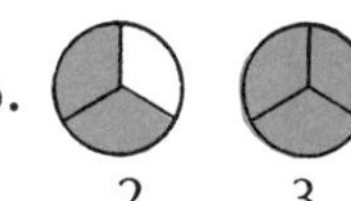

$\frac{2}{3}$ **ou** $\frac{3}{3}$

7.

$\frac{2}{5}$ **ou** $\frac{3}{5}$

8.

$\frac{1}{5}$ **ou** $\frac{4}{5}$

9. 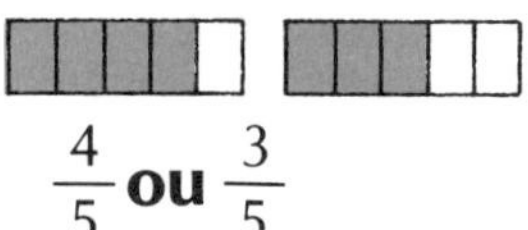

$\frac{4}{5}$ **ou** $\frac{3}{5}$

10. 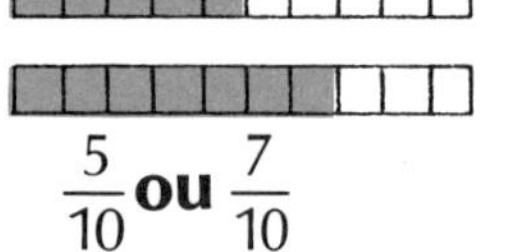

$\frac{5}{10}$ **ou** $\frac{7}{10}$

11. 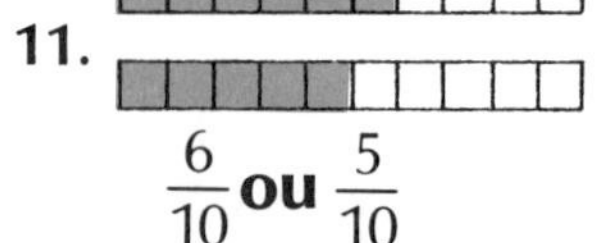

$\frac{6}{10}$ **ou** $\frac{5}{10}$

12. 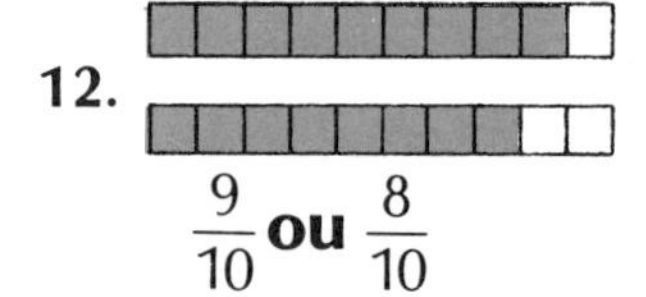

$\frac{9}{10}$ **ou** $\frac{8}{10}$

EXERCICES

Écris la plus grande fraction.

1. $\frac{3}{5}$ **ou** $\frac{4}{5}$
2. $\frac{3}{4}$ **ou** $\frac{1}{4}$
3. $\frac{2}{3}$ **ou** $\frac{1}{3}$
4. $\frac{1}{4}$ **ou** $\frac{2}{4}$
5. $\frac{2}{5}$ **ou** $\frac{4}{5}$
6. $\frac{7}{10}$ **ou** $\frac{3}{10}$
7. $\frac{6}{10}$ **ou** $\frac{9}{10}$
8. $\frac{2}{10}$ **ou** $\frac{1}{10}$
9. $\frac{1}{2}$ **ou** $\frac{0}{2}$

Écris la fraction correspondant à la plus petite portion.

10. 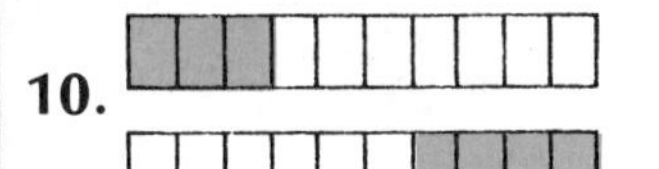

11. 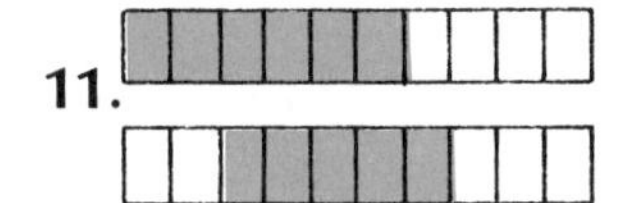

12. 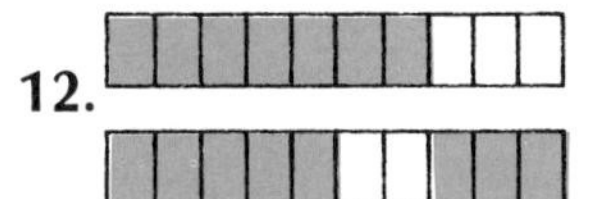

13. 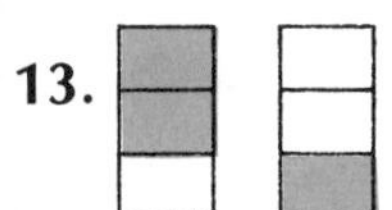

14. 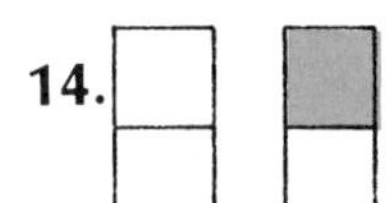

15. 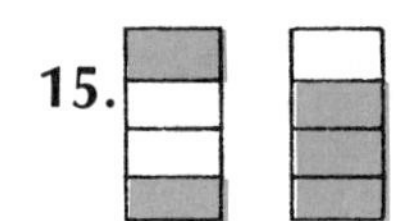

Résous le problème.

16. Jean mange les $\frac{2}{3}$ d'une orange.
Marie mange le reste.
Qui en mange le plus?

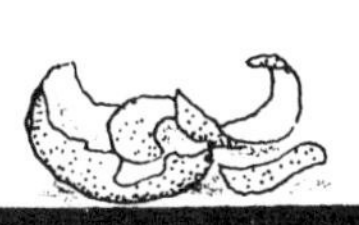

Heures supplémentaires

Quelle est l'heure la plus tardive?

1. 9:00 **ou** neuf heures et demie
2. 7:00 **ou** sept heures moins le quart
3. 4:00 **ou** quatre heures et quart
4. 2:00 **ou** deux heures moins le quart

Une fraction d'un ensemble

5 disques en tout

2 disques sont cassés.

$\frac{2}{5}$ des disques sont cassés.

EXERCICES

Complète chaque réponse.

1. ■ chanteurs en tout

   ■ chanteurs sont des garçons.

   $\frac{■}{4}$ des chanteurs sont des garçons.

2. ■ instruments en tout

   ■ sont des tambours.

   $\frac{■}{5}$ des instruments sont des tambours.

3. 10 touches de piano en tout

   ■ sont noires.

   $\frac{■}{■}$ des touches sont noires.

EXERCICES

Quelle fraction de chaque ensemble est coloriée?

1.  

$\frac{\blacksquare}{5}$

2. $\frac{\blacksquare}{4}$

3. 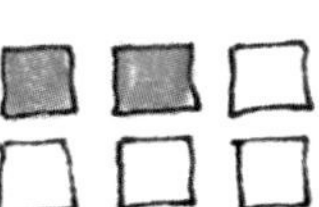

$\frac{\blacksquare}{10}$

4. 

$\frac{7}{\blacksquare}$

5. 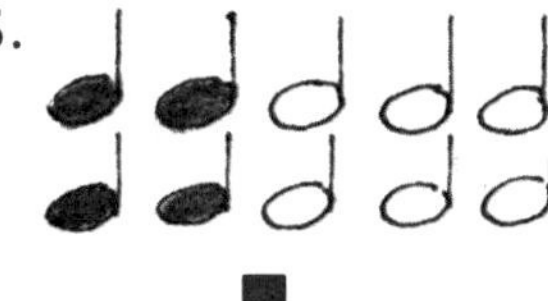

$\frac{\blacksquare}{\blacksquare}$

6. 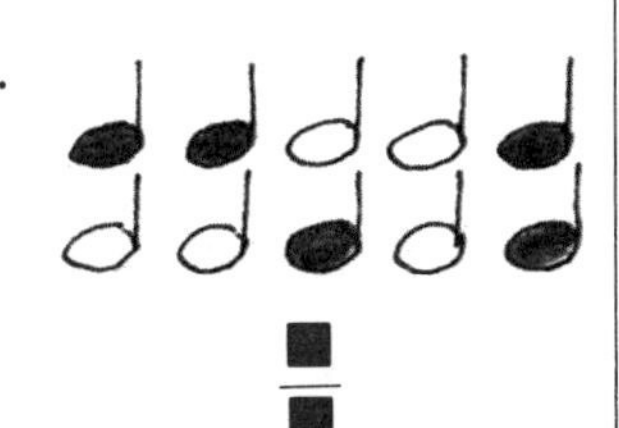

$\frac{\blacksquare}{\blacksquare}$

RÉVISION

Divise.

1. $8\overline{)24}$
2. $9\overline{)81}$
3. $8\overline{)40}$
4. $9\overline{)63}$

Quelle fraction de chaque dessin est coloriée?

5. 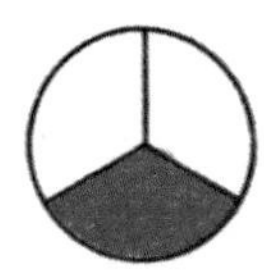

6. 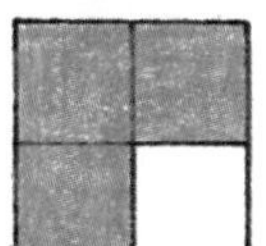

7. 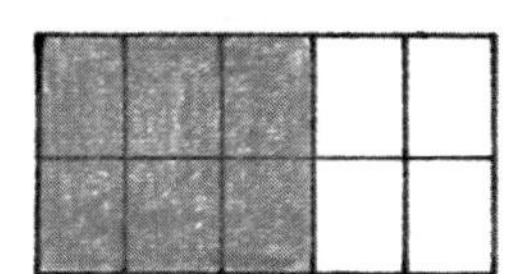

Laquelle est la plus grande?

8. $\frac{3}{4}$ **ou** $\frac{1}{4}$
9. $\frac{5}{10}$ **ou** $\frac{6}{10}$
10. $\frac{2}{3}$ **ou** $\frac{1}{3}$

Quelle fraction de chaque ensemble est coloriée?

11. 

 $\frac{\blacksquare}{3}$

12. 

$\frac{3}{\blacksquare}$

13. 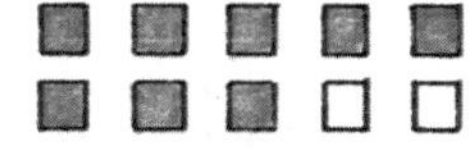

 $\frac{\blacksquare}{\blacksquare}$

TEST CHAPITRE 13

Divise.

1. $18 \div 3$ **2.** $3\overline{)18}$ **3.** $30 \div 5$ **4.** $5\overline{)30}$

5. $25 \div 5$ **6.** $5\overline{)25}$ **7.** $36 \div 4$ **8.** $4\overline{)36}$

Résous les problèmes.

9. 18 tambours
2 rangées
Il y en a ■ par rangée.

10. 15 boutons
3 uniformes
Il y en a ■ par uniforme.

Divise.

11. $2\overline{)9}$ **12.** $5\overline{)38}$ **13.** $3\overline{)29}$ **14.** $4\overline{)22}$

15. $3\overline{)17}$ **16.** $4\overline{)30}$ **17.** $2\overline{)15}$ **18.** $3\overline{)25}$

19. $6\overline{)42}$ **20.** $6\overline{)36}$ **21.** $7\overline{)56}$ **22.** $7\overline{)49}$

23. $8\overline{)48}$ **24.** $9\overline{)63}$ **25.** $8\overline{)32}$ **26.** $9\overline{)81}$

Quelle fraction de l'unité est coloriée?

27. 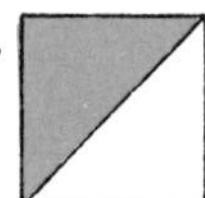

28. 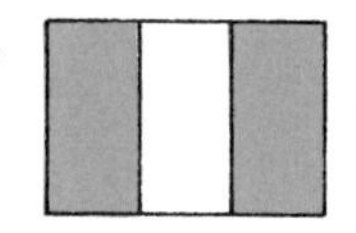

29. 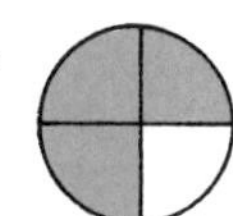

30. 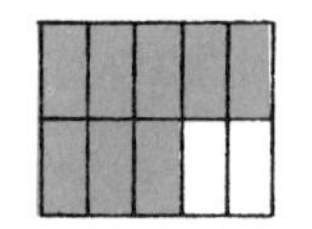

Écris la plus grande fraction.

31.  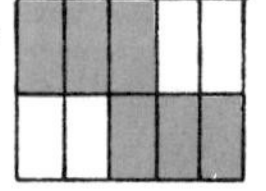 ou 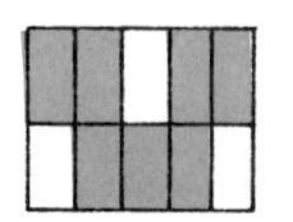

Quelle fraction est coloriée?

32.   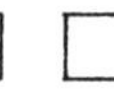 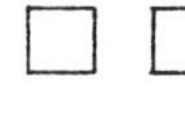 

$\frac{■}{10}$

REPRISE LA MULTIPLICATION

Recopie et complète les opérations.

1. $3 \times ■ = 21$

2. $■ \times 3 = 21$

3. $■ \times 5 = 35$

4. $5 \times ■ = 35$

Multiplie.

5. 7×6

6. 4×6

7. 8×6

8. 6×6

9. 7×7

10. 7×9

11. 7×8

12. 7×4

13. 6×8

14. 8×8

15. 7×8

16. 5×8

17. 9×7

18. 9×8

19. 9×6

20. 9×9

Recopie et complète chaque tableau.

21.

×	5	8	3	9	1
6	■	■	■	■	■
7	■	■	■	■	■

22.

×	7	4	8	6	2
9	■	■	■	■	■
8	■	■	■	■	■

Résous les problèmes.

23. 8 rangées
6 oeufs par rangée
Combien y a-t-il d'oeufs?

24. 9 semaines
Combien cela fait-il de jours?

CHAPITRE 14
LES NOMBRES À VIRGULE

Un festin de fractions

Écris la fraction correspondant à la partie coloriée.
Écris aussi la fraction en lettres.

Exemple: 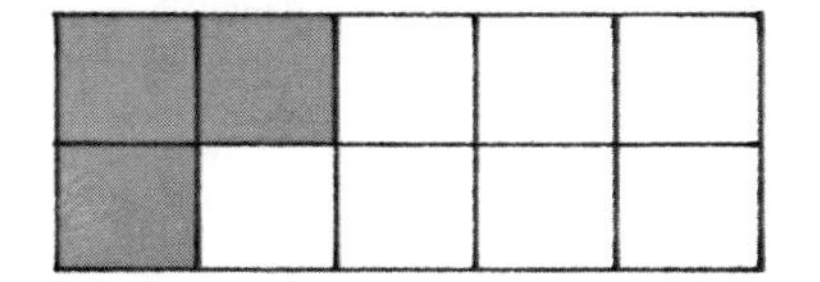 $\frac{3}{10}$ **trois dixièmes**

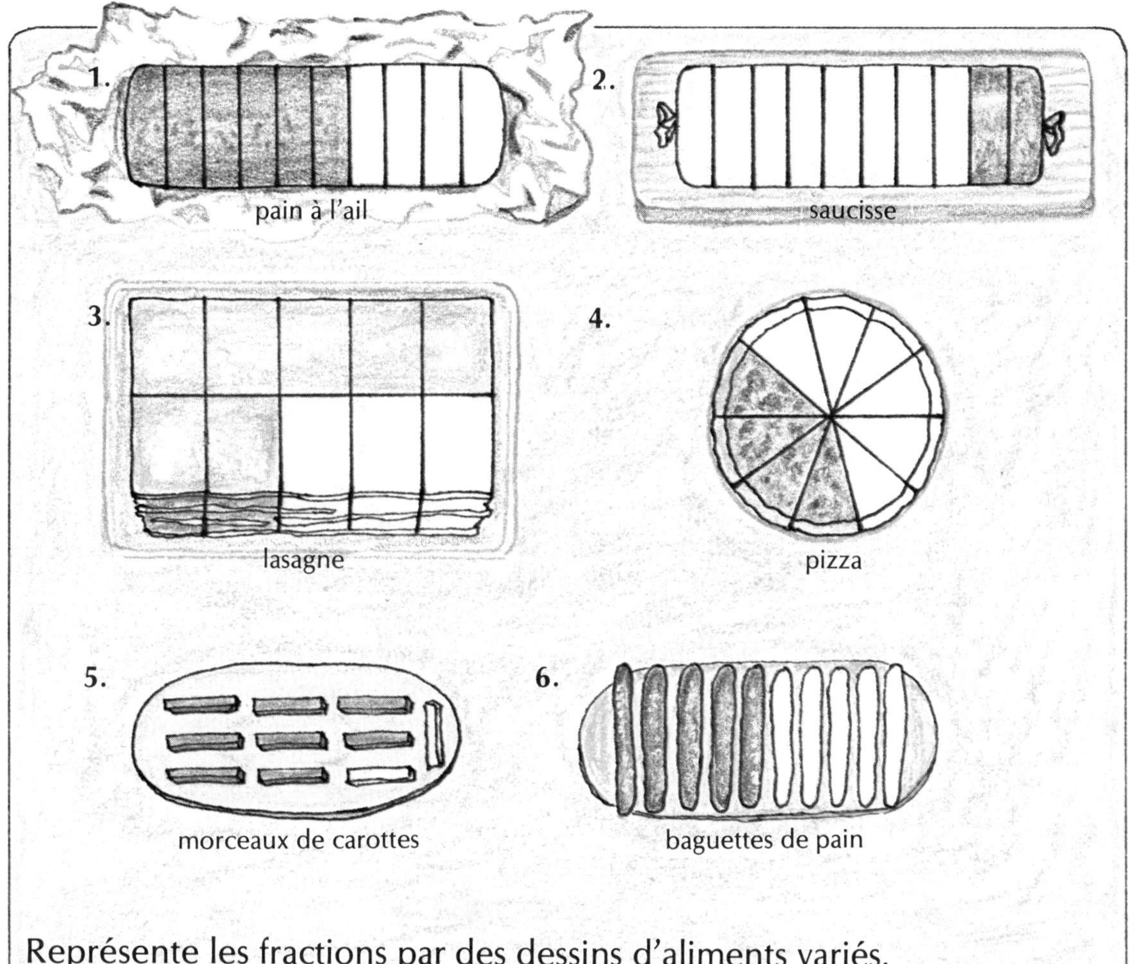

Représente les fractions par des dessins d'aliments variés.

7. $\frac{1}{10}$ **8.** $\frac{9}{10}$ **9.** quatre dixièmes **10.** dix dixièmes

Les dixièmes écrits sous forme de nombres à virgule

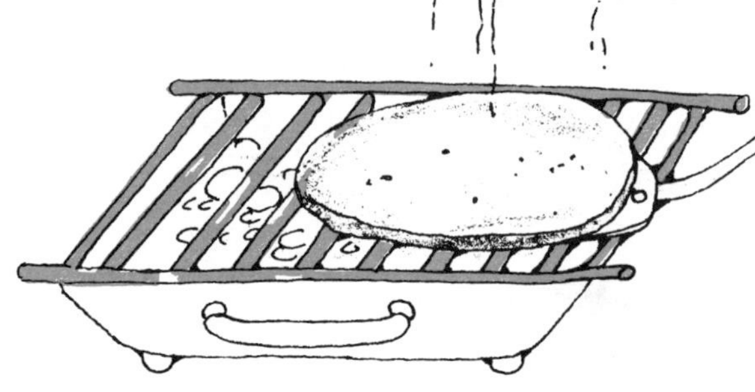

Le hamburger recouvre $\frac{6}{10}$ du gril.

Tu peux écrire $\frac{6}{10}$

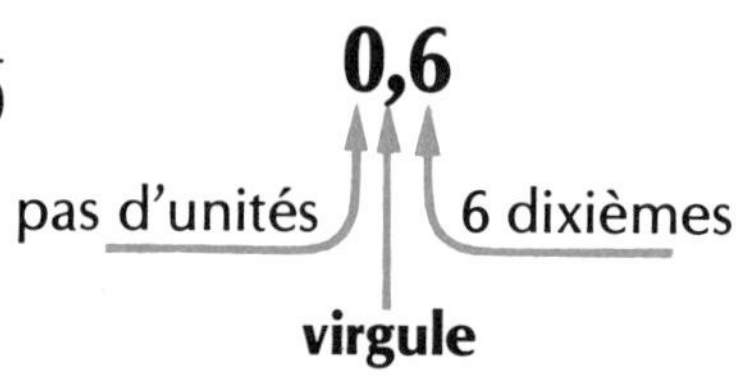

Il y a 10 dixièmes dans une unité.

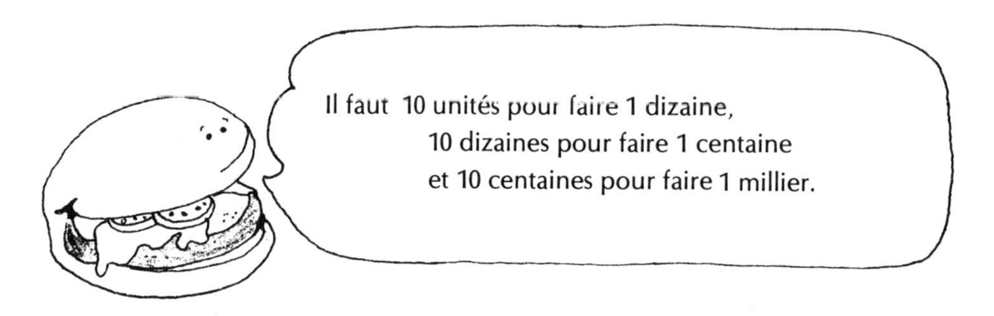

EXERCICES

Écris les fractions sous forme de nombres à virgule.

1. $\frac{1}{10}$ **2.** $\frac{3}{10}$ **3.** $\frac{5}{10}$ **4.** $\frac{7}{10}$ **5.** $\frac{9}{10}$ **6.** $\frac{0}{10}$

7. deux dixièmes **8.** quatre dixièmes **9.** huit dixièmes

10.

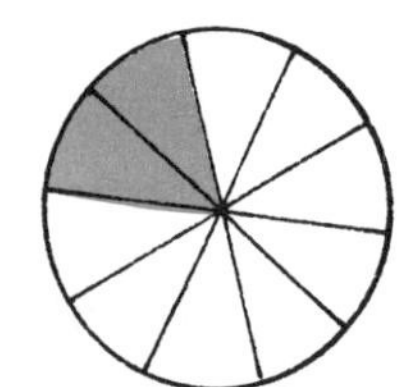

11.

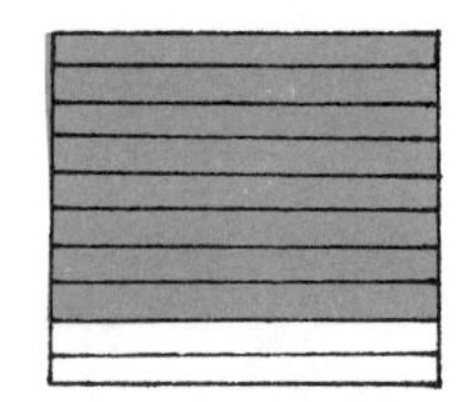

12.

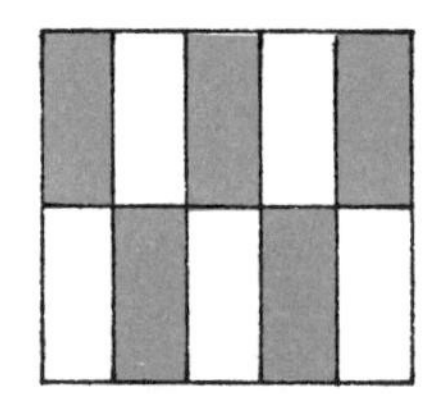

Écris le nombre à virgule qui correspond à la partie coloriée.

1. 

salade de fruits

2. 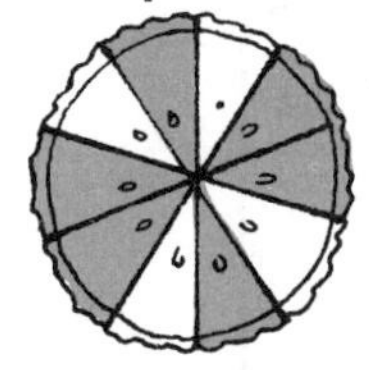

tarte aux pommes

3. 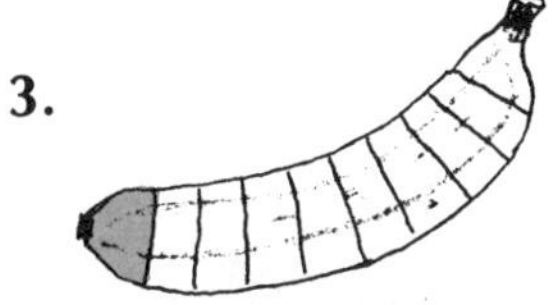

banane

4. 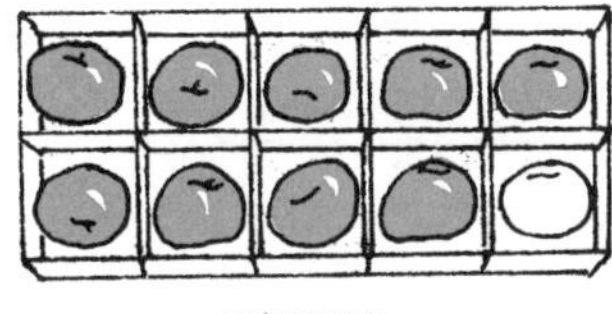

prunes

5. 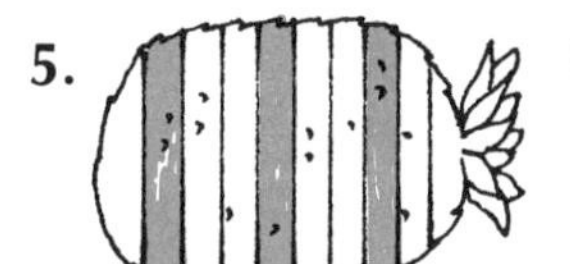

ananas

6. 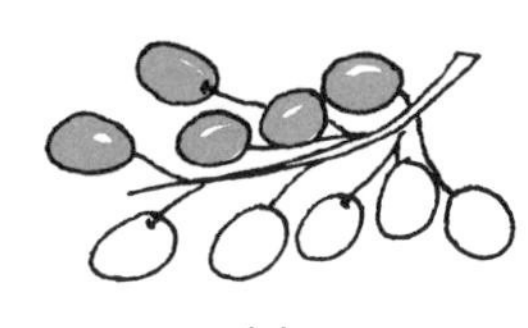

raisins

Fais un dessin de fruit pour chaque nombre à virgule.

7. 0,3 8. 0,1 9. deux dixièmes 10. quatre dixièmes

Les diagrammes **ne** représentent **pas** 0,4. Pourquoi?

11. 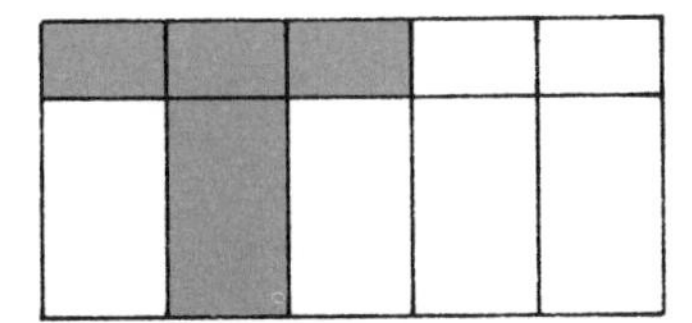

12. 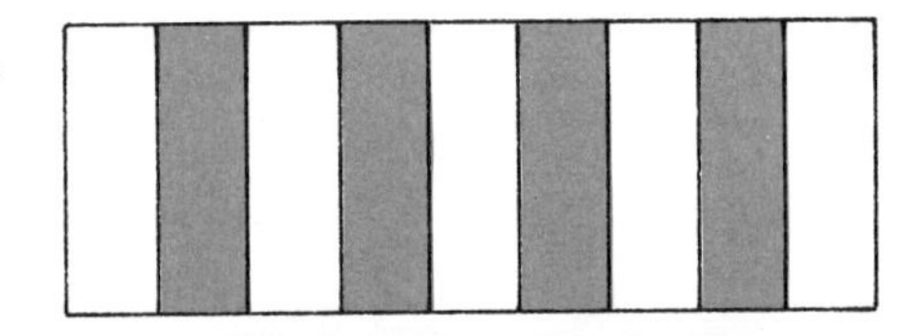

PARTAGE

représente 1,0.

1,0 peut être 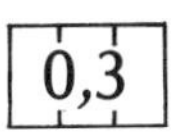

et 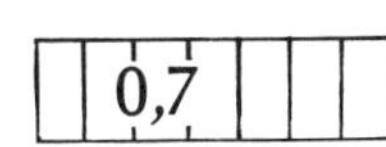

1. Partage 1,0 en **deux** morceaux, de 5 façons différentes.
2. Partage 1,0 en **trois** morceaux, de 10 façons différentes.

Les nombres à virgule plus grands que 1,0

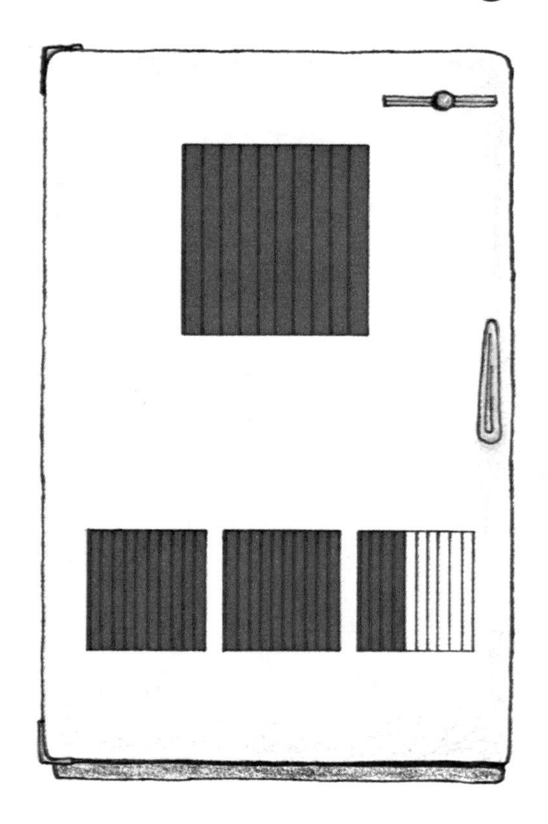

10 dixièmes = 1 unité 0 dizième

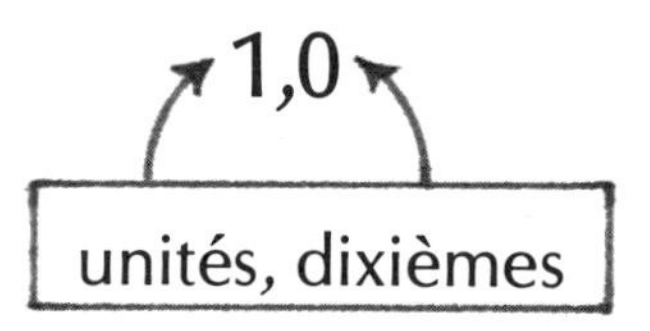

24 dixièmes = 2 unités 4 dixièmes

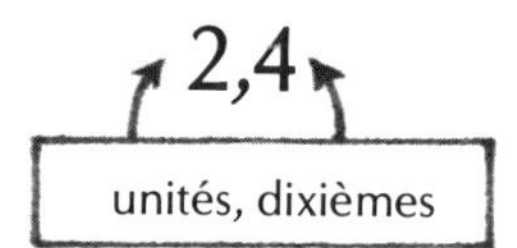

En lisant 2,4 tu imagines *deux unités et quatre dixièmes.*

EXERCICES

Écris sous forme de nombres à virgule.

1. 15 dixièmes **2.** 26 dixièmes **3.** 12 dixièmes

4. 20 dixièmes **5.** 9 dixièmes **6.** 30 dixièmes

Écris le nombre de dixièmes sous forme de nombre à virgule.

7.  

8. 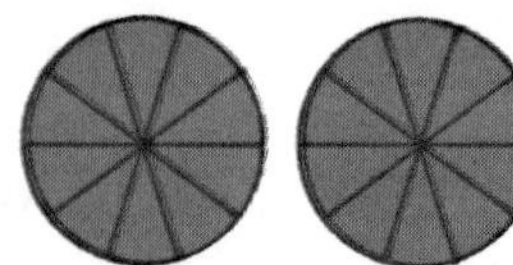

9. 

Écris les nombres à virgule correspondants.

1. 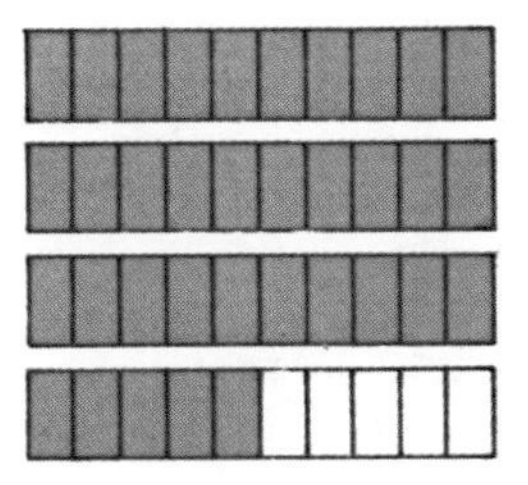

2. 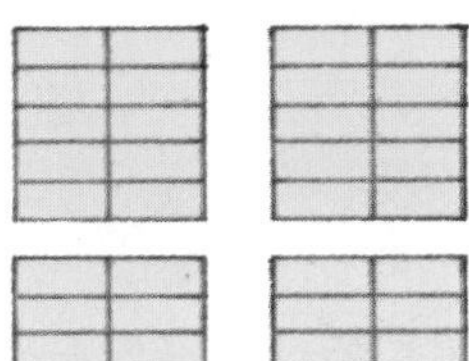

3. 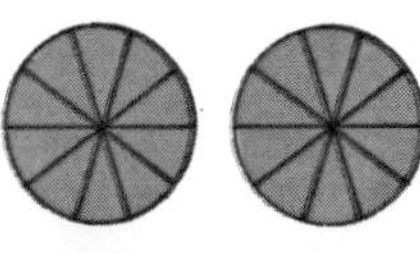 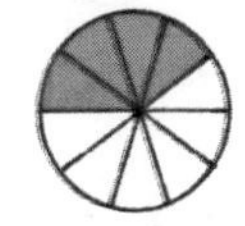 

4. 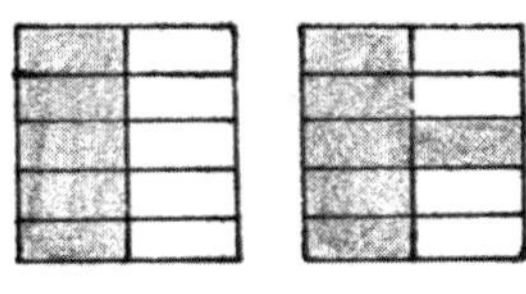

un gâteau

5.  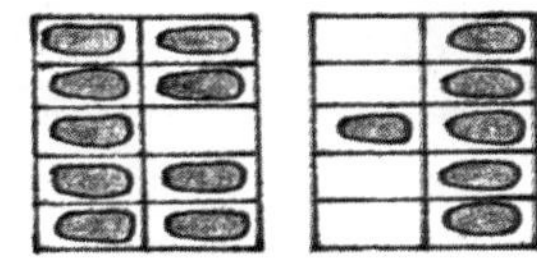

des dattes

6.  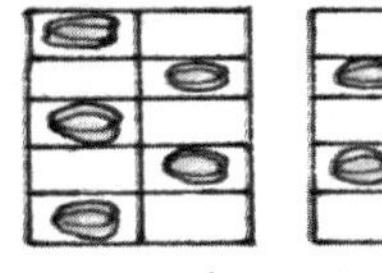

des noix

Explique ce que représentent ces nombres à virgule.

7. 6,4 **8.** 3,2 **9.** 5,9 **10.** 8,0 **11.** 0,8

Fais un dessin pour chaque nombre.

12. 2,4 **13.** 1,3 **14.** 2,0 **15.** 0,2 **16.** 3,5

Une bonne recette

Compte par dixièmes de 1,8 à 6,8.
Échange 10 dixièmes contre une unité.

unités, dixièmes
1,8
1,9
2,0
2,1
2,2

La comparaison de nombres à virgule

Ils se **comparent** comme les autres nombres.
Compare les unités.
Compare les dixièmes, mais seulement si les unités sont égales.

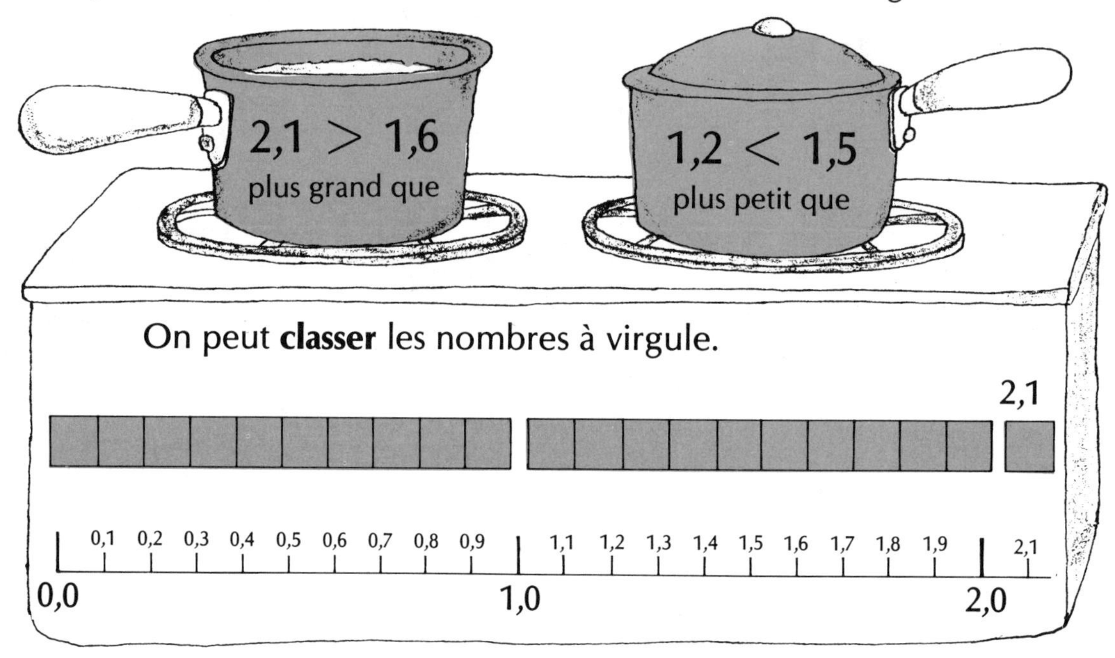

EXERCICES

Lequel est le plus grand?

1. 2,1 ou 1,8 **2.** 4,0 ou 3,5 **3.** 2,5 ou 4,0

4. 3,2 ou 3,6 **5.** 4,0 ou 4,2 **6.** 6,4 ou 6,1

Lequel est le plus petit?

7. 1,2 ou 1,7 **8.** 2,3 ou 1,2 **9.** 0,9 ou 5,0

Classe les nombres de chaque ensemble:

10. 3,2 1,5 2,4 0,6 **11.** 1,6 2,5 2,7 1,4

EXERCICES

Lequel est le plus grand?

1. 3,5 ou 5,3
2. 2,4 ou 2,1
3. 1,5 ou 0,5
4. 1,5 ou 1,7
5. 5,6 ou 4,0
6. 3,2 ou 3,6

Compare les nombres en utilisant les signes $>$ ou $<$.

7. 2,4 ● 2,3
8. 1,3 ● 3,0
9. 0,5 ● 0,2
10. 5,3 ● 3,3
11. 1,8 ● 1,0
12. 9,3 ● 10,0

Classe les nombres.

13. 1,3 1,5 1,1
14. 2,3 2,0 2,7
15. 0,9 0,6 0,3
16. 2,1 1,3 3,2
17. 3,5 5,0 0,9
18. 1,6 0,8 1,8

Compte par dixièmes.

19. 0,0 à 1,5
20. 3,5 à 4,5
21. 8,5 à 10,0

RÉVISION

Écris le nombre à virgule correspondant.

1. $\frac{3}{10}$
2. $\frac{9}{10}$
3. deux dixièmes
4.
5. quatre unités et un dixième
6.
7.

Lequel est le plus petit?

8. 6,2 ou 2,6
9. 3,1 ou 3,6

Classe les nombres.

10. 2,0 1,4 0,7

Le litre

Le **litre** est l'unité de mesure de la **capacité**.
Les cartons de lait contiennent généralement 1 litre.
Un litre s'écrit **1 L**.
Certains cartons contiennent 0,5 L.

0,1 L est une petite quantité
de liquide.

Sais-tu que
$0,5 = \frac{1}{2}$?
cinq dixièmes = un demi?

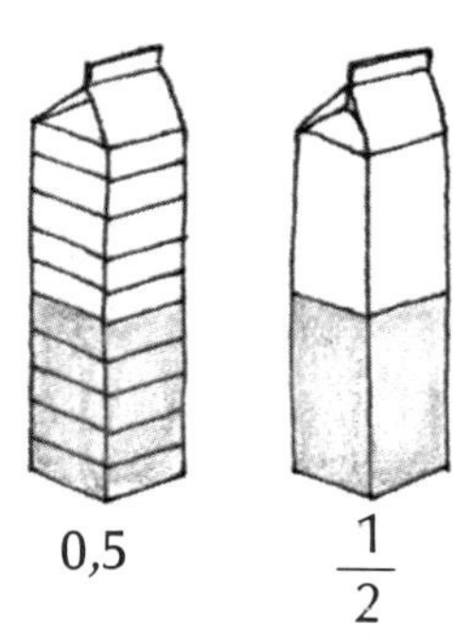

0,5 $\frac{1}{2}$

EXERCICES

Est-ce que la capacité se rapproche de 1 L ou de 0,5 L?

1.

2.

JUS

3.

4.

5.

CRÈME

6.

BOISSON GAZEUSE

7.

8.

Résous les équations.

9. cinq dixièmes = un ■

10. $\frac{1}{2}$ = ■,■

EXERCICES

Est-ce que la capacité se rapproche de 0,5 L ou de 1 L?

1.

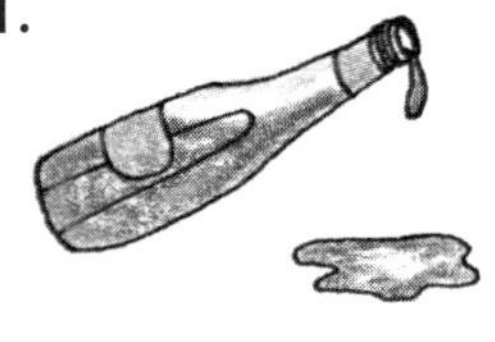

ketchup

2.

soupe

3.

vase

4.

théière

Ce récipient contient 0,1 L. [0,1 L]

Quelle est la capacité des récipients?

Estimations:

0,3 L
0,6 L
1,2 L

5.

6.

7.

8. Combien y a-t-il de demi-litres dans un litre?

Au compte-gouttes

Il y a 1000 **millilitres** dans un litre.

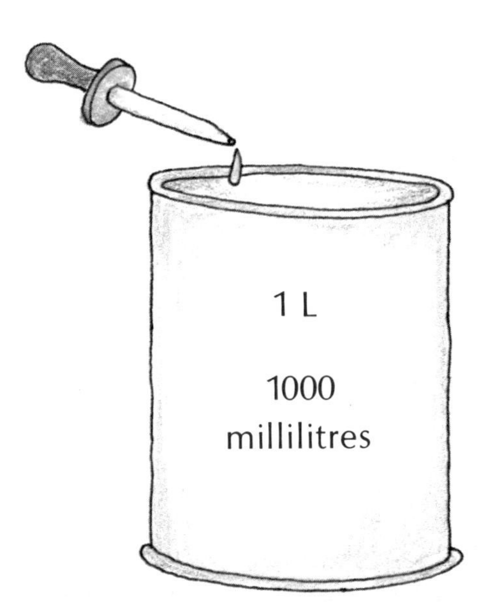

1. Il y a ■ mL dans 2 L.
2. Il y a ■ mL dans 8 L.
3. Il y a 6000 mL dans ■ L.

Il y a 200 mL dans 0,2 litre.

4. Il y a 500 mL dans ■,■ L.
5. Il y a 100 mL dans ■,■ L.
6. Il y a 1000 mL dans ■,■ L.

L'addition et la soustraction

0,7 L de lait

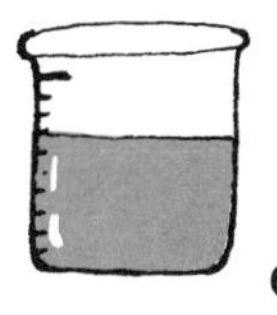

et

0,5 L de lait

1,2 L de lait en tout

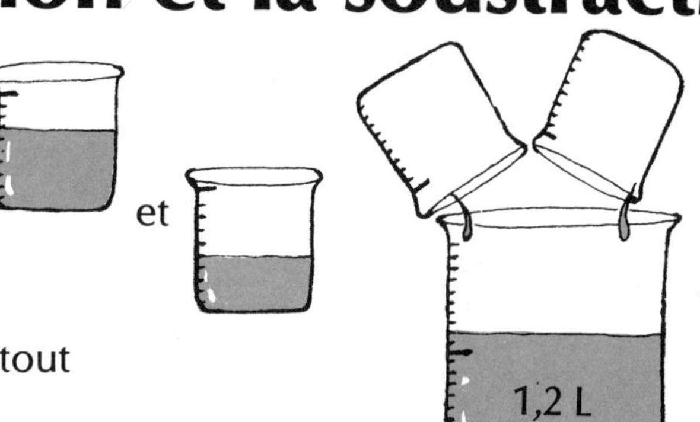

0,7	7 dixièmes
+0,5	+5 dixièmes
1,2	12 dixièmes

La famille a bu 0,8 L.

Il en reste 0,4 L.

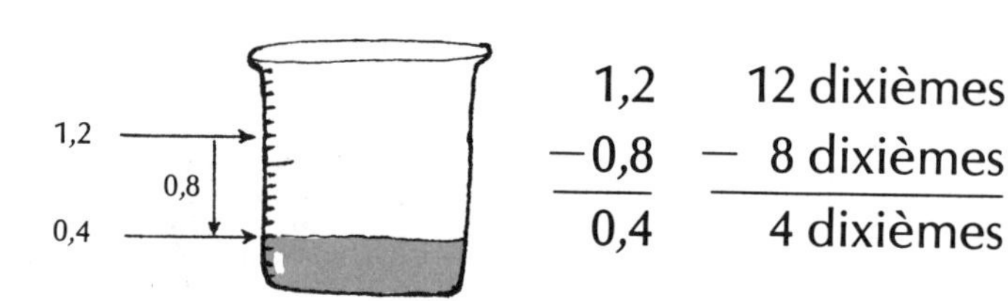

1,2	12 dixièmes
−0,8	− 8 dixièmes
0,4	4 dixièmes

EXERCICES

Additionne.

1. 3 dixièmes + 4 dixièmes

2. 0,3 + 0,5

3. 0,3 + 0,6

4. 0,3 + 0,7

5. 3 dixièmes + 8 dixièmes

6. 0,3 + 0,9

7. 0,4 + 0,9

8. 0,5 + 0,9

Soustrais.

9. 9 dixièmes − 3 dixièmes

10. 1,0 − 0,3

11. 1,1 − 0,3

12. 1,2 − 0,3

13. 12 dixièmes − 4 dixièmes

14. 1,2 − 0,5

15. 1,2 − 0,6

16. 1,2 − 0,7

EXERCICES

Additionne ou soustrais.

1. $\begin{array}{r} 0{,}7 \\ +0{,}7 \\ \hline \end{array}$	**2.** $\begin{array}{r} 0{,}9 \\ -0{,}4 \\ \hline \end{array}$	**3.** $\begin{array}{r} 1{,}3 \\ -0{,}6 \\ \hline \end{array}$	**4.** $\begin{array}{r} 0{,}9 \\ +0{,}6 \\ \hline \end{array}$	**5.** $\begin{array}{r} 0{,}3 \\ +0{,}6 \\ \hline \end{array}$
6. $\begin{array}{r} 0{,}7 \\ -0{,}6 \\ \hline \end{array}$	**7.** $\begin{array}{r} 1{,}2 \\ -0{,}8 \\ \hline \end{array}$	**8.** $\begin{array}{r} 0{,}8 \\ +0{,}2 \\ \hline \end{array}$	**9.** $\begin{array}{r} 0{,}6 \\ +0{,}5 \\ \hline \end{array}$	**10.** $\begin{array}{r} 1{,}7 \\ -0{,}8 \\ \hline \end{array}$
11. $\begin{array}{r} 0{,}3 \\ +0{,}4 \\ \hline \end{array}$	**12.** $\begin{array}{r} 0{,}3 \\ +0{,}8 \\ \hline \end{array}$	**13.** $\begin{array}{r} 1{,}4 \\ -0{,}7 \\ \hline \end{array}$	**14.** $\begin{array}{r} 0{,}9 \\ +0{,}9 \\ \hline \end{array}$	**15.** $\begin{array}{r} 1{,}5 \\ -0{,}9 \\ \hline \end{array}$

Fais un dessin puis résous les problèmes.

16. 0,5 L de lait
0,5 L de jus d'orange
Quelle est la quantité de liquide?

17. 1,5 L de lait
0,5 L renversé
Combien en reste-t-il?

Des visiteurs inattendus

Que servir à manger?
Double les proportions de chaque recette.

Canard
0,5 canard
15 châtaignes
0,8 boîte de compote de prunes

Dessert
4,5 chocolats fondus
28 bonbons collants
1,7 bocal de noix

Les centièmes

Quand on partage une unité en 10 parties égales, on obtient des dixièmes.

Quand on partage une unité en 100 parties égales, on obtient des **centièmes**.

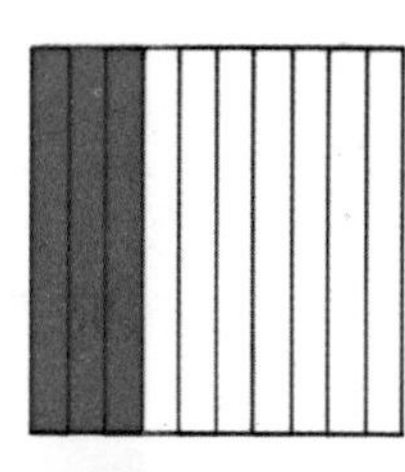

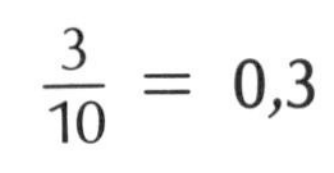

$\frac{3}{10} = 0,3$

3 dixièmes

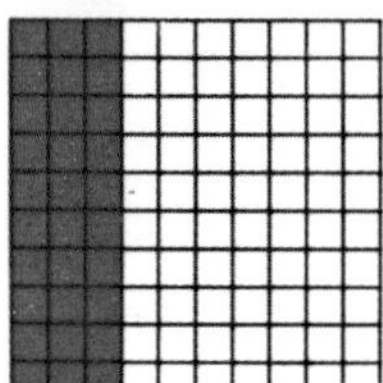

$\frac{30}{100} = 0,30$

30 centièmes

2,18

2 unités et 18 centièmes

EXERCICES

Complète la description.

1. 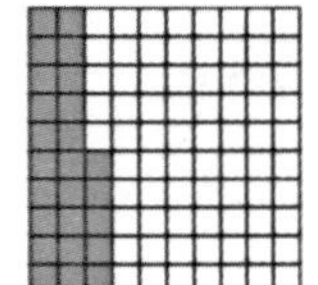

$\frac{25}{100}$ = ■,■ ■

■ centièmes

2. 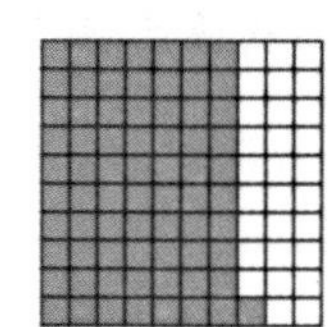

$\frac{■}{■}$ = ■,■ ■

■ centièmes

3. 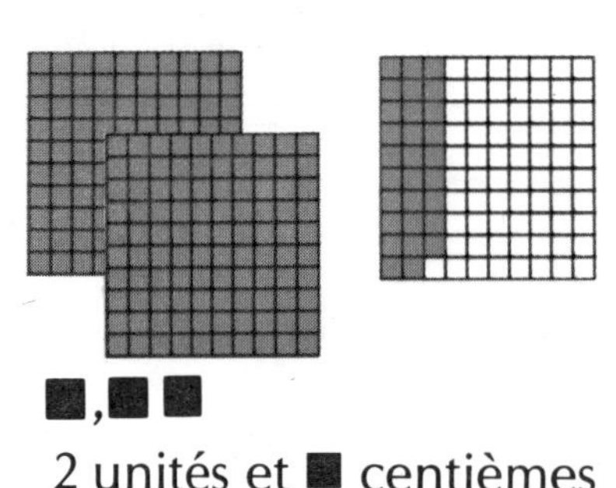

■,■ ■

2 unités et ■ centièmes

4. 

■,■ ■

■ unité et ■ centièmes

EXERCICES

Écris le nombre à virgule correspondant.

1. 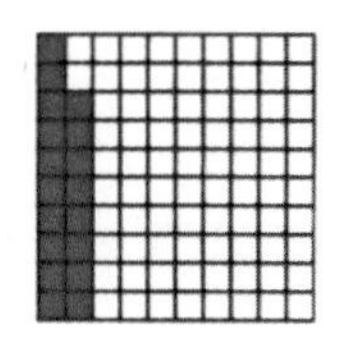

2. 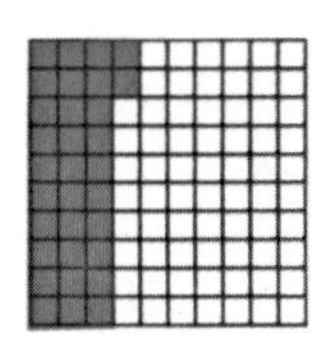

3. 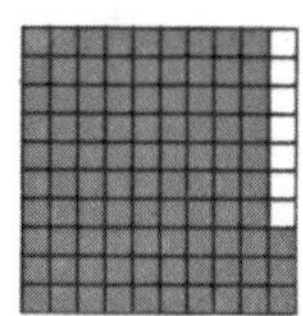

4. 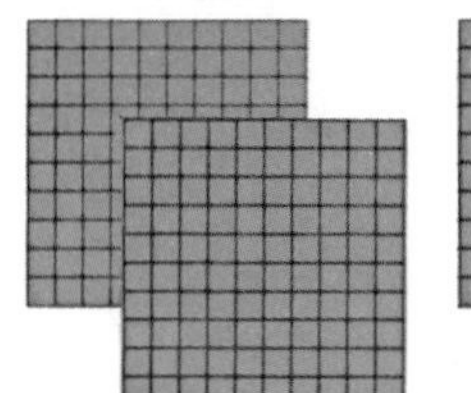

5. 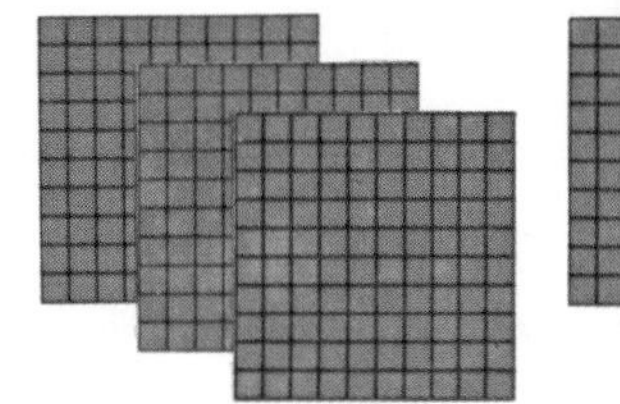 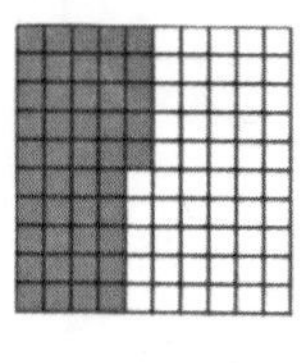

6. 25 centièmes
7. 2 unités et 35 centièmes
8. 16 centièmes
9. 1 unité et 40 centièmes
10. 89 centièmes
11. 6 unités et 54 centièmes
12. $\frac{32}{100}$
13. $\frac{12}{100}$
14. $\frac{99}{100}$
15. $\frac{60}{100}$
16. $\frac{6}{100}$

Fais un dessin pour expliquer chaque équation.

17. 2 dixièmes = 20 centièmes
18. 0,40 = 0,4

Petit à petit

Compte par centièmes.

1. de 1,38 à 1,55
2. de 4,10 à 4,25
3. de 0,95 à 1,15
4. de 5,85 à 6,05

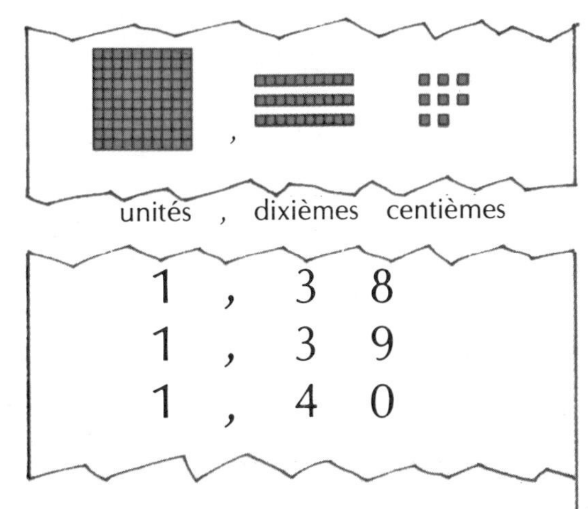

Le centimètre écrit comme un centième

Il y a 100 cm dans un mètre. Le centimètre est le centième du mètre.

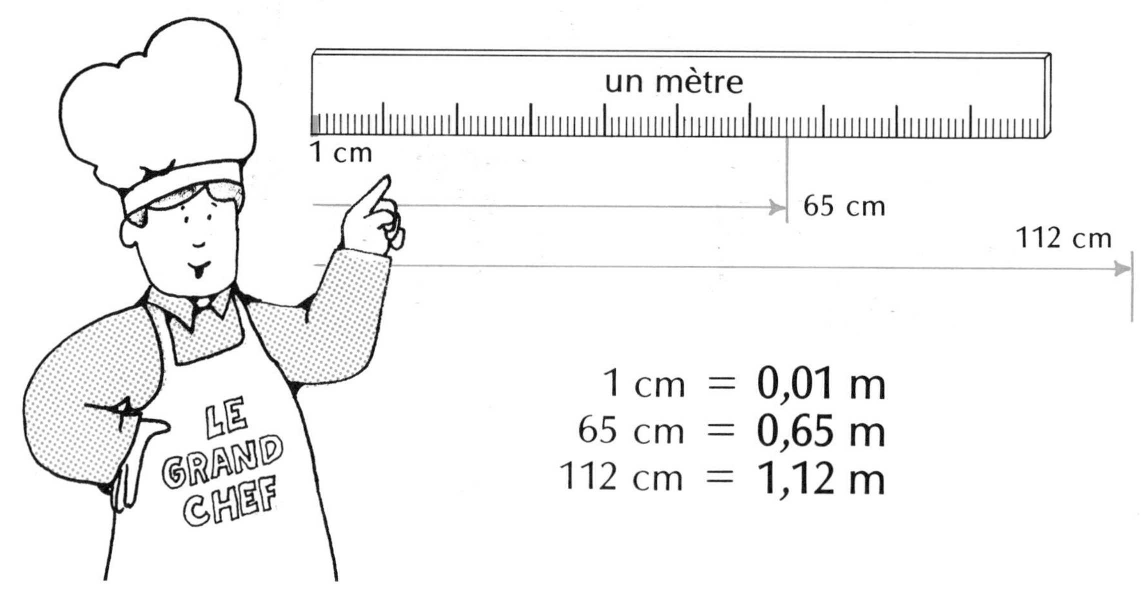

EXERCICES

Recopie et résous les équations.

1. 3 cm = 0,0■ m
2. 7 cm = ■ m
3. 42 cm = 0,■■ m
4. 24 cm = ■ m
5. 153 cm = ■,■■ m
6. 406 cm = ■,■■ m
7. 375 cm = ■ m
8. 102 cm = ■ m
9. Combien y a-t-il de centimètres dans un mètre?
10. Quelle fraction d'un mètre représente un centimètre?
11. Écris-la sous forme de nombre à virgule.

boîte à réponses	
$\frac{1}{100}$	200
0,10	$\frac{1}{10}$
100	0,01

EXERCICES

Convertis en mètres.

1.	214 cm	**2.**	12 cm	**3.**	100 cm	**4.**	7 cm
5.	576 cm	**6.**	98 cm	**7.**	300 cm	**8.**	2 cm
9.	785 cm	**10.**	70 cm	**11.**	500 cm	**12.**	1 cm

Écris ces mesures en mètres.

13.	1 m et 35 cm	**14.**	3 m et 84 cm	**15.**	4 m et 50 cm
16.	2 m et 6 cm	**17.**	3 m et 10 cm	**18.**	4 cm et 1 cm

19. Reproduis et complète le tableau.

	estimation en mètres	mesure (au choix)	mesure en mètres
hauteur de la porte	■,■■		■,■■
largeur de la fenêtre	■,■■		■,■■
longueur de la pièce	■,■■		■,■■
largeur de la pièce	■,■■		■,■■

Dans la cuisine

Arrondis ces dimensions au dixième de mètre le plus proche.

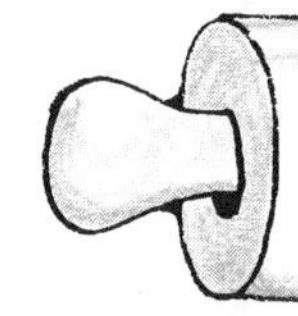

		entre	arrondies
1. hauteur du réfrigérateur	1,61 m	1,6 m et 1,7 m	
2. longueur du comptoir	2,36 m		
3. hauteur de la cuisinière	0,84 m		
4. largeur de l'évier	0,52 m		
5. longueur des placards	2,45 m		

Dollars et cents

Révision de l'addition

1.	2.
3,25$	1,35$
+4,15$	+4,85$
■,■■$	■,■■$

3.	4.
0,45$	3,88$
+2,83$	+1,88$

Révision de la soustraction

5.	6.
4,86$	6,25$
−3,70$	−2,09$
■,■■$	■,■■$

7.	8.
7,62$	7,04$
−0,98$	−1,38$

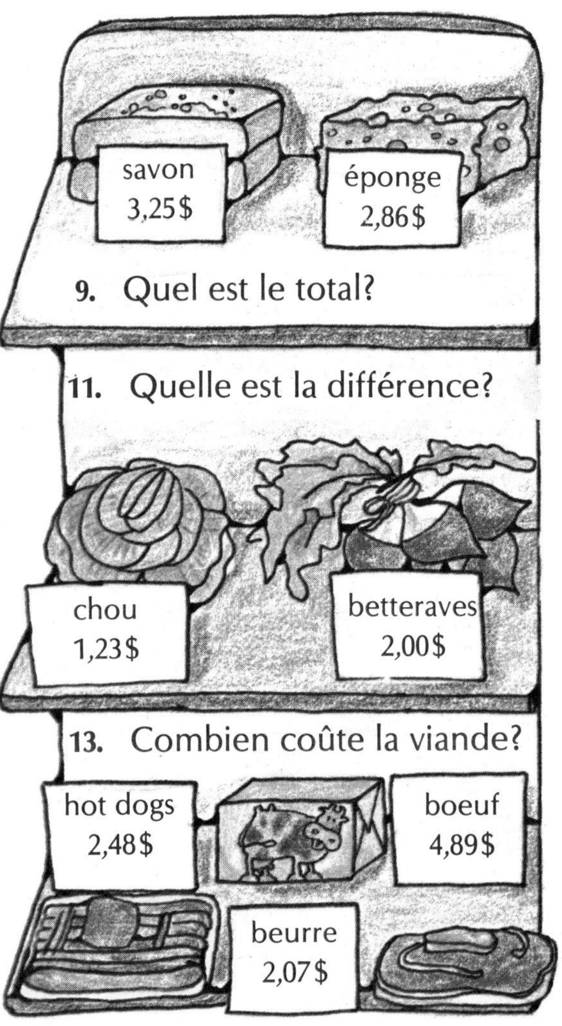

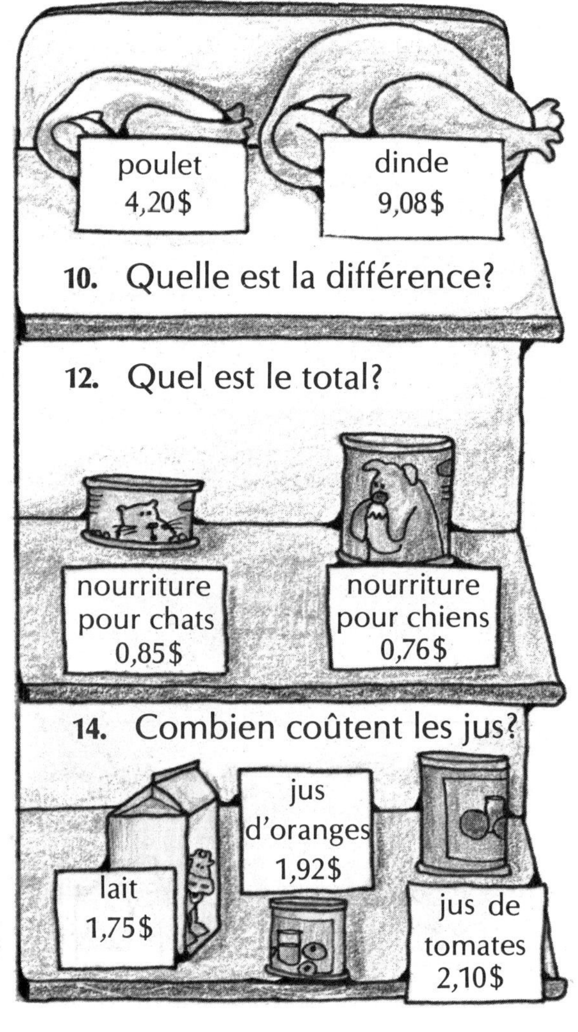

RÉSOLUTION DE PROBLÈMES

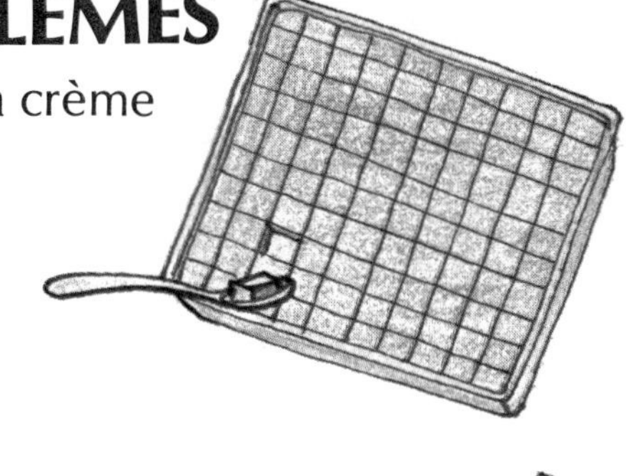

Marc découpe une plaque de sucre à la crème en 100 morceaux.

Un morceau représente 0,01 plaque.

Marc demande 0,01$ (un cent) par morceau.

Aide-le à calculer ses prix.

À VENDRE

1.	1 morceau	0,01	plaque coûte	■,■■$
2.	4 morceaux	■,■■	plaque coûte	■,■■$
3.	15 morceaux	■,■■	plaque coûte	■,■■$
4.	60 morceaux	■,■■	plaque coûte	■,■■$
5.	235 morceaux	■,■■	plaques coûtent	■,■■$
6.	100 morceaux	■,■■	plaque coûte	■,■■$

RÉVISION

Trouve la bonne réponse.

1.  **L**

mètre **ou** litre?

2. 

0,1 L **ou** 1 L?

3. $\frac{1}{2}$

0,5 **ou** 5,0?

Additionne ou soustrais.

4. $0,5 + 0,4$

5. $0,6 + 0,5$

6. $0,8 - 0,3$

7. $1,2 - 0,9$

Écris le nombre à virgule correspondant.

8. $\frac{25}{100}$

9. $\frac{18}{100}$

10. $\frac{10}{100}$

11. $\frac{3}{100}$

Convertis en mètres.

12. 100 cm

13. 200 cm

14. 85 cm

15. 5 cm

TEST CHAPITRE 14

Écris le nombre à virgule.

1. $\frac{5}{10}$

2. un dixième

3. 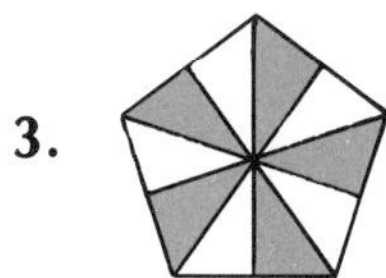

4. 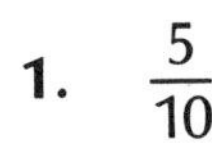

5. six unités et quatre dixièmes

6. 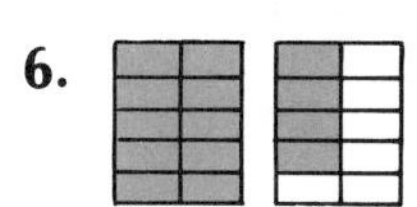

7.

8. Lequel est le plus grand?

   3,6 ou 6,3

9. Classe les nombres suivants:

   0,7 2,4 2,7 0,4

Est-ce que la capacité se rapproche de 0,5 L ou de 1 L?

10. 

11. 

12. 

13. 

Additionne ou soustrais.

14.	15.	16.	17.
0,4	0,4	0,5	1,0
+0,2	+0,8	−0,2	−0,7

Écris le nombre à virgule correspondant.

18. $\frac{17}{100}$

19.

20. 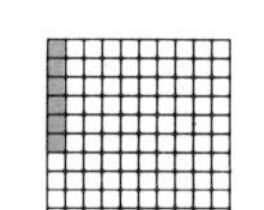

21. 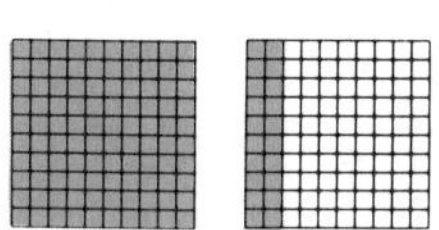

Convertis en mètres ■,■■ m

22. 43 cm

23. 250 cm

24. 3 m et 18 cm

Additionne ou soustrais.

25.	26.	27.	28.
3,72$	7,23$	4,56$	5,00$
+1,19$	−0,82$	+2,58$	−1,25$

REPRISE

LA DIVISION

Divise.

1. $24 \div 4$
2. $4\overline{)6}$
3. $15 \div 3$
4. $3\overline{)15}$
5. $5\overline{)9}$
6. $2\overline{)13}$
7. $4\overline{)35}$
8. $3\overline{)11}$
9. $6\overline{)36}$
10. $6\overline{)18}$
11. $6\overline{)48}$
12. $6\overline{)54}$
13. $7\overline{)21}$
14. $7\overline{)42}$
15. $7\overline{)43}$
16. $7\overline{)56}$

Reproduis et complète les tableaux.

17.

÷	8
40	
64	
56	
24	
72	

18.

÷	9
36	
63	
45	
54	
27	

Avec 42 notes combien de portées musicales peux-tu écrire s'il y a:

19. 6 notes par portée?
20. 7 notes par portée?
21. 8 notes par portée?
22. 9 notes par portée?

CHAPITRE 15

LA MULTIPLICATION

Toc toc

49	56	24	0	48

56	48	18

0	21	25	21	40	25	48	18

7

’

48	45	48

!

Effectue les multiplications et déchiffre le message.

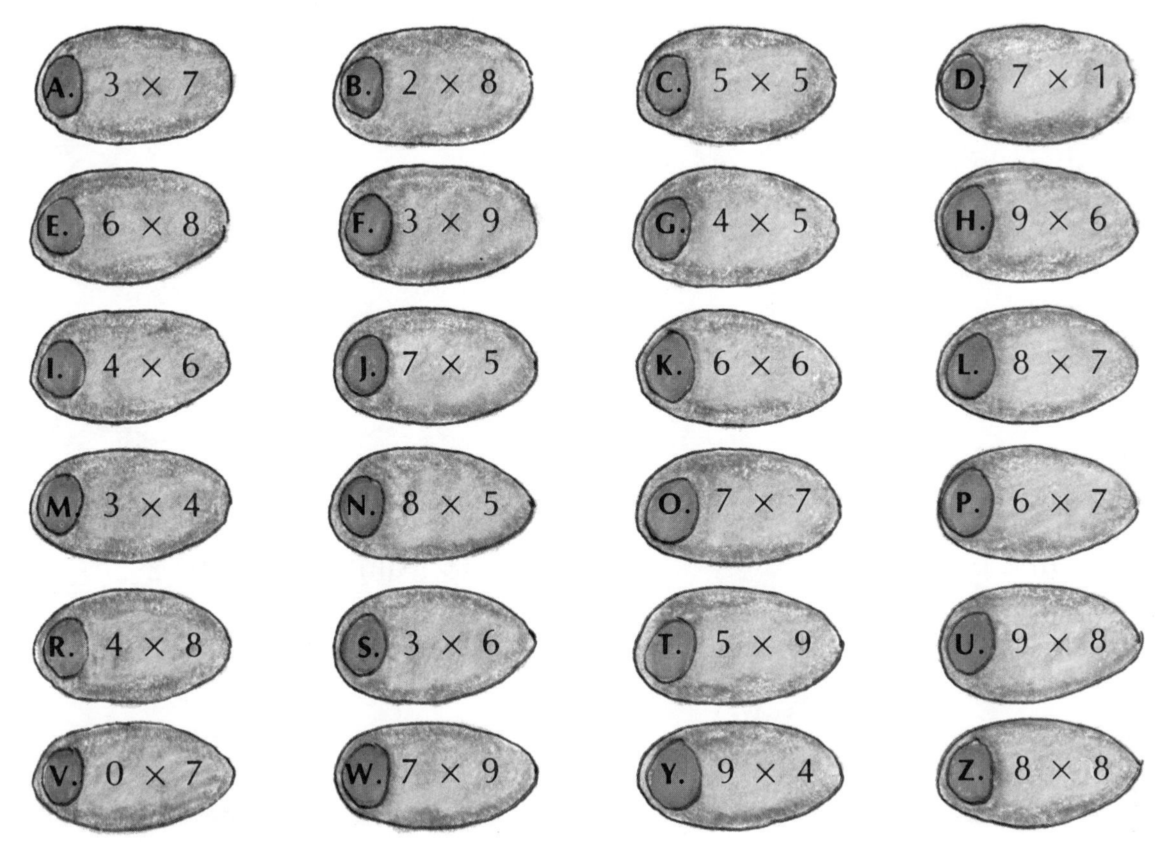

Le volume

Le **volume** d'un solide
est la mesure de l'espace
intérieur.

Parfois, il faut
prétendre que
le solide est creux.

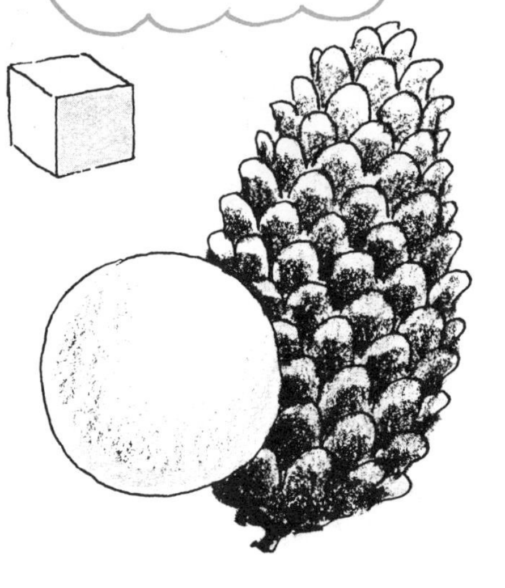

Une pomme de pin pourrait contenir
environ 20 morceaux de sucre.

Une balle de ping pong pourrait contenir
environ 8 morceaux de sucre.

EXERCICES

Estime le **volume** de chaque solide.

1. 3 **ou** 30 morceaux de sucre?

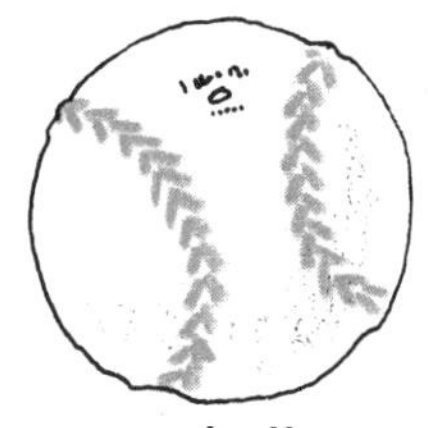

une balle

2. 9 **ou** 90 morceaux de sucre?

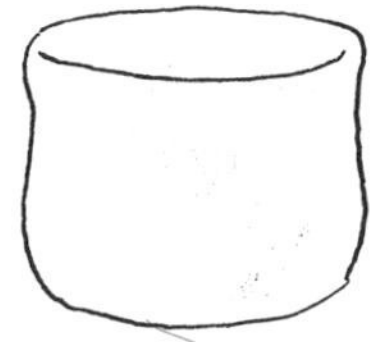

un morceau de guimauve

3. une poêle — 60 **ou** 600 pommes de pin

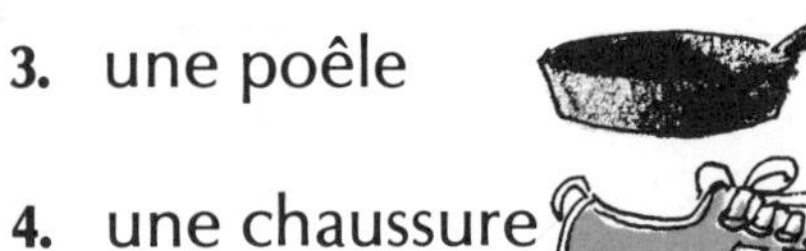

4. une chaussure — 5 **ou** 50 pommes de pin

5. une tente — 90 **ou** 9000 pommes de pin

Estime et mesure le volume de chaque solide.
Utilise le morceau de sucre comme unité.

1. un coquetier

2. un pot à glace

3. une boîte de punaises

4. une boîte d'agrafes

Une mise en boîte

M. Lebrun a une boîte à pain pour le camping;
elle mesure **15 cm de large, 30 cm de long et 20 cm de haut**.
Son pain brun tient exactement dans la boîte.

1. Quels objets tiendront dans la boîte de M. Lebrun?

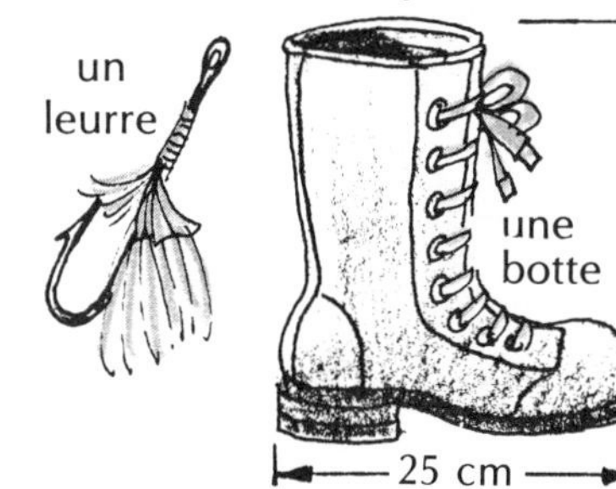

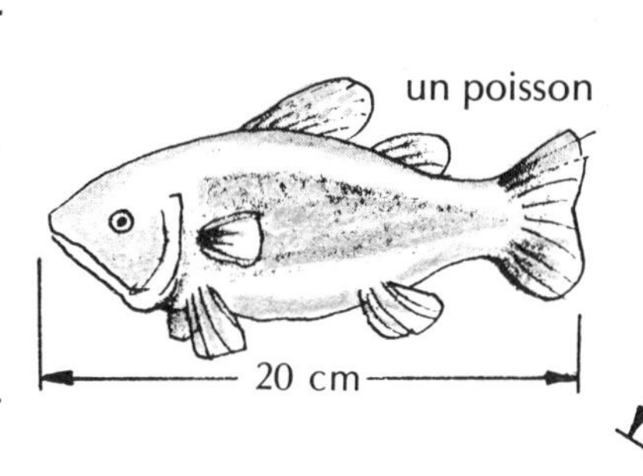

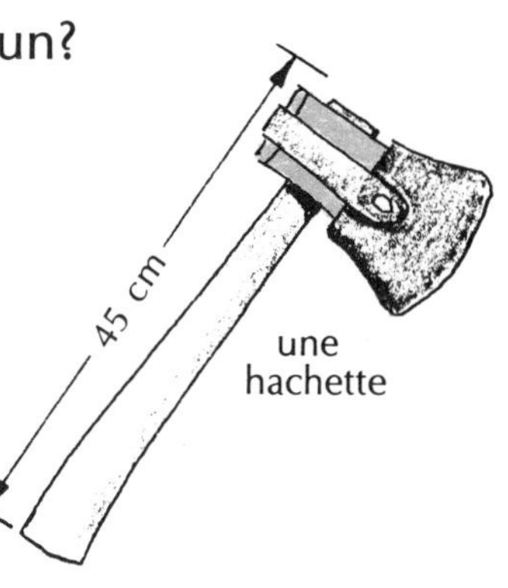

Est-ce que le pain brun de M. Lebrun tiendrait dans:

2. une boîte qui mesure 30 cm sur 30 cm sur 5 cm?
3. une boîte qui mesure 30 cm sur 20 cm sur 25 cm?
4. une boîte qui mesure 20 cm sur 10 cm sur 20 cm?
5. une boîte qui mesure 20 cm sur 30 cm sur 15 cm?

Le calcul du volume

Tu mesures l'aire en centimètres carrés.
Tu mesures le volume en **centimètres cubes**.

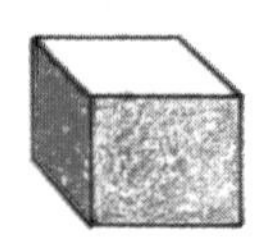

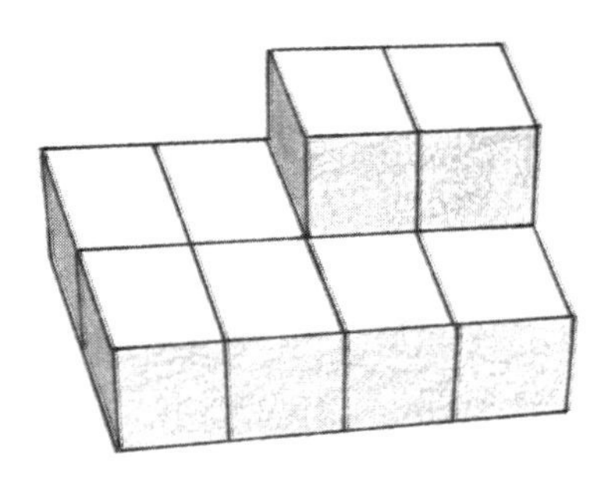

Un centimètre cube
est un cube de
1 cm de large
1 cm de long et
1 cm de haut

Le volume du solide jaune
est de 10 centimètres cubes.

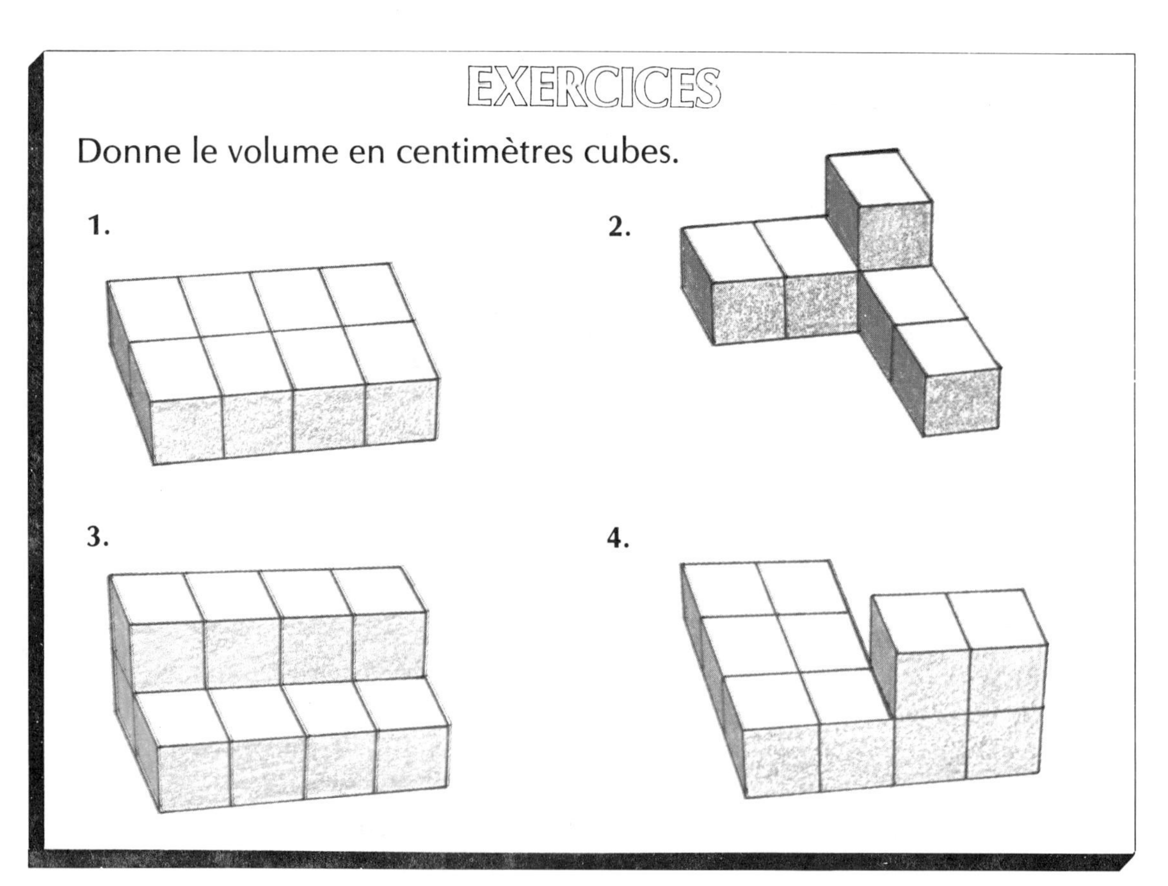

EXERCICES

Écris le volume en centimètres cubes.

1. 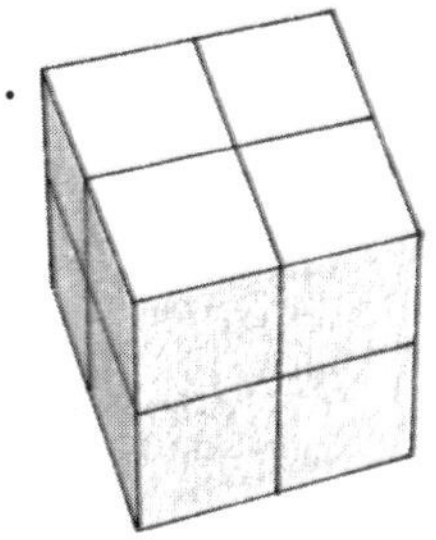

2. 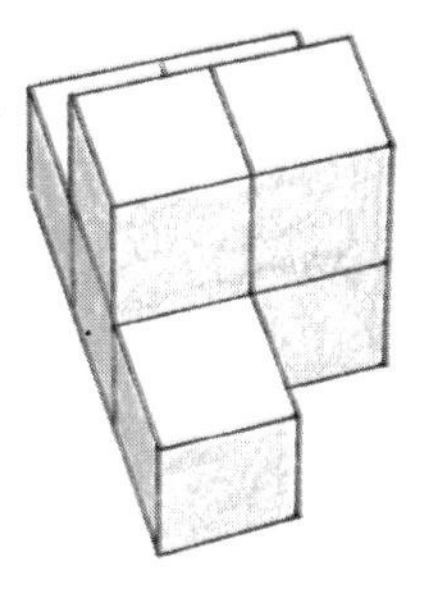

3. 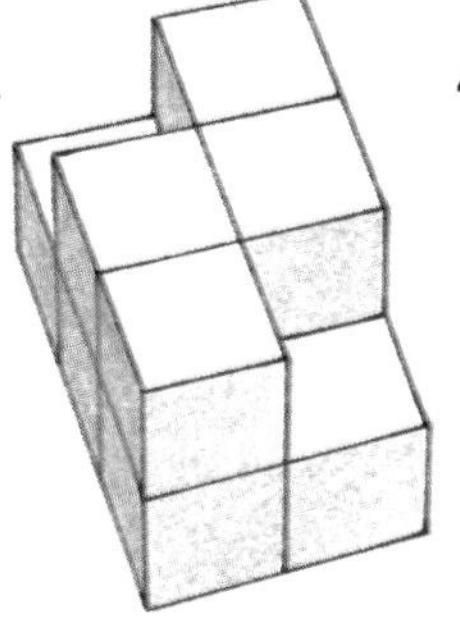

4. 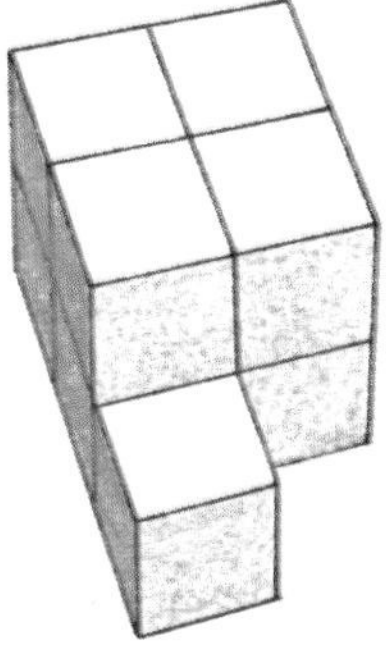

5. 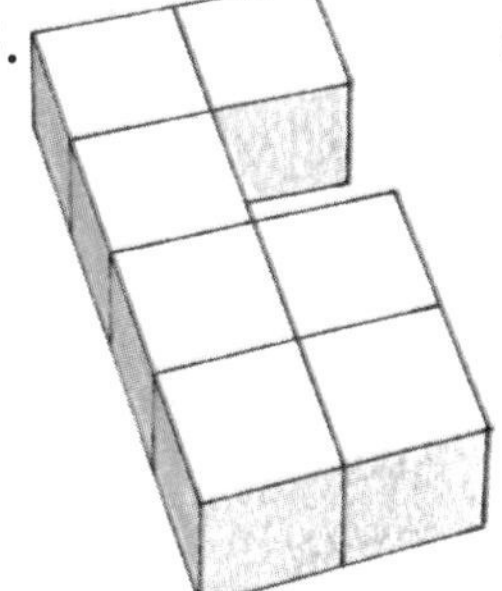

6. 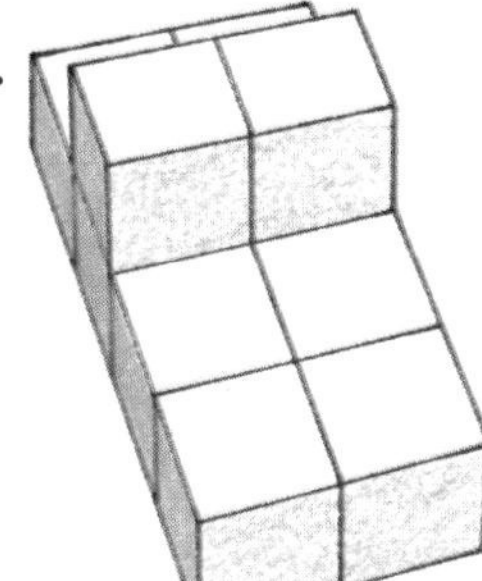

7. 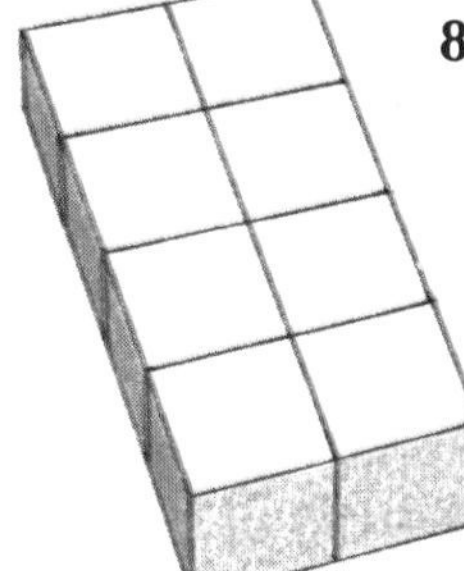

8. 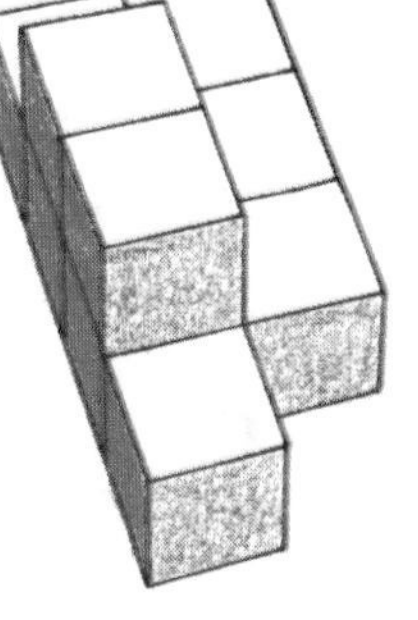

9. 

10. 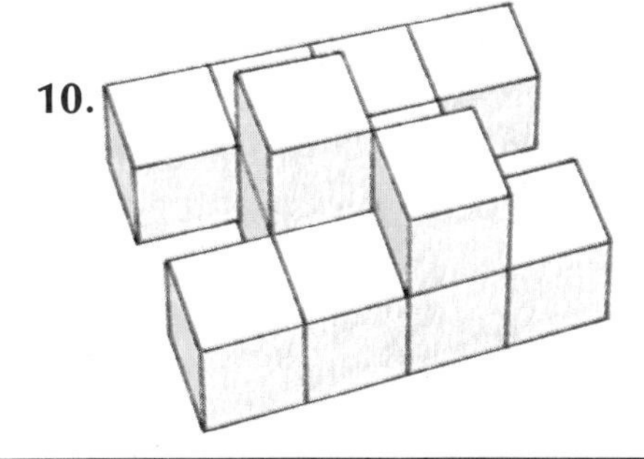

Les parenthèses de Linda

Trouve les produits.

1. $(3 \times 4) \times 2$
2. $5 \times (2 \times 4)$
3. $(3 \times 3) \times 5$
4. $3 \times (2 \times 2)$
5. $(1 \times 6) \times 7$
6. $8 \times (3 \times 2)$

$(2 \times 3) \times 4 = 24$

6

La fin et les moyens

Au camp, Marie s'est bien amusée.

1. Elle a marché pendant 40 minutes autour du lac.
2. Elle a trouvé un lapin d'un kilogramme.
3. Le lapin a fait un bond de 35 cm.
4. Il avait une tache de 13 centimètres carrés.
5. Marie a mis le lapin dans une boîte de 8 000 centimètres cubes.
6. Le lapin a bu 0,1 L d'eau avant de s'échapper.

Comment a-t-elle pu mesurer cela?
Qu'est-ce qu'elle a mesuré?

RÉSOLUTION DE PROBLÈMES

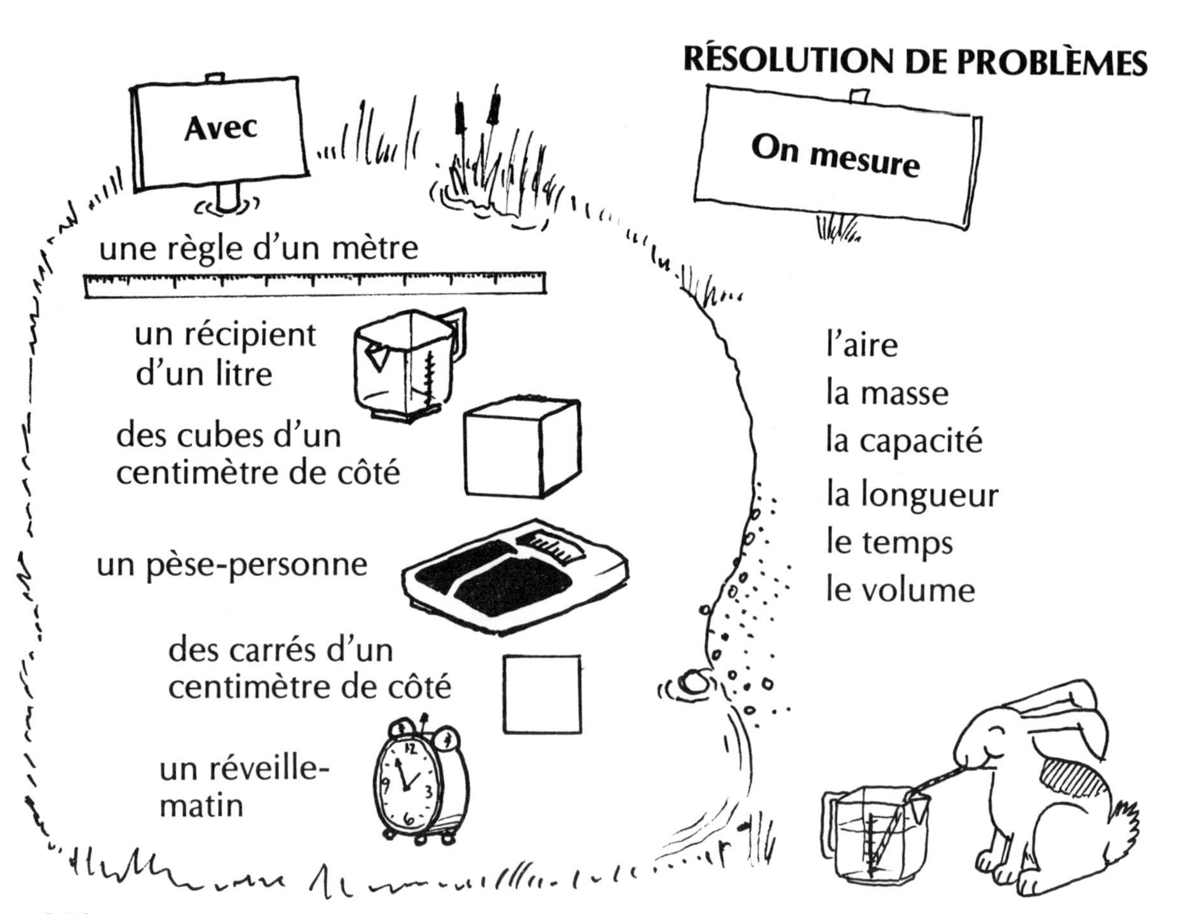

RÉSOLUTION DE PROBLÈMES

Choisis **l'addition, la soustraction, la multiplication** ou **la division** à effectuer. Calcule la réponse.

1. Les enfants ont été transportés jusqu'au camp par 7 voitures. Chacune contenait 6 enfants. Combien y avait-t-il d'enfants?

2. Paul a attrapé 37 , 17 , et 53 . Combien d'insectes avait-il en tout?

3. Aron avait 1,36\$. Il a perdu 48¢ dans l'étang. Combien restait-il?

4. Les 36 garçons ont formé 9 équipes. Combien étaient-ils par équipe?

5. Francis a fait trois pauses de 8 minutes. Combien de temps s'est-il reposé?

6. Le gâteau mesurait 910 centimètres carrés. En 2 minutes, 735 centimètres carrés ont disparus. Combien en restait-il?

7. Sept filles ont partagé une boîte de raisins de 49 centimètres cubes. Quelle était la part de chaque fille?

Chiffres romains

Tu vois parfois des **chiffres romains** sur des cadrans ou dans des livres.

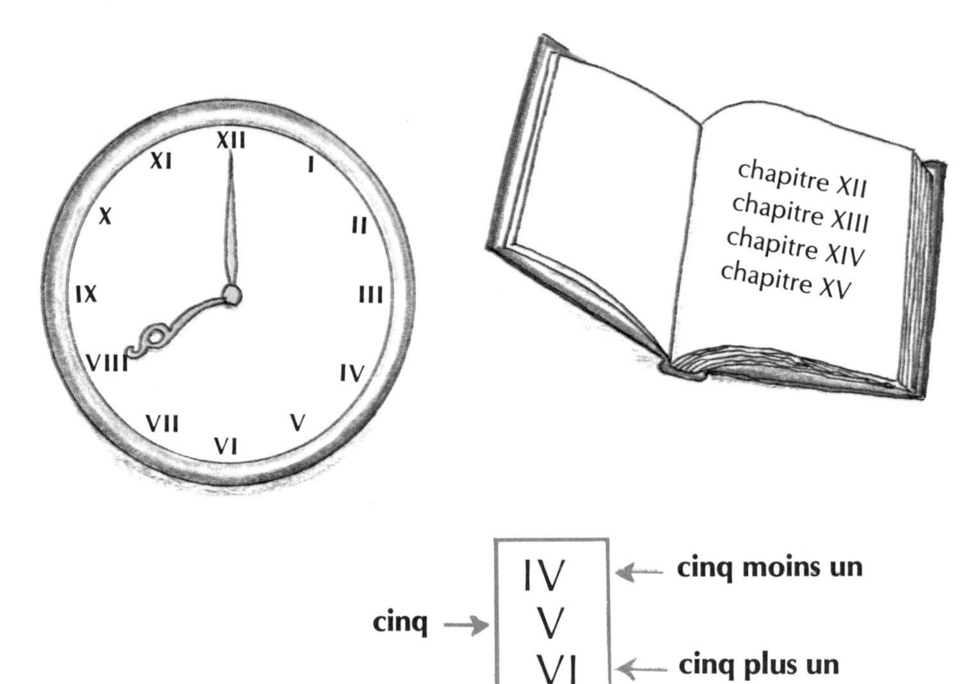

EXERCICES

Écris le nombre normalement.

1. **III**	**2.** **V**	**3.** **X**	**4.** **IV**	**5.** **VI**
6. **IX**	**7.** **XI**	**8.** **VIII**	**9.** **XI**	**10.** **XII**

Écris le nombre en chiffres romains.

11. 2	**12.** 1	**13.** 5	**14.** 7	**15.** 10
16. 8	**17.** 4	**18.** 9	**19.** 6	**20.** 11

EXERCICES

1. Est-ce que VI est cinq plus un, ou cinq moins un?
2. Est-ce que IX est dix plus un, ou dix moins un?
3. Est-ce que XV est cinq plus dix ou cinq moins dix?

Devine quelle réponse est correcte.

4. **XV** 105 **ou** 15 **ou** 10 **ou** 5
5. **XVI** 1051 **ou** 151 **ou** 16 **ou** 14
6. **XIV** 101 **ou** 115 **ou** 16 **ou** 14
7. **XX** 0 **ou** 210 **ou** 20 **ou** 2
8. **XIX** 111 **ou** 19 **ou** 1010 **ou** 1

Recopie et résous les équations.

9. **VII + I = ■**
10. **III + IV = ■**

RÉVISION

Est-ce que cet objet te fait penser au **volume** ou à l'**aire**?

1. une boîte
2. un cercle
3. une balle
4. un triangle

5. Un centimètre cube mesure ■ de large, ■ de long, et ■ de haut.
6. 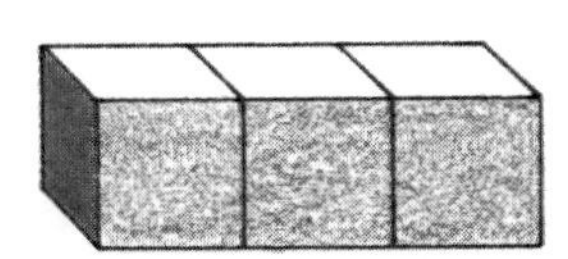 Il y a ■ centimètres cubes.

Écris le nombre normalement.

7. V
8. X
9. VI
10. IX

La multiplication par 10 et par 100

Louis et Louise sautent d'un rocher à un autre.
Louis compte par dix. Louise compte par cent.
Jusqu'où comptent-ils?

6 **dizaines** = 60
6 × **10** = **60**

Louis compte jusqu'à 60.

6 **centaines** = 600
6 × **100** = **600**

Louise compte jusqu'à 600.

EXERCICES

1. Compte par dix jusqu'à cent.

2. Compte par cent jusqu'à mille.

Recopie et résous les équations.

3. 1 dizaine = ■ **4.** 3 dizaines = ■ **5.** 5 dizaines = ■

6. 1 × 10 = ■ **7.** 3 × 10 = ■ **8.** 5 × 10 = ■

9. 2 centaines = ■ **10.** 4 centaines = ■

11. 6 centaines = ■ **12.** 2 × 100 = ■

13. 4 × 100 = ■ **14.** 6 × 100 = ■

EXERCICES

Multiplie. Observe les résultats.

1. 2×1
2×10
2×100

2. 7×1
7×10
7×100

3. 4×1
4×10
4×100

4. 10×1
10×10
10×100

5. 3×10 **6.** 7×10 **7.** 8×10 **8.** 6×10

9. 5×100 **10.** 4×100 **11.** 7×100 **12.** 1×100

13. 8×100 **14.** 5×10 **15.** 9×10 **16.** 3×100

17. $\begin{array}{r} 10 \\ \times\ 3 \\ \hline \end{array}$ **18.** $\begin{array}{r} 10 \\ \times\ 7 \\ \hline \end{array}$ **19.** $\begin{array}{r} 100 \\ \times\ 5 \\ \hline \end{array}$ **20.** $\begin{array}{r} 100 \\ \times\ 8 \\ \hline \end{array}$

Des marguerites à effeuiller

Recopie et effectue les opérations.

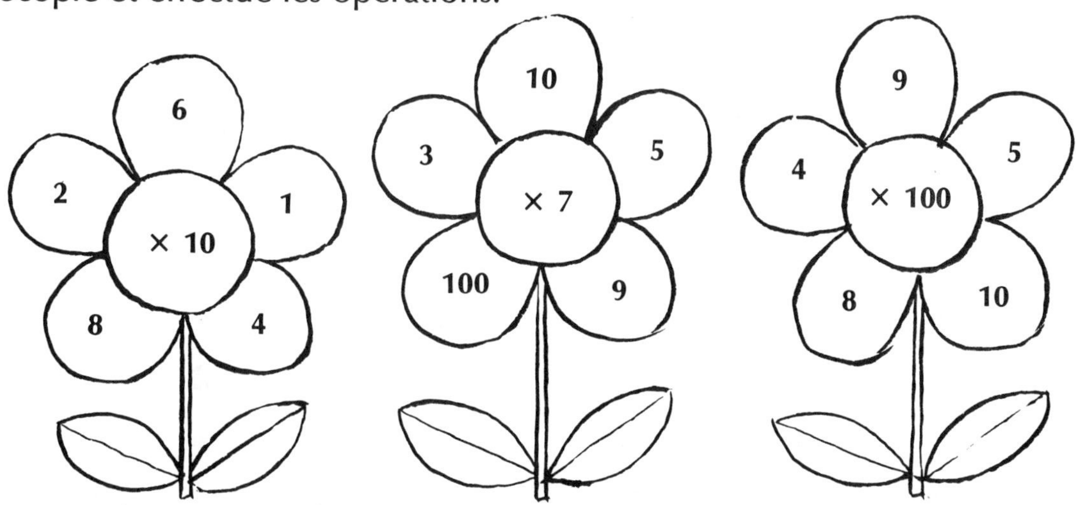

La multiplication par dix

Jeanne prend des leçons de tir à l'arc.
Combien de points marque-t-elle?

3×2 dizaines $= 6$ dizaines

$3 \times 20 = 60$

Jeanne a 60 points en tout.

EXERCICES

Recopie et résous les équations.

1. 6×2 dizaines $= ■$ dizaines
   $6 \times 20 = ■$
2. 3×3 dizaines $= ■$ dizaines
   $3 \times 30 = ■$
3. 5×3 dizaines $= ■$ dizaines
   $5 \times 30 = ■$
4. 4×6 dizaines $= ■$ dizaines
   $4 \times 60 = ■$
5. 1 dizaine $\times 7 = ■$ dizaines
   $10 \times 7 = ■$
6. 5 dizaines $\times 9 = ■$ dizaines
   $50 \times 9 = ■$
7. $4 \times 50 = ■$
8. $50 \times 6 = ■$

EXERCICES

Multiplie. Observe les résultats.

1. 4×2
4×20

2. 2×3
2×30

3. 3×6
3×60

4. 6×9
6×90

5. 4×70

6. 5×40

7. 8×50

8. 7×70

9. 30×7

10. 80×6

11. 70×8

12. 50×8

Résous les problèmes.

13. Combien coûtent 3 balles?

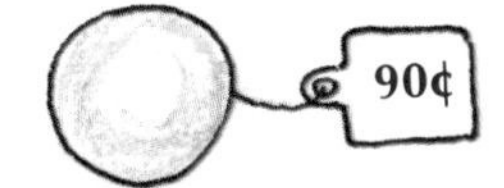

14. Combien coûtent 6 bouteilles?

Les champions du tir à l'arc

Calcule la valeur de chaque flèche. Additionne les résultats pour chaque cible. Qui a gagné?

La multiplication de nombres de deux chiffres

Liste pour le pique-nique
3 paquets de saucisses
12 saucisses par paquet
Combien en emportons-nous?

Additionne **ou** Multiplie.

$$\begin{array}{r} 12 \\ 12 \\ +\ 12 \\ \hline 36 \end{array} \qquad \begin{array}{r} 12 \\ \times\ 3 \\ \hline ? \end{array}$$

Multiplie les unités.

dizaines	unités
1	2
×	3
	6

Multiplie les dizaines.

dizaines	unités
1	2
×	3
3	6

Il y a 36 saucisses en tout.

EXERCICES

Additionne et multiplie.

1. $\begin{array}{r} 21 \\ 21 \\ +21 \\ \hline \end{array} \qquad \begin{array}{r} 21 \\ \times\ 3 \\ \hline \end{array}$

2. $\begin{array}{r} 13 \\ 13 \\ +13 \\ \hline \end{array} \qquad \begin{array}{r} 13 \\ \times\ 3 \\ \hline \end{array}$

3. $\begin{array}{r} 32 \\ +32 \\ \hline \end{array} \qquad \begin{array}{r} 32 \\ \times\ 2 \\ \hline \end{array}$

4. $\begin{array}{r} 43 \\ +43 \\ \hline \end{array} \qquad \begin{array}{r} 43 \\ \times\ 2 \\ \hline \end{array}$

5. $\begin{array}{r} 11 \\ 11 \\ 11 \\ +11 \\ \hline \end{array} \qquad \begin{array}{r} 11 \\ \times\ 4 \\ \hline \end{array}$

6. $\begin{array}{r} 21 \\ 21 \\ 21 \\ +21 \\ \hline \end{array} \qquad \begin{array}{r} 21 \\ \times\ 4 \\ \hline \end{array}$

EXERCICES

Multiplie.

1.

dizaines	unités
2	3
×	2

2.

dizaines	unités
3	1
×	3

3.

dizaines	unités
1	1
×	7

4.

dizaines	unités
3	2
×	4

5.

dizaines	unités
4	3
×	2

6.

dizaines	unités
1	2
×	4

7.

dizaines	unités
3	2
×	3

8.

dizaines	unités
1	1
×	5

9. $\begin{array}{r} 44 \\ \times\ 2 \\ \hline \end{array}$

10. $\begin{array}{r} 21 \\ \times\ 2 \\ \hline \end{array}$

11. $\begin{array}{r} 13 \\ \times\ 2 \\ \hline \end{array}$

12. $\begin{array}{r} 32 \\ \times\ 3 \\ \hline \end{array}$

13.

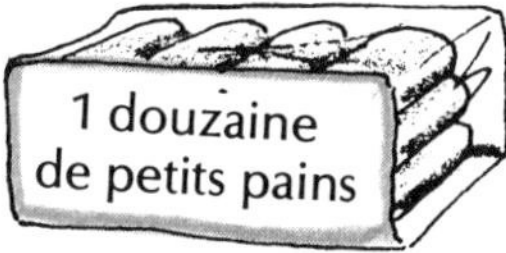

Il y en a ■ dans 4 douzaines.

14.

Il y en a ■ dans 2 boîtes.

15.

Combien y a-t-il de biscuits dans 3 paquets?

16.

Combien y a-t-il d'assiettes dans 4 paquets?

Slalom

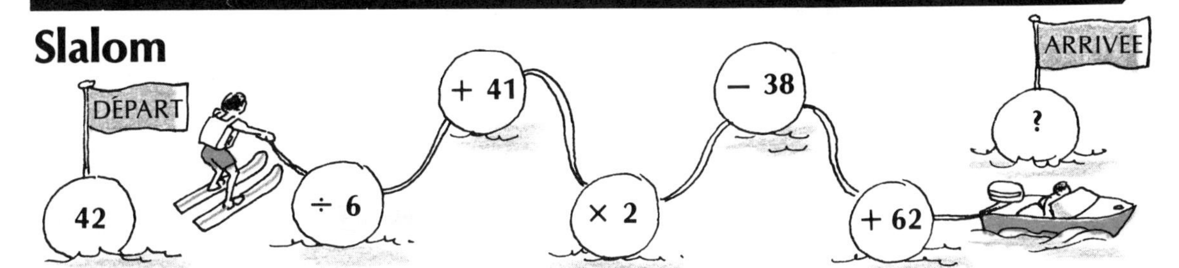

La multiplication de nombres de deux chiffres

Liste pour le pique-nique
3 caisses de boîtes de jus de fruits
24 boîtes dans chaque caisse
Combien y a-t-il de boîtes en tout?

Additionne **ou** Multiplie.

$$\begin{array}{r} 24 \\ 24 \\ +\ 24 \\ \hline 72 \end{array} \qquad \begin{array}{r} 24 \\ \times\ 3 \\ \hline ? \end{array}$$

Multiplie les unités.
Échange 12 unités contre
1 dizaine et 2 unités.

dizaines	unités
1	
2	4
×	3
	2

Multiplie les dizaines.
Additionne 6 dizaines
et 1 dizaine.

dizaines	unités
1	
2	4
×	3
7	2

Il y a 72 boîtes de jus de fruits en tout.

EXERCICES

Additionne et multiplie.

1. $\begin{array}{r} 17 \\ 17 \\ +\ 17 \\ \hline \end{array}$ **2.** $\begin{array}{r} {}^{2} \\ 17 \\ \times\ 3 \\ \hline 1 \end{array}$ **3.** $\begin{array}{r} 25 \\ 25 \\ +\ 25 \\ \hline \end{array}$ **4.** $\begin{array}{r} {}^{1} \\ 25 \\ \times\ 3 \\ \hline 5 \end{array}$

5. $\begin{array}{r} 14 \\ 14 \\ 14 \\ +\ 14 \\ \hline \end{array}$ **6.** $\begin{array}{r} {}^{1} \\ 14 \\ \times\ 4 \\ \hline 6 \end{array}$ **7.** $\begin{array}{r} 18 \\ 18 \\ 18 \\ +\ 18 \\ \hline \end{array}$ **8.** $\begin{array}{r} {}^{3} \\ 18 \\ \times\ 4 \\ \hline 2 \end{array}$

EXERCICES

Multiplie.

1.

dizaines	unités
1	5
×	5

2.

dizaines	unités
1	6
×	6

3.

dizaines	unités
1	7
×	4

4.

dizaines	unités
2	8
×	3

5. 24×4

6. 29×3

7. 18×3

8. 19×4

9. 26×3

10. 25×3

11. 38×2

12. 46×2

Combien y a-t-il d'oeufs dans:

13. 1 douzaine? **14.** 3 douzaines? **15.** 5 douzaines? **16.** 6 douzaines?

RÉVISION

Multiplie.

1. 10×6

2. 10×8

3. 100×7

4. 100×5

5. 80×2

6. 40×6

7. 60×7

8. 80×9

9. 42×2

10. 34×2

11. 23×3

12. 12×4

13. 19×5

14. 37×2

15. 26×3

16. 23×4

TEST CHAPITRE 15

Est-ce qu'on cherche **l'aire** ou le **volume**:

1. d'une gomme?
2. d'un timbre?
3. d'un portrait?
4. d'un cube?
5. Quel est le volume de ce solide?

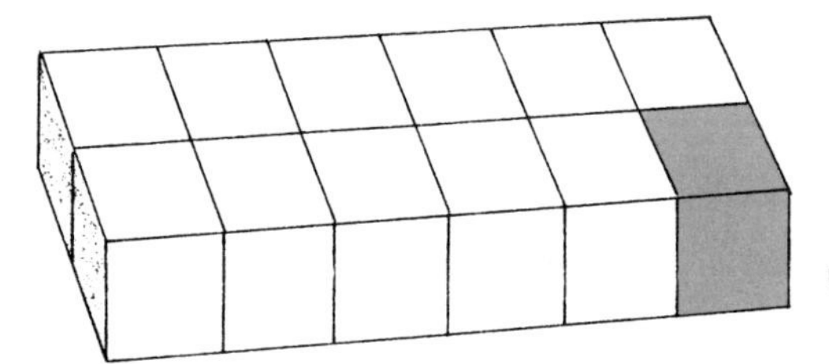

6. À quel nombre correspond le chiffre romain **X**?

Multiplie.

7. 8×10
8. 7×100
9. 10×5
10. 100×2
11. 3×60
12. 20×8
13. 9×70
14. 60×7
15. 23×2
16. 41×2
17. 12×3
18. 32×3
19. 18×6
20. 39×2
21. 27×3
22. 16×5

Résous les problèmes.

23. 4 rouleaux
    19 billets par rouleau
    Combien y a-t-il de billets?
24. 6 cages
    23 singes par cage
    Combien y a-t-il de singes?

REPRISE LES NOMBRES À VIRGULE

Écris la fraction correspondante.

1. 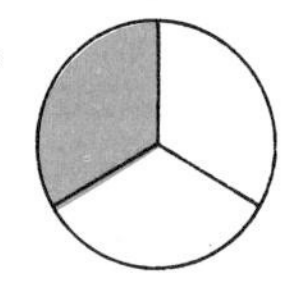

2. 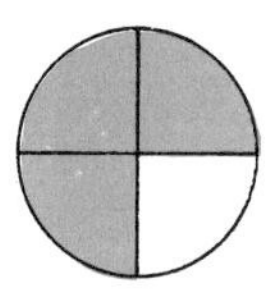

3. 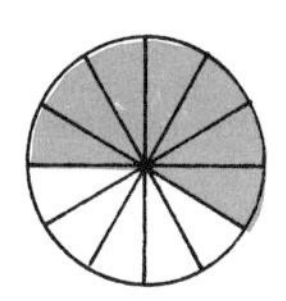

Écris sous forme de nombres à virgule.

4. $\frac{1}{10}$

5. $\frac{3}{10}$

6. 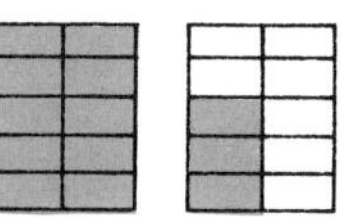

7. 2 dixièmes

8. 10 dixièmes

9.

Lequel est le plus grand?

10. $\frac{1}{4}$ **ou** $\frac{3}{4}$

12. $\frac{2}{3}$ **ou** $\frac{1}{3}$

13. $\frac{4}{10}$ **ou** $\frac{5}{10}$

14. 0,3 **ou** 0,2

15. 1,3 **ou** 2,0

16. 1,4 **ou** 1,2

Additionne.

17. $\begin{array}{r} 0{,}3 \\ +0{,}4 \\ \hline \end{array}$

18. $\begin{array}{r} 0{,}7 \\ +0{,}6 \\ \hline \end{array}$

Soustrais.

19. $\begin{array}{r} 0{,}9 \\ -0{,}3 \\ \hline \end{array}$

20. $\begin{array}{r} 1{,}6 \\ -0{,}9 \\ \hline \end{array}$

Écris sous forme de nombres à virgule.

21. 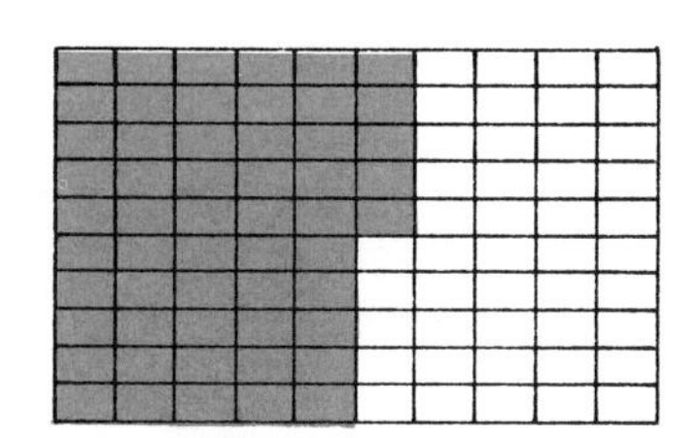

22. 31 centièmes

23. 6 centièmes

24. 3 m et 24 cm

REPRISE GÉOMÉTRIE

Cherche leur nom dans la liste.

1. 

2. 

3. 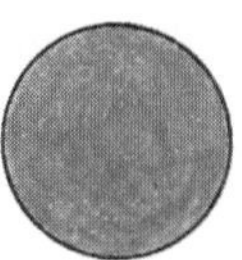 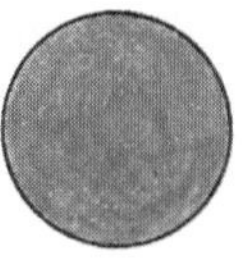

4. 

5. 

6. •

7. 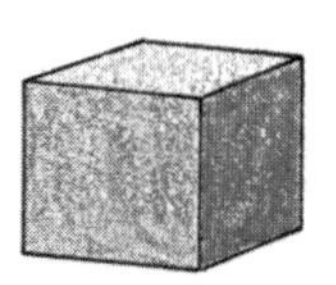

8. 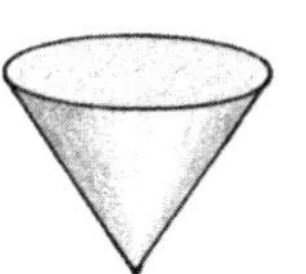

9. 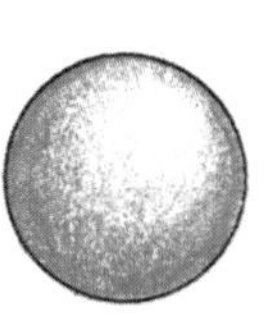

10. 

11. 

12. 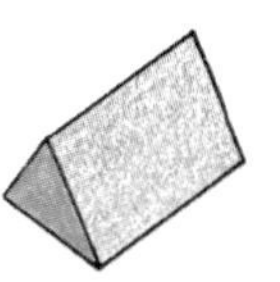

une boîte
un cercle
un cône
un cube
un cylindre
un point
un prisme
un rectangle
un segment
une sphère
un carré
un triangle

13. Lesquels n'ont pas de sommets?

14. Quel solide a 2 arêtes?

15. Deux solides ont 8 sommets chacun. Lesquels?

16. Quel solide a 5 faces?

Écris **différent**, **même forme** ou **même forme et même dimension**.

17. 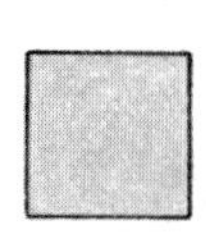

18. 

19. 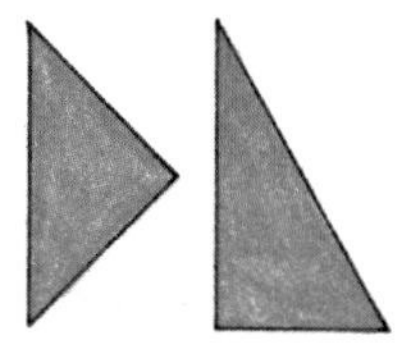

Quelles sont les lignes de symétrie?

20. 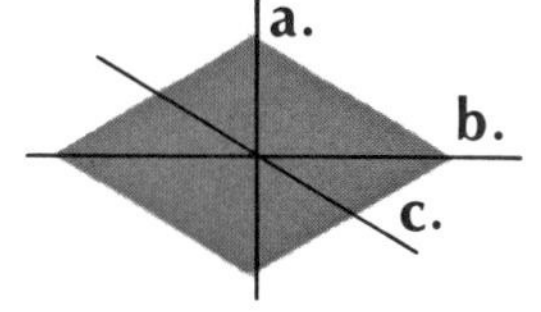

21. 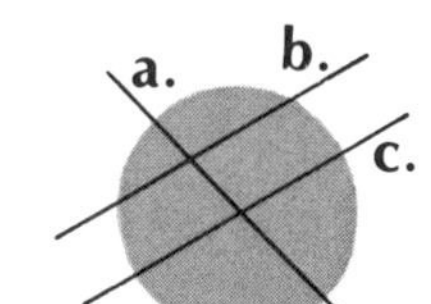

22. 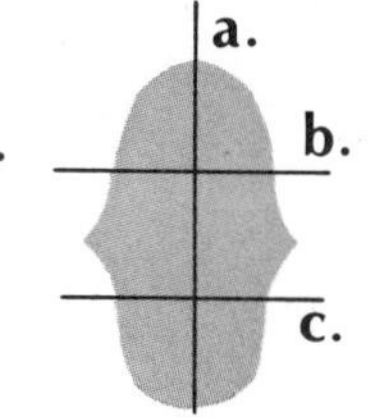

REPRISE LA MESURE

Mesure la longueur ou le périmètre en centimètres.

1.

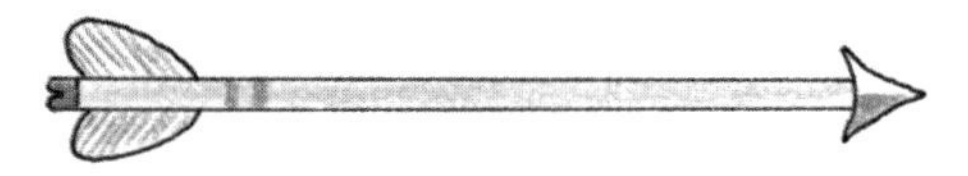

2.

Résous les équations.

3. 1 m = ■ cm
4. 1 km = ■ m
5. 1 kg = ■ g
6. 105 cm = ■,■■ m
7. 3 m et 24 cm = ■,■■ m

8. Combien y a-t-il de centimètres carrés?

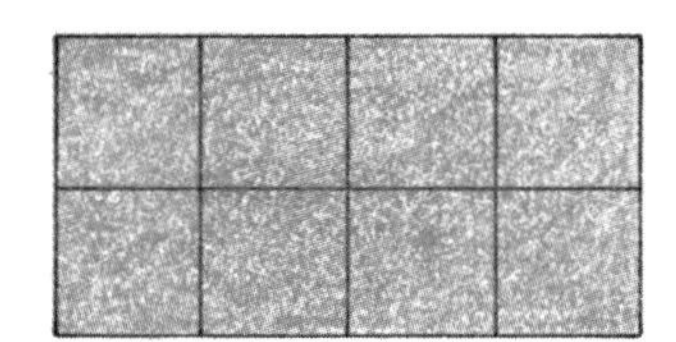

9. Combien y a-t-il de centimètres cubes?

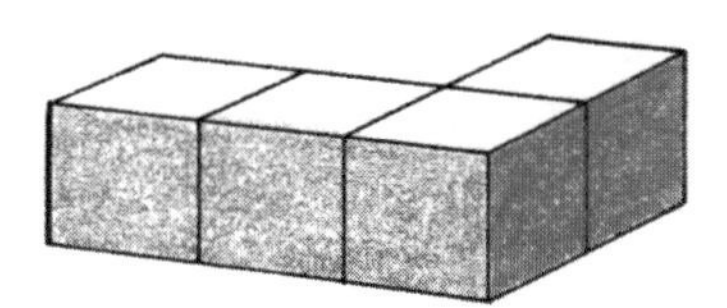

Complète les exemples.

10.

■ grammes

11.

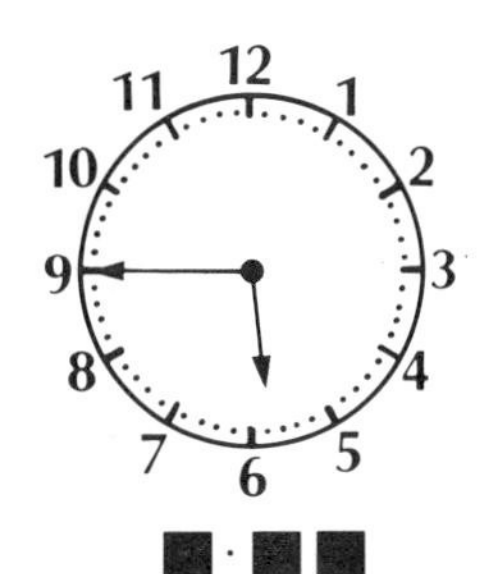

■:■■

12.

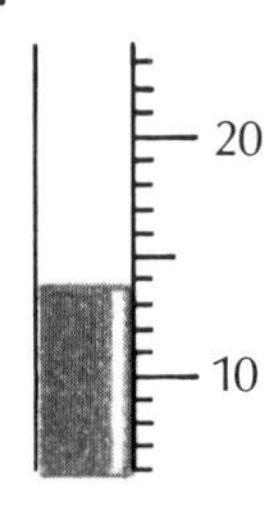

■°C

Test général

CHAPITRES 1 À 5

Additionne.

1. $\begin{array}{r} 7 \\ +4 \\ \hline \end{array}$
2. $\begin{array}{r} 3 \\ +9 \\ \hline \end{array}$
3. $\begin{array}{r} 7 \\ +5 \\ \hline \end{array}$
4. $\begin{array}{r} 2 \\ +8 \\ \hline \end{array}$
5. $\begin{array}{r} 8 \\ +8 \\ \hline \end{array}$

6. $30 + 2$
7. $40 + 9$
8. $8 + 20$

Calcule les périmètres.

9. 

10. 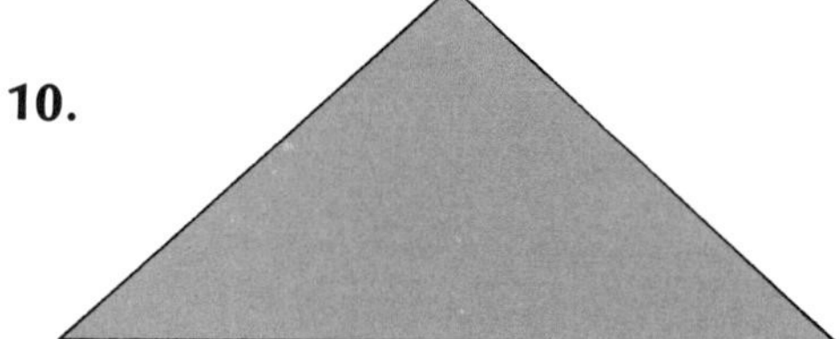

Soustrais.

11. $\begin{array}{r} 10 \\ -\ 3 \\ \hline \end{array}$
12. $\begin{array}{r} 16 \\ -\ 8 \\ \hline \end{array}$
13. $\begin{array}{r} 14 \\ -\ 9 \\ \hline \end{array}$
14. $\begin{array}{r} 13 \\ -\ 5 \\ \hline \end{array}$
15. $\begin{array}{r} 12 \\ -\ 4 \\ \hline \end{array}$

Résous l'équation.

16. 1 m = ■ cm
17. 3 m = ■ cm
18. 2 km = ■ m

Écris normalement.

19. $200 + 40 + 3$
20. $400 + 20 + 8$
21. $300 + 5$
22. deux cent six
23. trois cent quatre-vingts
24. Compte de 195 à 205 par unités.
25. Compte de 360 à 440 par dizaines.

Utilise $<$ ou $>$.

26. 260 ● 195 **27.** 764 ● 778 **28.** 461 ● 468

Additionne.

29. $\begin{array}{r} 24 \\ +35 \\ \hline \end{array}$ **30.** $\begin{array}{r} 60 \\ +\ \ 7 \\ \hline \end{array}$ **31.** $\begin{array}{r} 58 \\ +\ \ 4 \\ \hline \end{array}$ **32.** $\begin{array}{r} 67 \\ +17 \\ \hline \end{array}$

33. $\begin{array}{r} 25 \\ +46 \\ \hline \end{array}$ **34.** $\begin{array}{r} 32 \\ +70 \\ \hline \end{array}$ **35.** $\begin{array}{r} 38 \\ +65 \\ \hline \end{array}$ **36.** $\begin{array}{r} 76 \\ +67 \\ \hline \end{array}$

Soustrais.

37. $\begin{array}{r} 60 \\ -30 \\ \hline \end{array}$ **38.** $\begin{array}{r} 75 \\ -34 \\ \hline \end{array}$ **39.** $\begin{array}{r} 63 \\ -19 \\ \hline \end{array}$ **40.** $\begin{array}{r} 72 \\ -36 \\ \hline \end{array}$

41. $\begin{array}{r} 84 \\ -77 \\ \hline \end{array}$ **42.** $\begin{array}{r} 134 \\ -\ \ 47 \\ \hline \end{array}$ **43.** $\begin{array}{r} 122 \\ -\ \ 44 \\ \hline \end{array}$ **44.** $\begin{array}{r} 102 \\ -\ \ 38 \\ \hline \end{array}$

Calcule la différence:

45. entre 28 et 46.

46. entre 60 et 3.

47. entre 70 et 11.

48. entre 29 et 105.

Résous les problèmes.

49. Mme Lebois a 75 règles. Sa classe comprend 27 élèves. Ils se servent de 28 règles. Combien de règles ne sont pas utilisées?

50. M. Fournier a 75 gommes. Il en obtient 18 de plus pour 3 nouveaux élèves. Combien de gommes a-t-il en tout?

Test général

CHAPITRES 6 À 10

Choisis la longueur ou la masse qui convient.

1. 20 cm de long **ou** 1 m de long
2. 80 g **ou** 80 kg
3. Combien cela pèse-t-il?

4. Quelle heure est-il?

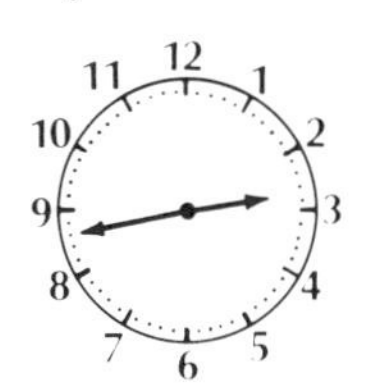

Complète.

5. 3, 6, ■, 12, ■, ■, 21
6. 5, ■, 15, ■, ■, ■, ■, 40

Multiplie.

7. 3 × 3	**8.** 2 × 8	**9.** 4 × 5	**10.** 6 × 0
11. 5 × 9	**12.** 8 × 1	**13.** 3 × 7	**14.** 5 × 5

Divise.

15. 8 ÷ 2	**16.** 12 ÷ 3	**17.** 16 ÷ 4	**18.** 40 ÷ 5
19. 0 ÷ 3	**20.** 20 ÷ 5	**21.** 6 ÷ 1	**22.** 32 ÷ 4

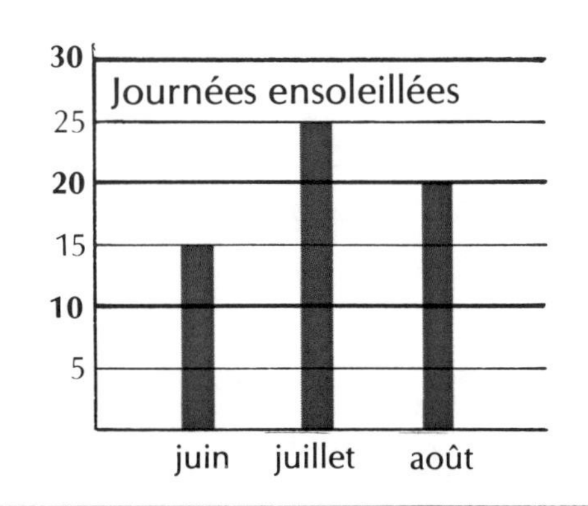

23. Combien y en a-t-il en août?
24. Quel mois en a le moins?
25. Quelle est la différence entre juin et juillet?

Additionne.

26. 624 + 305	27. 328 + 218	28. 362 + 460	29. 365 + 82
30. 284 + 217	31. 277 + 463	32. 27 + 35 + 64	33. 470 + 188 + 277

$$\begin{array}{r} 624 \\ +305 \\ \hline \end{array} \quad \begin{array}{r} 328 \\ +218 \\ \hline \end{array} \quad \begin{array}{r} 362 \\ +460 \\ \hline \end{array} \quad \begin{array}{r} 365 \\ +\ 82 \\ \hline \end{array}$$

34. Arrondis 379 à la dizaine la plus proche.

35. Arrondis 451 à la centaine la plus proche.

36. Estime la somme 379 + 208.

Soustrais.

37. 765 − 234	38. 832 − 216	39. 687 − 189	40. 711 − 256
41. 821 − 64	42. 756 − 93	43. 370 − 135	44. 410 − 222
45. 202 − 28	46. 307 − 128	47. 500 − 165	48. 800 − 725

49. Trouve la différence entre 6,35$ et 4,25$.

50. Calcule le montant d'argent représenté.

Test général

CHAPITRES 11 À 15

Écris les réponses.

	nom	nombre		
		de faces	d'arêtes	de sommets
	1. ■	**2.** ■	**3.** ■	**4.** ■
	5. ■	**6.** ■	**7.** ■	**8.** ■

9. Qu'est ce qui se trouve à (2,4)?

10. Où est le ●?

11. Si le ● glisse de 1 case vers la gauche et de 2 vers le bas, où arrive-t-il?

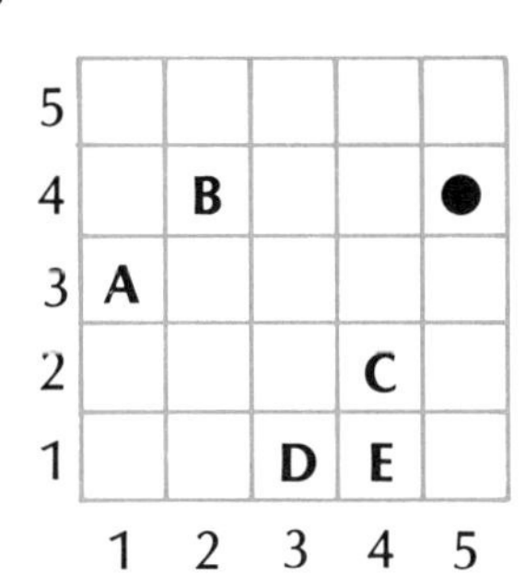

Multiplie.

12. $\begin{array}{r} 6 \\ \times 6 \\ \hline \end{array}$ **13.** $\begin{array}{r} 0 \\ \times 6 \\ \hline \end{array}$ **14.** $\begin{array}{r} 9 \\ \times 6 \\ \hline \end{array}$ **15.** $\begin{array}{r} 6 \\ \times 5 \\ \hline \end{array}$

16. 3×7 **17.** 9×7 **18.** 7×5 **19.** 7×7

20. $\begin{array}{r} 8 \\ \times 8 \\ \hline \end{array}$ **21.** $\begin{array}{r} 8 \\ \times 4 \\ \hline \end{array}$ **22.** $\begin{array}{r} 1 \\ \times 9 \\ \hline \end{array}$ **23.** $\begin{array}{r} 9 \\ \times 3 \\ \hline \end{array}$

24. Combien y a-t-il de jours dans 3 semaines?

25. Combien y a-t-il de jours ouvrables dans 8 semaines?

Divise.

26. $2\overline{)18}$ **27.** $5\overline{)20}$ **28.** $3\overline{)16}$ **29.** $4\overline{)24}$

30. $5\overline{)21}$ **31.** $4\overline{)30}$ **32.** $2\overline{)19}$ **33.** $3\overline{)29}$

Il y a 21 bâtons de hockey.
Combien peut-on remplir de sacs et combien reste-t-il de bâtons si on en met:

34. 5 par sac?

35. 3 par sac?

Écris la fraction.

36. 

 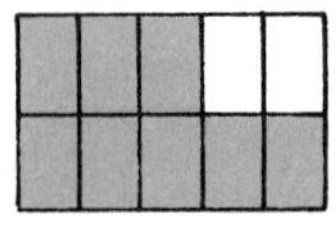

Écris le nombre à virgule.

38. $\frac{3}{10}$

 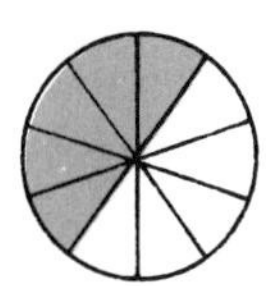

Classe ces nombres.

40. 0,6 1,5 0,7 1,3

Écris en mètres.

41. 6 m et 25 cm

Additionne.

42. $0{,}6 + 0{,}7$

Soustrais.

43. 6,53$ – 2,27$

44. Quelle unité choisis-tu?
le litre **ou** le mètre?

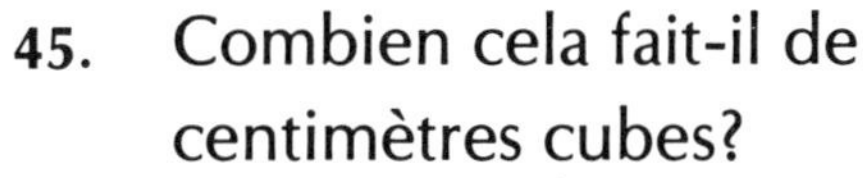

45. Combien cela fait-il de
centimètres cubes?

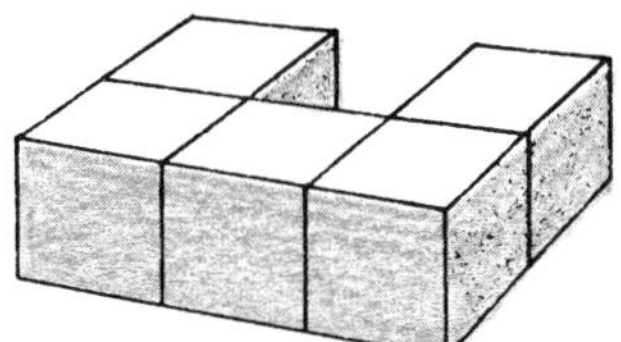

Multiplie.

46. $\begin{array}{r} 10 \\ \times\ 5 \\ \hline \end{array}$ **47.** $\begin{array}{r} 100 \\ \times\ 8 \\ \hline \end{array}$ **48.** $\begin{array}{r} 23 \\ \times\ 3 \\ \hline \end{array}$ **49.** $\begin{array}{r} 32 \\ \times\ 4 \\ \hline \end{array}$ **50.** $\begin{array}{r} 15 \\ \times\ 3 \\ \hline \end{array}$

L'addition

Additionne.

1. $\begin{array}{r} 8 \\ +8 \\ \hline \end{array}$	**2.** $\begin{array}{r} 6 \\ +4 \\ \hline \end{array}$	**3.** $\begin{array}{r} 7 \\ +7 \\ \hline \end{array}$	**4.** $\begin{array}{r} 3 \\ +7 \\ \hline \end{array}$	**5.** $\begin{array}{r} 9 \\ +2 \\ \hline \end{array}$
6. $\begin{array}{r} 8 \\ +7 \\ \hline \end{array}$	**7.** $\begin{array}{r} 6 \\ +9 \\ \hline \end{array}$	**8.** $\begin{array}{r} 8 \\ +5 \\ \hline \end{array}$	**9.** $\begin{array}{r} 4 \\ +5 \\ \hline \end{array}$	**10.** $\begin{array}{r} 4 \\ +7 \\ \hline \end{array}$
11. $\begin{array}{r} 3 \\ +6 \\ \hline \end{array}$	**12.** $\begin{array}{r} 7 \\ +6 \\ \hline \end{array}$	**13.** $\begin{array}{r} 8 \\ +0 \\ \hline \end{array}$	**14.** $\begin{array}{r} 7 \\ +5 \\ \hline \end{array}$	**15.** $\begin{array}{r} 0 \\ +3 \\ \hline \end{array}$
16. $\begin{array}{r} 9 \\ +9 \\ \hline \end{array}$	**17.** $\begin{array}{r} 3 \\ +8 \\ \hline \end{array}$	**18.** $\begin{array}{r} 5 \\ +9 \\ \hline \end{array}$	**19.** $\begin{array}{r} 2 \\ +6 \\ \hline \end{array}$	**20.** $\begin{array}{r} 9 \\ +1 \\ \hline \end{array}$

La soustraction

Soustrais.

1. $\begin{array}{r} 13 \\ -\ 4 \\ \hline \end{array}$	**2.** $\begin{array}{r} 10 \\ -\ 7 \\ \hline \end{array}$	**3.** $\begin{array}{r} 12 \\ -\ 6 \\ \hline \end{array}$	**4.** $\begin{array}{r} 7 \\ -0 \\ \hline \end{array}$	**5.** $\begin{array}{r} 18 \\ -\ 9 \\ \hline \end{array}$
6. $\begin{array}{r} 17 \\ -\ 8 \\ \hline \end{array}$	**7.** $\begin{array}{r} 14 \\ -\ 8 \\ \hline \end{array}$	**8.** $\begin{array}{r} 9 \\ -1 \\ \hline \end{array}$	**9.** $\begin{array}{r} 10 \\ -\ 4 \\ \hline \end{array}$	**10.** $\begin{array}{r} 15 \\ -\ 7 \\ \hline \end{array}$
11. $\begin{array}{r} 16 \\ -\ 9 \\ \hline \end{array}$	**12.** $\begin{array}{r} 10 \\ -\ 2 \\ \hline \end{array}$	**13.** $\begin{array}{r} 13 \\ -\ 5 \\ \hline \end{array}$	**14.** $\begin{array}{r} 11 \\ -\ 6 \\ \hline \end{array}$	**15.** $\begin{array}{r} 11 \\ -\ 4 \\ \hline \end{array}$
16. $\begin{array}{r} 12 \\ -\ 3 \\ \hline \end{array}$	**17.** $\begin{array}{r} 14 \\ -\ 5 \\ \hline \end{array}$	**18.** $\begin{array}{r} 13 \\ -\ 9 \\ \hline \end{array}$	**19.** $\begin{array}{r} 14 \\ -\ 6 \\ \hline \end{array}$	**20.** $\begin{array}{r} 13 \\ -\ 5 \\ \hline \end{array}$

La multiplication

Multiplie.

1. $\begin{array}{r} 3 \\ \times 2 \\ \hline \end{array}$	2. $\begin{array}{r} 6 \\ \times 5 \\ \hline \end{array}$	3. $\begin{array}{r} 4 \\ \times 4 \\ \hline \end{array}$	4. $\begin{array}{r} 8 \\ \times 1 \\ \hline \end{array}$	5. $\begin{array}{r} 5 \\ \times 9 \\ \hline \end{array}$
6. $\begin{array}{r} 0 \\ \times 4 \\ \hline \end{array}$	7. $\begin{array}{r} 3 \\ \times 3 \\ \hline \end{array}$	8. $\begin{array}{r} 8 \\ \times 4 \\ \hline \end{array}$	9. $\begin{array}{r} 3 \\ \times 7 \\ \hline \end{array}$	10. $\begin{array}{r} 9 \\ \times 2 \\ \hline \end{array}$
11. $\begin{array}{r} 1 \\ \times 1 \\ \hline \end{array}$	12. $\begin{array}{r} 4 \\ \times 6 \\ \hline \end{array}$	13. $\begin{array}{r} 5 \\ \times 7 \\ \hline \end{array}$	14. $\begin{array}{r} 2 \\ \times 2 \\ \hline \end{array}$	15. $\begin{array}{r} 6 \\ \times 3 \\ \hline \end{array}$
16. $\begin{array}{r} 5 \\ \times 5 \\ \hline \end{array}$	17. $\begin{array}{r} 4 \\ \times 3 \\ \hline \end{array}$	18. $\begin{array}{r} 6 \\ \times 0 \\ \hline \end{array}$	19. $\begin{array}{r} 5 \\ \times 4 \\ \hline \end{array}$	20. $\begin{array}{r} 3 \\ \times 9 \\ \hline \end{array}$

La division

Divise.

1. $3\overline{)21}$	2. $5\overline{)15}$	3. $3\overline{)0}$	4. $4\overline{)16}$	5. $5\overline{)35}$
6. $3\overline{)18}$	7. $2\overline{)6}$	8. $4\overline{)28}$	9. $5\overline{)30}$	10. $1\overline{)4}$
11. $3\overline{)27}$	12. $3\overline{)24}$	13. $4\overline{)36}$	14. $3\overline{)9}$	15. $1\overline{)0}$
16. $5\overline{)20}$	17. $2\overline{)18}$	18. $4\overline{)32}$	19. $3\overline{)15}$	20. $2\overline{)16}$
21. $3\overline{)6}$	22. $4\overline{)24}$	23. $5\overline{)10}$	24. $2\overline{)14}$	25. $5\overline{)25}$
26. $2\overline{)2}$	27. $4\overline{)20}$	28. $3\overline{)12}$	29. $5\overline{)45}$	30. $2\overline{)10}$

L'addition

Additionne.

1. 36 + 24	**2.** 27 + 38	**3.** 38 + 43	**4.** 39 + 6	**5.** 15 + 33
6. 98 + 2	**7.** 11 + 99	**8.** 23 + 48	**9.** 43 + 28	**10.** 66 + 78
11. 37 + 84	**12.** 54 + 26	**13.** 27 + 61	**14.** 82 + 73	**15.** 65 + 47
16. 28 + 63	**17.** 55 + 53	**18.** 81 + 92	**19.** 76 + 47	**20.** 32 + 98

L'addition

Additionne.

1. 236 + 153	**2.** 384 + 605	**3.** 327 + 334	**4.** 358 + 605	**5.** 651 + 263
6. 271 + 382	**7.** 364 + 248	**8.** 400 + 390	**9.** 392 + 58	**10.** 222 + 487
11. 826 + 94	**12.** 766 + 178	**13.** 903 + 69	**14.** 376 + 328	**15.** 718 + 182
16. 5 + 196	**17.** 843 + 154	**18.** 627 + 84	**19.** 785 + 188	**20.** 236 + 554

La soustraction

Soustrais.

1. $86 - 53$
2. $65 - 5$
3. $98 - 29$
4. $40 - 19$
5. $46 - 17$
6. $80 - 11$
7. $94 - 26$
8. $55 - 46$
9. $98 - 27$
10. $35 - 18$
11. $135 - 43$
12. $121 - 41$
13. $127 - 48$
14. $120 - 72$
15. $115 - 18$
16. $105 - 68$
17. $103 - 9$
18. $87 - 38$
19. $100 - 23$
20. $103 - 21$

La soustraction

Soustrais.

1. $365 - 205$
2. $658 - 58$
3. $291 - 190$
4. $483 - 226$
5. $257 - 38$
6. $756 - 84$
7. $329 - 139$
8. $846 - 119$
9. $207 - 26$
10. $808 - 112$
11. $620 - 307$
12. $431 - 388$
13. $711 - 199$
14. $431 - 283$
15. $458 - 264$
16. $820 - 179$
17. $206 - 118$
18. $900 - 225$
19. $600 - 136$
20. $438 - 339$

INDEX

Illustrations

Tom Sankey: *Chapitres 4 et 11*
Bob Seguin: *Chapitres 1, 2, 3, 5, 8, 10, 13, et 15*
Sue Wilkinson: *Chapitres 6, 7, 9, 12, et 14*

Couverture: Bob Seguin